수능기초 **10**일 **격파** 영어 영역 **독해**

차례

10일 동안 공부할 날짜를 정하여 계획에 따라 공부해 보세요.

수능
기초 **10**일 **격파** 영어 영역 **독해**

수능 기초 체크 44선

차례

01 주어와 동사의 수 일치 (1)

- 주어가 수식어구와 함께 쓰여 길어질 때 주어가 무엇인지 정확히 파악하고, 주어와 동사의 수가 [ ] 하는지 확인해야 한다.

- 명사절, to부정사구, 동명사구 등의 주어는 [ ] 로 취급한다.

Those cookies in the box on the table **were** baked by me.

What I like to do in my spare time is baking cookies.

> 답 일치, 단수

개념확인 } 괄호 안에서 알맞은 것을 고르시오.

❶ Events where we can watch people perform (attract / attracts) many people to stay and watch. 학평 응용

❷ Those who broke their promises (was / were) punished. 수능 응용

❸ Judging whether something is right or wrong (is / are) based on individual societies' beliefs. 학평 응용

> 답 ❶ attract ❷ were ❸ is

● 상관접속사가 쓰인 주어와 동사의 수 일치에 유의한다.

상관접속사	의미	동사의 수
not only *A* but also *B*	A뿐만 아니라 B도	B에 맞춤
A as well as *B*	B뿐만 아니라 A도	A에 맞춤
both *A* and *B*	A와 B 둘 다	☐
not *A* but *B*	A가 아니라 B	B에 맞춤
either *A* or *B*	A나 B 둘 중의 ☐	B에 맞춤
neither *A* nor *B*	A나 B 둘 다 아닌	B에 맞춤

> **Not only** my sister **but also** my friends **are** reluctant to help me.

> Your friends **as well as** your sister just **don't** have time to help you.

 복수, 하나

 괄호 안에서 알맞은 것을 고르시오.

❶ Both Marilyn Monroe and Elvis Presley (is / are) in the dictionary.

[학평 응용]

❷ Not he but his parents (was / were) the suspects whom the police were searching for.

  ❶ are ❷ were

- 「a number of + 명사」(많은 ~)는 복수, 「the number of + 명사」(~의 수)는 [   ] 취급한다.

- 「one of + 복수 명사」는 단수 취급한다. (~들 중 하나)

- 「all, some, most, the rest, 분수, 퍼센트 + of」 뒤에 단수 명사가 오면 단수로, [   ] 명사가 오면 복수로 취급한다.

> **All of** us **have** to help remove the snow.

> But **most of** the snow **is** going to melt in an hour.

답 단수, 복수

개념
확인 **밑줄 친 동사의 알맞은 형태를 쓰시오. (단, 현재형으로 쓸 것)**

❶ Each year, only a few people are attacked by tigers or bears, and most of these incidents <u>be</u> caused by the people themselves. 수능 응용

❷ The number of participants <u>be</u> limited to 20. 수능 응용

❸ As some of you already <u>know</u>, we are starting the food drive. 수능 응용

답 ❶ are ❷ is ❸ know

- 과거 시제는 과거의 특정 시점에 일어나 이미 끝난 일을 나타낼 때 쓴다. 명백한 [   ]를 나타내는 표현(yesterday, ago, last, just now, when, 「in + 과거 년도」 등)과 함께 쓴다.

- 현재완료 시제는 과거의 일이 [   ]까지 영향을 미칠 때 쓴다. so far, just, already, yet, ever, before, 「since + 과거 시점」, 「for + 기간」 등의 표현이 함께 자주 쓰인다.

In 2016, the number of tourists to the island **decreased** to less than 1 million.

However, it **has increased** steadily **since then**.

 답 과거, 현재

개념
확인 } 괄호 안에서 알맞은 것을 고르시오.

❶ This is a method that (was / has been) used for a long time. 학평 응용

❷ In 1916, Knight (taught / has taught) at Cornell, the University of Iowa. 수능 응용

 ❶ has been ❷ taught

- 등위접속사 and, but, or 등이 연결하는 어구는 문법적으로 동일한 형태로 쓴다.

- 상관접속사가 연결하는 어구도 문법적으로 [   ]한 형태로 쓴다.

I saw you **dancing** and **singing** on the stage. It was surprising!

You made me **happy** as well as **surprised**.

답 동일

개념
확인 밑줄 친 단어의 알맞은 형태를 쓰시오.

❶ Come and <u>enjoy</u> the fabulous drawings, sculptures, and the great music! 수능응용

❷ They have no political or <u>finance</u> power. 수능응용

❸ Food unites as well as <u>distinguish</u> eaters. 모평응용

답 ❶ enjoy ❷ financial ❸ distinguishes

● 동사에 따라 to부정사를 목적어로 쓰거나 동명사를 목적어로 쓴다.

종류	동사
to부정사를 목적어로 쓰는 동사	agree, decide, hope, need, plan, promise, refuse, want, propose, wish 등
동명사를 목적어로 쓰는 동사	admit, avoid, deny, enjoy, finish, give up, mind, quit, recommend, stop 등

I **enjoy making** coffee very much.

So I **decided to open** my own cafe.

개념
확인 } **괄호 안에서 알맞은 것을 고르시오.**

❶ He decided (to focus / focusing) more on building positive attitudes. 수능 응용

❷ That's okay. He won't mind (to play / playing) the guitar. 모평 응용

❸ Don't you remember we promised (to help / helping) her? 수능 응용

답 ❶ to focus ❷ playing ❸ to help

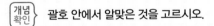

- to부정사와 동명사를 둘 다 목적어로 쓰는 동사 중 목적어에 따라 의미가 달라지는 동사도 있다.

동사의 종류	목적어에 따른 의미 변화
begin, continue, like, love, hate 등	의미 변화 없음
remember, forget	① 동사 + to부정사: (앞으로) ~할 것을 기억하다/잊다
	② 동사 + 동명사: (과거에) ~한 것을 기억하다/잊다
try	① 동사 + to부정사: ~하려고 [ ]
	② 동사 + 동명사: ~하는 것을 [ ]하다, 해 보다

I already **tried telling** some stories to them, but they didn't listen.

You should **try to tell** a funny story to the kids.

답 애쓰다[노력하다], 시도

 우리말을 참고하여 괄호 안에서 알맞은 것을 고르시오.

❶ Try to remember (to show / showing) your goodwill and support!
(당신의 호의와 지지를 보일 것을 기억하려 애쓰세요!) 수능 응용

❷ I remembered (to go / going) to the movies with Erin that day.
(나는 그날 Erin과 영화를 보러 갔던 것을 기억했다.)

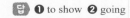 ❶ to show ❷ going

● 동명사구가 주어로 쓰일 때, 목적어와 수식어구 등으로 주어가 길어질 수 있으므로 주어 뒤의
  [   ]를 잘 찾아야 문장 구조를 파악할 수 있다.

● 자주 쓰이는 동명사의 관용적 표현이 있다.

관용적 표현	의미
be used to + 동명사	~하는 것에 익숙하다
look forward to + 동명사	~하기를 고대하다
be worth + 동명사	~할 만한 [ ]가 있다
spend + 시간·돈 + 동명사	~하느라 시간·돈을 쓰다

Getting up early on Saturday morning is hard for me.

Don't **spent the morning sleeping**.

 동사, 가치

 다음 문장에서 동사를 찾아 밑줄을 치시오.

학평 응용

❶ Keeping the lens covered when you aren't using it is recommended.

❷ Simply knowing they are being observed causes people to behave differently. 수능 응용

❸ Preparing to solve a problem for next time feels better than getting upset about our failure. 모평 응용

 ❶ is ❷ causes ❸ feels

● 동사에 따라 목적어를 보충해서 설명하는 목적격 [   ]로 to부정사나 원형부정사(동사원형)를 쓸 수 있다.

종류	동사
동사 + 목적어 + to부정사	advise, allow, ask, cause, enable, encourage, expect, order, tell, want 등
지각동사/사역동사 + 목적어 + 원형부정사	지각동사: see, feel, hear, notice, watch 등 사역동사: make, have, let

Mom **encouraged** us **to grow** the plants.

Good. **Let** me **take** care of the tomatoes and the lettuce.

 보어

 밑줄 친 부분의 알맞은 형태를 쓰시오.

❶ Since you are the manager of Vuenna Dog Park, I ask you <u>take</u> measures to prevent the noise at night. 수능응용

❷ You suddenly see a group of six people <u>enter</u> one of the restaurants.
학평응용

 ❶ to take ❷ enter 또는 entering

- 수동태는 주어가 행위의 [ ]이 될 때 쓰는 동사의 형태이다.

- 수동태의 기본 형태는 「be동사 + [ ]」이며, 시제와 수는 be동사의 형태 변화로 나타낸다.

> When **were** the walls **painted** blue?

> Oh, last Sunday. They **were painted** by my father.

답 대상, 과거분사

개념확인 밑줄 친 부분의 알맞은 형태를 쓰시오.

❶ The role of science can sometimes be <u>overstate</u>. 수능 응용

❷ His little face and hands were <u>cover</u> with biscuit and jam. 모평 응용

❸ Many Joshua trees have been dug up to be <u>plant</u> in urban areas.
학평 응용

답 ❶ overstated ❷ covered ❸ planted

- 4형식의 수동태는 다음과 같이 두 가지로 나타낼 수 있다.

My father gave ☐ some advice.

→ Some advice was given to me by my father. (직접목적어를 주어로)

→ I was given some advice by my father. (간접목적어를 주어로)

- 동사구를 수동태로 쓸 때 전치사나 부사는 ☐ 뒤에 그대로 쓴다.

Who takes care of these kittens?

They **are taken care of** by my brother.

답 me, 과거분사

 밑줄 친 부분의 알맞은 형태를 쓰시오.

❶ We have been <u>ask</u> questions by some of the residents here. 수능 응용

❷ When were the street lights <u>turn off</u>?

❸ Many owners are <u>snap at</u> by their dogs when they return home with a new coat. 수능 응용

답 ❶ asked ❷ turned off ❸ snapped at

- 현재분사와 과거분사는 명사를 꾸미는 [ ] 역할을 할 수 있다.

- 분사가 단독으로 명사를 꾸밀 때에는 명사 앞에 오고, 목적어나 수식어구가 붙어 길어지면 명사 뒤에 온다.

- 현재분사는 능동·진행의 의미를, 과거분사는 [ ] ·완료의 의미를 나타낸다.

Don't worry. I just heard Jamie had found his **lost** dog.

Yesterday I saw the **lost** dog poster **written** by Jamie. What happened?

답 형용사, 수동

 밑줄 친 부분의 알맞은 형태를 쓰시오.

❶ Package goods such as jam and peanut butter are also good. 수능 응용

❷ Imagine an ant walk along a beach. 수능 응용

❸ You get dressed in clothes make of cotton grown in Georgia. 학평 응용

답 ❶ Packaged ❷ walking ❸ made

● 감정을 나타내는 분사를 쓸 때 꾸밈을 받는 명사가 감정을 일으키는 [   ]이면 현재분사를 쓰고, 감정을 느끼는 [   ]이면 과거분사를 쓴다.

It was an **exciting** movie. We were so **excited**.

It was a **boring** movie. We were so **bored**.

답 원인, 주체

개념 확인 괄호 안에서 알맞은 것을 고르시오.

❶ Shaun could not find the words. The audience began to laugh. The judges looked (disappointing / disappointed). 학평 응용

❷ I don't want to deliver the (depressing / depressed) news to them.

❸ The kids liked to read horrible, (frightening / frightened) stories.

답 ❶ disappointed ❷ depressing ❸ frightening

- 분사구문은 부사절에서 접속사와 [   ]를 생략하고 동사를 현재분사로 바꿔 부사구로 만든 것이다. 의미를 명확히 하기 위해 접속사를 생략하지 않고 분사구문 앞에 그대로 두기도 한다.
- 분사구문의 부정은 분사 앞에 not 또는 [   ]를 써서 나타낸다.
- 수동태의 분사구문은 보통 being이나 having been을 생략하고 과거분사로 시작한다.

Not knowing the answer to her question, I couldn't say anything.

Asked many questions, I was getting to feel uneasy.

 답 주어, never

개념
확인 밑줄 친 동사의 형태를 알맞게 바꿔 분사구문으로 만드시오.

❶ Walk out of the water joyfully, he cheered, "Wow, I did it!" 수능응용

❷ After destroy by fire, the castle was forgotten completely.

❸ Take a deep breath, he picked up his board and ran into the water. 수능응용

 답 ❶ Walking ❷ destroyed ❸ Taking

● 관계대명사는 제한적 용법과 계속적 용법으로 쓰인다. [　　　] 용법의 관계대명사 앞에는 콤마(,)를 쓴다.

용법	쓰임
제한적 용법	선행사가 무엇인지 정의할 때
계속적 용법	선행사에 대해 추가로 설명할 때

● 관계대명사 that과 [　　　]은 계속적 용법으로 쓰지 않는다.

> He is Mr. Newman, **who** is walking with his dog.

> He is wearing a cap **that** I gave him for his birthday.

답 계속적, what

 개념확인 괄호 안에서 알맞은 것을 고르시오.

❶ Leopard sharks are among the sharks (who / which) are not considered as a threat to humans. [학평 응용]

❷ You need to see a doctor, (who / that) may prescribe medicines to control the infection. [학평 응용]

답 ❶ which ❷ who

- 관계대명사가 전치사의 목적어일 경우 전치사는 관계대명사 앞에 쓸 수도 있다.

- 「전치사 + 관계대명사」의 형태로 쓸 때 관계대명사는 생략할 수 [　　　].

- 관계대명사 that과 who는 「전치사 + 관계대명사」의 형태로 쓸 수 [　　　].

I know your friend **who** lives in this house.

Right. This is the house **in which** my friend Yunseo lives.

답 없다, 없다

 개념 확인 괄호 안에서 알맞은 것을 고르시오.

❶ Timothy Wilson did an experiment (which / in which) he gave students a choice of five different art posters. 학평 응용

❷ The garden (which / in which) he painted the painting was in the middle of the enemy's camp. 학평 응용

답 ❶ in which ❷ in which

- 관계대명사 what은 선행사를 포함하므로 앞에 [　　　]가 오지 않는다. 관계대명사 that은 앞에 선행사가 온다.

-	선행사	역할
관계대명사 what	없음	명사절을 이끎
관계대명사 that	[　　　]	형용사절을 이끎

Did you read the message **that** John had posted?

Yes, but I don't understand **what** he wrote.

청소년
아트 스쿨

답 선행사, 있음

 개념 확인 괄호 안에서 알맞은 것을 고르시오.

❶ Do you remember (that / what) you ate today? 수능 응용

❷ A brain (that / what) is fully fueled solves problems faster. 학평 응용

❸ He decided to donate (that / what) his father had left.

답 ❶ what ❷ that ❸ what

● 관계대명사 what 뒤에는 주어나 목적어 등이 빠진 불완전한 절이 오며, 접속사 that 뒤에는 ☐한 절이 온다.

> His brilliant idea for the project was **what** made me surprised most.

> I agree. I think **that** he tried more than any other members.

답 완전

개념 확인 괄호 안에서 알맞은 것을 고르시오.

❶ Suppose (that / what) your doctor said that you have six months to live.

❷ Just think of (that / what) you have to give to each other.

❸ (That / What) you live with will become the inheritance of future generations.

답 ❶ that ❷ what ❸ What

- 관계대명사 whose 뒤에는 whose의 꾸밈을 받는 명사가 나오며, 이때 whose는 선행사의 [ ]과 접속사 역할을 한다.

- 관계대명사 which 뒤에 명사가 나오면 which는 관계사절 안에서 목적어 역할을 한다. 또한 which가 전치사의 [ ]일 때에는 전치사를 which 앞에 쓰는 경우가 많다.

Name an animal **whose** nose looks like a hose.

Elephants!

Apes?

Name an animal **which** humans were evolved from.

답 소유격, 목적어

개념 확인 ▶ 괄호 안에서 알맞은 것을 고르시오.

❶ The player moved to a team (which / whose) baseball park has better conditions for home runs. 수능 응용

❷ Create an environment in (which / whose) your children feel free to play.

답 ❶ whose ❷ which

● 관계대명사는 「접속사 + ⬚ 」 역할을 하여 뒤에 주어나 목적어 등이 없는 불완전한 절이
온다. 관계부사는 「접속사 + ⬚ 」 역할을 하여 뒤에 완전한 형태의 절이 온다.

I remember the day **when** we first met each other.

Oh, I remember the scarf **that** you wore that day.

🔲 답 대명사, 부사

 개념
확인 **괄호 안에서 알맞은 것을 고르시오.**

❶ Those are the places (where / which) there are opportunities to improve, innovate, and grow. 수능 응용

❷ The parents (when / who) just heard the bad news denied what happened. 수능 응용

❸ The day (when / which) they were busiest was Friday.

  답 ❶ where ❷ who ❸ when

- 형용사는 [ ]를 꾸미거나 문장에서 보어 역할을 한다.

- 부사는 동사, 형용사, [ ], 또는 문장 전체를 꾸민다.

- 형용사는 보어로 쓰일 수 있지만 부사는 [ ]로 쓰일 수 없다.

> The air feels **fresh**, and the sun shines **brightly**.

> The flowers smell **sweet**, and the grass feels **soft**. I'm so **happy**.

🗝 답 명사, 부사, 보어

개념확인 괄호 안에서 알맞은 것을 고르시오.

❶ While they kept watching the salmon, a big one (sudden / suddenly) leapt. 수능 응용

❷ The thunder rumbled again, sounding (loud / loudly). 학평 응용

❸ To make tomorrow's hike (safe / safely), I'll give you some tips. 모평 응용

🗝 답 ❶ suddenly ❷ loud ❸ safe

- 원급 비교(~만큼 …하다)는 「as + 형용사/부사의 원급 + as」로 쓴다.

- 원급 비교의 부정은 「not … as[   ] + 형용사/부사의 원급 + as」로 쓴다.

- 「배수 표현 + [   ] + 형용사/부사의 원급 + as」는 '~의 몇 배만큼 …하다'라는 의미이다.
  (배수 표현: twice, three times, four times, …)

I'm **not so tall as** you yet.

But you can run **as fast as** I can.

답 so, as

개념
확인 } 괄호 안에서 알맞은 것을 고르시오.

❶ Take as (many / more) as you want. 수능 응용

❷ You can be as creative (as / so) you like. 학평 응용

❸ In 2012, the percentage of the 6-8 age group was twice (as / so) large as that of the 15-17 age group. 학평 응용

답 ❶ many ❷ as ❸ as

● 비교급 비교(~보다 더 …하다)는 「형용사/부사의 비교급 + than」으로 쓰며, 비교급을 강조할 때에는 앞에 [ ], far, a lot, even 등을 쓴다.

This box is **a lot bigger than** those ones.

This is **much heavier than** them.

답 much

 개념확인 ⟩ 괄호 안에서 알맞은 것을 고르시오.

❶ Your actions speak (loud / louder) than your words. 학평 응용

❷ Classes with (few / fewer) than 20 applicants will be canceled. 수능 응용

❸ In the following three years, Istanbul received (much / more) tourists than Antalya did. 학평 응용

답 ❶ louder ❷ fewer ❸ more

- 최상급 비교는 「(the) + 형용사/부사의 최상급」으로 쓰며, 강조할 때에는 앞에 quite, the very, by far 등을 쓴다.

- 최상급 표현 뒤에 ☐ 를 나타내는 표현이 올 때가 많다.

What do you spend **the most** money on?

I spend **the most** money on games. Playing games is **the most exciting** activity to me.

답 범위

개념확인 > 괄호 안에서 알맞은 것을 고르시오.

❶ In 1964, the (larger / largest) earthquake ever recorded in North America rocked Alaska. 모평응용

❷ When Christmas was at hand, I hung up the (bigger / biggest) stocking I had. 모평응용

❸ You'll have one of the most valuable (experience / experiences) of your life. 모평응용

답 ❶ largest ❷ biggest ❸ experiences

● 비슷한 의미일 때 접속사 뒤에 「주어 + 동사」로 이루어진 [   ]이 오고, 전치사 뒤에 전치사의 [   ]가 되는 명사(구)가 오는 것에 유의한다.

의미	접속사 (+ 주어 + 동사)	전치사 (+ 명사/명사구)
~에도 불구하고	although	despite / in spite of
~ 때문에	because	because of
~ 동안	while	during

Although I tried hard, I failed the test.

I failed the test **because of** a terrible headache.

답 절, 목적어

 괄호 안에서 알맞은 것을 고르시오.

❶ The feature turns out to be worthless (because / because of) the problems it causes. 수능 응용

❷ The butterflies help us grow some other plants (because / because of) they carry pollen from flower to flower. 모평 응용

답 ❶ because of ❷ because

- 간접의문문이란 [   ]이 다른 문장의 일부가 되는 문장의 형태이다.

- 간접의문문은 「의문사/if/whether + 주어 + [   ]」의 형태로 쓴다.

- 주절이 의문문이며 동사가 생각이나 추측을 나타낼 때에는 간접의문문의 의문사가 문장 맨 앞에 와서 「의문사 + do you think[believe, guess, suppose, imagine ...] + 주어 + 동사 ~?」로 쓴다.

What do you **guess** this is?

I wonder **whether** this is a butterfly or a moth.

답 의문문, 동사

개념
확인 ⟩ 괄호 안의 단어들을 알맞은 순서로 쓰시오.

❶ It is not clear (literacy, how widespread, was) at its beginnings. 수능 응용

❷ Forget all your concerns about (are, whether, you) musically talented. 학평 응용

답 ❶ how widespread literacy was ❷ whether you are

● so that은 '~하기 위해, ~하도록'이라는 의미이고, 「so + 형용사/부사 + [   ]」은 '매우 ~ 해서 …하다'라는 의미이다.

I was standing at the window **so that** he could spot me.

But I waited **so** long **that** my legs started to feel hurt.

답 that

개념 확인 〉 다음 문장에서 that이 들어갈 위치로 알맞은 것을 고르시오.

❶ We need someone ① who encourages us ② so ③ we can feel confident.

❷ Gandhi was so ① troubled by his guilt ② he decided to tell ③ his father what he had done. 학평 응용

❸ Jeremy became ① so ② stressed ③ he even dreaded going into his classroom. 수능 응용

 **답** ❶ ③ ❷ ② ❸ ③

- 가정법 과거는 현재 사실과 [   ]되는 일이나 현재 이루어질 가능성이 희박한 일을 나타낼 때 쓴다.

- 「If + 주어 + were/동사의 [   ]형, 주어 + 조동사의 과거형 + 동사원형 …」으로 쓰고, if절이 주절 뒤에 올 수도 있다.

If I **were** not in this traffic jam, I **would**n't **be** late.

If I **took** the subway, I **could make** it.

답 반대, 과거

개념 확인 } 괄호 안에서 알맞은 것을 고르시오.

❶ If you (are / were) trying to explain something on the cell phone, you would stop walking. 학평 응용

❷ If I spoke Chinese, I (can / could) help those Chinese tourists.

답 ❶ were ❷ could

- 가정법 과거완료는 과거 사실과 [ ] 되는 일을 나타낼 때 쓴다.
- 「If + 주어 + had + [ ] , 주어 + 조동사의 과거형 + have + 과거분사 …」로 쓰고, if절이 주절 뒤에 올 수도 있다.

> If it **had been** colder today, I **would have worn** this new coat.

> If I **had worn** this new coat, I **would have felt** better today.

답 반대, 과거분사

<개념확인> 밑줄 친 부분을 알맞은 형태로 고쳐 쓰시오.

❶ How would you have felt if I <u>offer</u> you the director position?

❷ If I had reduced my prejudice, I <u>can understand</u> the movie better.

❸ If you had read that book, you <u>can answer</u> to her question then.

답 ❶ had offered ❷ could have understood ❸ could have answered

● I wish 가정법은 현재나 과거에 대한 아쉬움을 나타낼 때 쓴다.

종류	형태	의미
I wish 가정법 과거	I wish + 주어 + were/동사의 [　　　]형	~라면 좋을 텐데 (현재에 대한 아쉬움)
I wish 가정법 과거완료	I wish + 주어 + had + 과거분사	~했더라면 좋을 텐데 ([　　　] 에 대한 아쉬움)

I wish I **had learned** to cook.

I wish someone just **showed** me how to cook.

> 답 과거, 과거

개념
확인 } 우리말을 참고하여 괄호 안에서 알맞은 것을 고르시오.

❶ I wish I (could camp / could have camped) in the wild alone. 학평응용
(내가 야외에서 혼자 캠핑할 수 있으면 좋을 텐데.)

❷ I wish I (went / had gone) to the electronics market with you. 모평응용
(내가 전자제품 마켓에 너와 같이 갔더라면 좋을 텐데.)

❸ I wish I (had / had had) good presentation skills like you. 모평응용
(내가 너처럼 발표 능력이 좋으면 좋을 텐데.)

> 답 ❶ could camp ❷ had gone ❸ had

- 「as if + 주어 + were/동사의 과거형」은 주절과 [   ] 시점의 사실에 반대되는 상황을 가정한다.

- 「as if + 주어 + [   ] + 과거분사」는 주절보다 앞선 시점의 사실에 반대되는 상황을 가정한다.

He looks **as if** he **were** very hungry.

He is eating greedily **as if** he **had missed** meals for days.

답 같은, had

개념 확인 〉 우리말을 참고하여 as if가 들어갈 곳을 고르시오.

❶ ① It was unusually foggy ② something mysterious were ahead.
(불가사의한 일이 기다리고 있는 것처럼 안개가 몹시 자욱한 날이었다.) 수능 응용

❷ ① The man looked pale ② he had seen a ghost.
(그는 유령을 본 것처럼 창백해 보였다.)

❸ ① I felt sleepy ② I hadn't got enough sleep last night.
(나는 전날 밤에 충분히 자지 못한 것처럼 졸렸다.)

답 ❶② ❷② ❸②

- if절에 were나 had, should가 쓰였을 때, if를 [   ]하고 주어와 동사를 도치해서 쓸 수 있다.

- 「without + 명사구」, 「but [   ] + 명사구」가 if절을 대신해서 쓰일 수 있다.

> **Without** my dog,
> my life **would be** dull
> and boring.

> **Were I** able to speak
> to you, I **would say** "I am
> so happy now."

 생략, for

 괄호 안에서 알맞은 것을 고르시오.

❶ (But for / If) your help, I couldn't have won the election. 수능 응용

❷ (If / Without) the influence of minorities, we would have no social change. 수능 응용

❸ (Had / Were) she kept her promise, her family would have forgiven her.

 ❶ But for ❷ Without ❸ Had

● 접속사 if는 가정법 외에도 다음과 같이 쓰인다.

쓰임	의미
조건을 나타내는 부사절을 이끌 때	⬚ ~라면
명사절을 이끌 때	~인지 아닌지

● if가 이끄는 조건의 부사절에서는 ⬚ 시제가 미래 시제를 대신한다. if가 명사절을 이끌 때에는 미래 시제 그대로 쓴다.

If you have further questions, please e-mail me.

I don't even know if I have further questions.

🔲 답 만약, 현재

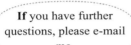 우리말을 참고하여 if가 들어갈 곳을 고르시오.

❶ ① She asked the blind man ② he wanted to cross the street. 수능 응용
(그녀는 시각장애인 남성에게 길을 건너기를 원하는지 물어보았다.)

❷ ① There's a problem, ② the blue light will flash. 수능 응용
(문제가 있으면, 파란 불빛이 반짝일 것이다.)

❸ ① It's that important to you, ② do it now. 학평 응용
(그것이 네게 그렇게 중요하다면, 지금 그것을 해라.)

🔲 답 ❶② ❷① ❸①

● as는 부사절을 이끄는 접속사 또는 전치사로 쓰인다.

품사	쓰임	의미
	as + 주어 + 동사	~하면서, ~할 때, ~ 때문에, ⋯
	as + 명사/명사구	~처럼, ~로서, ⋯

As a counselor, I listen to people for hours every day.

As I listen to them, I try to have sympathy with them.

🔲 **답** 접속사, 전치사

 개념확인 우리말을 참고하여 as가 들어갈 곳을 고르시오.

❶ ① I'm going to hire you ② my speechwriter. 수능 응용
(나는 당신을 내 연설문 작성자로 고용하려 합니다.)

❷ The city developed ① the lake ② a tourist destination. 수능 응용
(시는 그 호수를 관광지로 개발했다.)

❸ ① He wandered around, he found ② a large rock.
(그는 돌아다니다가 커다란 바위를 발견했다.)

 **답** ❶ ② ❷ ② ❸ ①

- 접속사 that이 이끄는 종속절의 내용이 의무나 해야 할 필요가 있는 일을 나타낼 때, that절의 동사는 「(should +) 동사원형」으로 쓸 수 있다.
  → 주어 + insist[recommend, order, suggest 등] + that + 주어 + (should +) [   ]
- 다음과 같이 that절의 내용이 의무나 필요를 나타낼 때 that절의 동사를 「(should +) 동사원형」으로 쓸 수 있다.
  → It is + important[necessary, essential 등] + [   ] + 주어 + (should +) 동사원형

It's very **important that** you **be** safe.

I **recommend that** you not **drive**. Use public transportation.

(답) 동사원형, that

개념
확인 │ 괄호 안에서 알맞은 것을 고르시오.

❶ Tom insisted that the concert (go / goes) on for the audience. 모평 응용

❷ She suggests to Daniel that he (live / lives) in the dormitory. 모평 응용

❸ It is important that Amy (apologize / apologizes) to them.

(답) ❶ go ❷ live ❸ apologize

- 「It is[was] ~ that ....」 강조 구문은 주어, 목적어, 부사(구) 등을 [   ]할 때 쓴다. 강조하는 말이 It is[was]와 [   ] 사이에 온다.

- 강조하는 대상에 따라 that 대신 who(m), which, when, where 등을 쓸 수 있다.

> **It is** your advice **that** I need most now.

> **It is** your parents **who** help you now, I think.

답 강조, that

개념
확인 ▶ 괄호 안에서 알맞은 것을 고르시오.

❶ It is the presence of the enemy (that / to) gives justification to war.

수능 응용

❷ It was Freddie Mercury (who / this) sang the song first.

❸ It was yesterday evening (that / where) they found the kitten in the bush.

답 ❶ that ❷ who ❸ that

40 가주어 it

- that절이나 to부정사구 등이 주어로 쓰여 길어질 때, it을 주어 자리에 쓰고 that절/to부정사구를 문장의 뒤로 보낼 수 있다. 이때 it을 [ ], that절/to부정사구를 [ ]라고 한다.

답 가주어, 진주어

개념
확인 │ 진주어가 시작하는 부분의 첫 두 단어를 쓰시오.

❶ It is well known that some baseball parks are better for hitting home runs than others. 수능 응용

❷ It is hard for everyone to take part equally in discussions. 수능 응용

❸ It is not surprising that humans use all their five senses to analyze food quality. 수능 응용

답 ❶ that some ❷ to take ❸ that humans

● 동사 앞에 do를 써서 강조할 수 있다. 현재 시제일 때 주어가 3인칭 단수이면 [   ]를 쓰고, 과거 시제일 때에는 [   ]를 쓴다. 강조의 do 뒤에 오는 동사는 원형으로 쓴다.

I **did tell** you to be in class on time.

I'm so sorry. I **do promise** I'll never be late again.

답 does, did

개념확인 > 밑줄 친 동사를 강조하여 바꿔 쓰시오.

❶ Maps <u>reflect</u> the world views of their makers. 수능응용

❷ Before printing became widespread, ideas <u>spread</u> by word of mouth. 수능응용

❸ Everything <u>happens</u> for a reason. 학평응용

답 ❶ do reflect ❷ did spread ❸ does happen

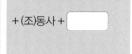

42 도치 구문

- 부정어나 부사구 등을 강조하기 위해 문장의 맨 앞에 오게 할 때 [   ]와 동사가 도치된다.

• 부정어	
• there 또는 here	
• 장소 또는 방향의 부사구	+ (조)동사 + [ ]
• so 또는 neither	

- 단, 장소 또는 방향의 부사구가 문장의 앞에 올 때 주어가 대명사이면 도치하지 않는다.

Never have I seen such a beautiful night sky.

Neither have I.

답 ▶ 주어, 주어

 개념 확인 ▷ 괄호 안에서 알맞은 것을 고르시오.

❶ Never does he (expect / expects) that he will see her again.

❷ On my left side (stood a young boy / a young boy stood).

❸ Seldom did she (worry / worried) about what others thought about her appearance.

답 ❶ expect ❷ stood a young boy ❸ worry

- 대명사는 지칭하는 명사와 성, ☐ , 격을 일치시켜 써야 한다.

- those는 관계대명사 who와 같이 쓰여 '~한 사람들'이라는 의미를 나타낼 수 있다.

- 재귀대명사는 ☐ 와 목적어가 가리키는 대상이 같을 때 쓴다.

- 재귀대명사의 관용 표현: by oneself (혼자) / for oneself (스스로)

Those who suffer from back pain need to do these exercises.

You can train **yourself** to ease back pain.

답 수, 주어

개념
확인 〉 괄호 안에서 알맞은 것을 고르시오.

❶ We know you'll enjoy (ourselves / yourselves). 모평응용

❷ Visitors can make (his / their) own plates for a small fee. 수능응용

❸ (These / Those) who were left in the room looked scared.

답 ❶ yourselves ❷ their ❸ Those

문장 해석

p.4

- 탁자 위 상자 속의 저 쿠키들은 나에 의해 구워졌다.
- 내가 여가 시간에 하기 좋아하는 것은 쿠키를 굽는 것이다.
❶ 사람들이 공연하는 것을 볼 수 있는 행사는 많은 이들을 끌어들여 머무르고 보게 한다.
❷ 약속을 깨는 사람들은 처벌되었다.
❸ 무언가가 옳은지 그른지 판단하는 것은 각 사회의 신념에 기반한다.

p.5

- 내 여동생뿐만 아니라 내 친구들도 나를 돕길 꺼려 해.
- 네 여동생뿐만 아니라 네 친구들도 단지 너를 도울 시간이 없는 거야.
❶ Marilyn Monroe와 Elvis Presley 둘 다 사전에 있다.
❷ 그가 아니라 그의 부모가 경찰이 찾고 있는 용의자였다.

p.6

- 우리 모두 눈 치우는 걸 도와야 해.
- 하지만 대부분의 눈은 한 시간 안에 녹을 거야.
❶ 매년 몇몇 사람들만이 호랑이나 곰에게 공격당하는데, 이 사고들 중 대부분은 그들 스스로에 의해 일어난다.
❷ 참가자들의 숫자는 20명까지 제한된다.
❸ 여러분 중 일부가 이미 알다시피, 우리는 음식 기부 운동을 시작할 것이다.

p.7

- 2016년, 이 섬의 관광객 수는 100만 명 미만으로 줄었어요.
- 하지만 그것은 그때 이후로 꾸준히 늘고 있어요.
❶ 이것은 오랫동안 사용되어 온 방법이다.
❷ 1916년에 Knight는 Iowa 대학, Cornell에서 가르쳤다.

p.8

- 나는 네가 무대에서 춤추고 노래하는 것을 봤단다. 놀라웠어!
- 너는 나를 놀라울 뿐만 아니라 행복하게도 만들었어.
❶ 와서 멋진 그림, 조각, 훌륭한 음악을 즐기세요!
❷ 그들은 정치적이거나 경제적인 힘이 없었다.
❸ 음식은 먹는 사람들을 구별 지을 뿐 아니라 통합한다.

p.9

- 나는 커피 만드는 것을 아주 좋아해.
- 그래서 나는 내 카페를 열기로 결정했어.
❶ 그는 긍정적인 태도를 갖추는 데 더 집중하기로 결심했다.
❷ 괜찮아. 그는 기타 연주하는 것을 꺼리지 않을 거야.
❸ 우리가 그녀를 돕기로 약속한 것이 기억나지 않니?

p.10

- 애들한테 웃긴 이야기라도 해 줘 봐.
- 내가 벌써 애들한테 이야기 몇 개를 해 줬는데, 듣질 않아.

p.11

- 토요일 아침에 일찍 일어나는 건 내게 어려워.
- 자느라 아침 시간을 보내지 마.
❶ 당신이 렌즈를 쓰지 않을 때 그것에 뚜껑을 덮어두는 것이 권장된다.
❷ 단순히 관찰되고 있다는 것을 아는 것이 사람들을 다르게 행동하게 한다.
❸ 다음번에 문제를 해결하려 준비하는 것이 실패에 관해 화내는 것보다 기분이 나아진다.

p.12

- 엄마가 우리에게 식물을 키워보라고 격려하셨어.
- 좋아. 내가 토마토와 상추를 돌볼게.
❶ 당신이 Vuenna 애견 공원의 관리자이기 때문에, 저는 당신에게 야간 소음을 막을 대책을 취하기를 요청합니다.

❷ 당신은 갑자기 여섯 사람의 무리가 그 식당 중 한 곳으로 들어가는 것을 본다.

p. 13

- 벽은 언제 파란색으로 칠해졌니?
- 오, 지난 일요일에. 아버지에 의해 칠해졌어.

❶ 과학의 역할은 때때로 과장될 수 있다.

❷ 그의 작은 얼굴과 손은 비스킷과 잼으로 뒤덮여 있었다.

❸ 많은 Joshua 나무가 도시 지역에 심어지기 위해 파내어져 왔다.

p. 14

- 누가 이 고양이들을 돌보지?
- 그들은 우리 오빠에 의해 돌보아져.

❶ 우리는 이곳의 거주민들 중 몇몇에게 질문을 받아왔다.

❷ 언제 가로등이 꺼졌지?

❸ 많은 주인들이 새 코트를 입고 집에 돌아갈 때 그들의 개에게 덥석 물린다.

p. 15

- 어제 Jamie에 의해 쓰인 잃어버린 개를 찾는 전단지를 봤어. 무슨 일이 생긴 거야?
- 걱정하지 마. Jamie가 잃어버린 개를 찾았다고 방금 들었어.

❶ 잼과 땅콩버터 같은 포장된 상품도 좋습니다.

❷ 바닷가를 따라 걷는 개미를 떠올려 보세요.

❸ 당신은 Georgia에서 재배된 면으로 만들어진 옷을 차려 입는다.

p. 16

- 그건 신나는 영화였어. 우린 정말 신났어.
- 그건 지루한 영화였어. 우린 정말 지루했어.

❶ Shaun은 할 말을 찾지 못했다. 관객은 웃기 시작했다. 심사위원은 실망스러워 보였다.

❷ 나는 우울한 소식을 그들에게 전하고 싶지 않다.

❸ 그 아이들은 끔찍하고 무서운 이야기 읽는 것을 좋아했다.

p. 17

- 그녀의 질문에 대한 답을 알지 못해서, 나는 아무 말도 할 수 없었다.
- 많은 질문을 받아서 나는 불편해지기 시작했다.

❶ 물 밖으로 즐겁게 걸어 나오며 그가 "와, 내가 해냈어!"라고 환호했다.

❷ 화재로 파괴된 후, 그 성은 완전히 잊혀졌다.

❸ 숨을 깊이 들이쉬며 그는 보드를 집어 들고 물속으로 달려 들어갔다.

p. 18

- 그는 Newman 씨인데, 개와 같이 산책하고 있다.
- 그는 내가 그의 생일에 준 모자를 쓰고 있다.

❶ 표범상어는 인간에게 위협적이지 않다고 생각되는 상어에 속한다.

❷ 너는 의사에게 진찰을 받아야 하고, 의사는 아마 감염을 억제할 약을 처방해 줄 거야.

p. 19

- 나는 이 집에 사는 네 친구를 알아.
- 맞아. 여기는 내 친구 윤서가 사는 집이야.

❶ Timothy Wilson은 학생들에게 다섯 개의 각각 다른 미술 포스터 중 하나를 선택하게 하는 실험을 했다.

❷ 그가 그림을 그린 정원은 적군의 캠프 한가운데에 있었다.

p. 20

- 너 John이 붙인 메시지 읽었어?
- 응, 하지만 그가 쓴 걸 이해하지 못하겠어.

❶ 당신은 오늘 먹은 것을 기억하나요?

❷ 연료가 가득 채워진 뇌는 문제를 더 빨리 해결한다.

❸ 그는 그의 아버지가 남긴 것을 기부하기로 결심했다.

p. 21

- 프로젝트에 대한 그의 멋진 아이디어가 나를 가장 놀라게 한 것이었다.

- 동의해. 그는 다른 구성원들보다 더 노력한 것 같아.
❶ 의사가 당신이 살날이 6개월 남았다고 말했다고 가정해 보라.
❷ 당신들이 서로에게 줘야 하는 것을 생각해 보라.
❸ 여러분이 지니고 사는 것이 후대의 유산이 될 것이다.

p. 22

- 코가 호스처럼 생긴 동물의 이름을 대. – 코끼리!
- 인간이 진화해 나온 동물의 이름을 대. – 유인원?
❶ 그 선수는 그들의 야구장이 홈런에 더 좋은 조건을 갖춘 팀으로 이적했다.
❷ 당신의 자녀들이 마음 놓고 놀 수 있는 환경을 조성하라.

p. 23

- 나는 우리가 서로 처음 만난 날을 기억해.
- 아, 나는 그날 네가 하고 있던 목도리를 기억해.
❶ 그곳들은 개선하고 혁신하고 성장할 기회가 있는 장소이다.
❷ 나쁜 소식을 이제 막 들은 부모들은 일어난 일을 부인했다.
❸ 그들이 가장 바쁜 요일은 금요일이었다.

p. 24

- 공기는 신선하게 느껴지고, 해는 밝게 비친다.
- 꽃들은 달콤한 향이 나고, 잔디는 부드럽게 느껴진다. 나는 정말 행복하다.
❶ 그들이 연어를 지켜보는 동안, 커다란 연어가 갑자기 뛰어올랐다.
❷ 천둥이 큰 소리를 내며 다시 울렸다.
❸ 내일의 도보여행을 안전하게 하기 위해 너에게 팁을 좀 줄게.

p. 25

- 나는 아직 너만큼 키가 크지 않아.
- 하지만 너는 나만큼 빨리 달리잖아.
❶ 네가 원하는 만큼 가져라.
❷ 너는 하고 싶은 만큼 창의적이 될 수 있다.

❸ 2012년에, 6~8세 그룹의 비율은 15~17세 그룹의 비율의 두 배였다.

p. 26

- 이 상자는 저것들보다 훨씬 더 커.
- 이건 저것들보다 훨씬 더 무거워.
❶ 당신의 행동은 당신의 말보다 더 크게 말합니다.
❷ 신청자가 20명 미만인 강의는 취소될 것이다.
❸ 다음 3년 간 이스탄불은 안탈랴보다 더 많은 관광객을 받았다.

p. 27

- 너는 무엇에 가장 많은 돈을 쓰니?
- 나는 게임에 가장 많은 돈을 써. 게임하기는 내게 가장 재미있는 활동이야.
❶ 1964년에 북미에서 기록된 가장 큰 지진이 알래스카를 흔들었다.
❷ 크리스마스가 가까워오자 나는 내가 가진 가장 큰 양말을 걸었다.
❸ 당신은 인생에서 가장 귀중한 경험 중 하나를 하게 될 것이다.

p. 28

- 나는 열심히 노력했는데도 불구하고 시험에 떨어졌어.
- 나는 심한 두통 때문에 시험에 떨어졌어.
❶ 그 특징은 그것이 일으키는 문제 때문에 쓸모없는 것으로 밝혀진다.
❷ 나비는 그들이 꽃가루를 꽃에서 꽃으로 옮기기 때문에 우리가 몇몇 다른 식물들을 재배하도록 돕는다.

p. 29

- 넌 이게 뭐라고 추측해?
- 나는 이게 나비인지 나방인지 궁금해.
❶ 문해력이 초기에 얼마나 널리 퍼졌는지는 확실하지 않다.
❷ 당신이 음악적으로 재능이 있는지에 대한 걱정은 모두 잊어라.

p. 30

- 나는 그가 나를 발견할 수 있도록 창문가에 서 있었다.
- 그러나 나는 너무 오래 기다려서 다리가 아프기 시작했다.
- ❶ 우리는 우리가 자신감을 느낄 수 있도록 우리를 격려해 줄 누군가가 필요하다.
- ❷ 간디는 그의 잘못으로 너무 괴로워서 아버지에게 그가 한 일을 말씀드리기로 결정했다.
- ❸ Jeremy는 너무 스트레스를 받게 되어서 그의 교실에 들어가는 것조차 두려워졌다.

p. 31

- 내가 이 교통체증에 갇혀 있지 않다면 늦지 않을 텐데.
- 지하철을 탄다면 도착할 수 있을 텐데.
- ❶ 당신은 휴대 전화상으로 무언가를 설명하려 한다면 걸음을 멈출 것이다.
- ❷ 내가 중국어를 한다면, 저 중국인 관광객들을 도울 수 있을 텐데.

p. 32

- 오늘 날씨가 더 추웠으면 난 이 새 코트를 입었을 텐데.
- 이 새 코트를 입었으면 난 오늘 기분이 더 좋았을 텐데.
- ❶ 제가 당신에게 감독 자리를 제안했다면 당신은 어떤 기분이었을까요?
- ❷ 내가 편견을 줄였다면 영화를 더 잘 이해할 수 있었을 텐데.
- ❸ 네가 그 책을 읽었다면 너는 그때 그녀의 질문에 답할 수 있었을 것이다.

p. 33

- 내가 요리하는 것을 배웠다면 좋을 텐데.
- 그냥 누군가가 나에게 요리하는 법을 보여주면 좋을 텐데.

p. 34

- 그는 아주 배고픈 것처럼 보인다.
- 그는 며칠 끼니를 걸렀던 것처럼 게걸스럽게 먹고 있다.

p. 35

- 나의 개가 없다면 내 인생은 따분하고 지루할 거야.
- 내가 너에게 말할 수 있다면, "지금 나는 아주 행복해."라고 말할 거야.
- ❶ 당신의 도움이 아니었다면, 나는 선거에서 이기지 못했을 것이다.
- ❷ 소수집단의 영향이 없다면, 우리는 사회적 변화를 겪지 못할 것이다.
- ❸ 그녀가 약속을 지켰다면, 그녀의 가족들은 그녀를 용서했을 것이다.

p. 36

- 질문이 더 있다면, 저에게 이메일을 보내세요.
- 난 내가 질문이 더 있는지조차 모르겠다.

p. 37

- 상담사로서 나는 매일 몇 시간씩 사람들의 이야기를 듣는다.
- 나는 그들의 말을 들으면서 그들에게 공감하려고 노력한다.

p. 38

- 여러분이 안전한 것이 아주 중요합니다.
- 저는 여러분이 운전하지 말기를 추천합니다. 대중교통을 이용하세요.
- ❶ Tom은 콘서트가 관객들을 위해 계속되어야 한다고 주장했다.
- ❷ 그녀는 Daniel에게 기숙사에서 살아야 한다고 제안한다.
- ❸ Amy가 그들에게 사과하는 것이 중요하다.

p. 39

- 내가 지금 가장 필요한 것은 너의 충고야.
- 지금 너를 도울 사람은 너의 부모님이라고 생각해.

❶ 전쟁에 정당성을 부여하는 것은 적의 존재이다.
❷ 그 노래를 처음 부른 사람은 Freddie Mercury였다.
❸ 그들이 수풀 속에서 새끼 고양이를 발견한 것은 어제 저녁이었다.

p. 40

• 그 병의 첫 번째 증상은 열과 메스꺼움이라고 얘기됩니다.
• 그 병이 심각한 상태로 진행되기까지 며칠이 걸립니다.
❶ 어떤 야구장들이 다른 야구장보다 홈런을 치기에 더 좋다는 것은 잘 알려져 있다.
❷ 모두가 토론에 동등하게 참여하는 것은 어렵다.
❸ 인간이 음식의 질을 분석하기 위해 오감을 모두 사용한다는 것은 놀랍지 않다.

p. 41

• 네가 너에게 제 시간에 수업에 들어오라고 말했잖아.
• 정말 죄송해요. 다시는 늦지 않겠다고 약속할게요.
❶ 지도는 그것을 만든 사람의 세계관을 반영한다.
❷ 인쇄술이 널리 쓰이기 전에 사상은 구전으로 퍼졌다.
❸ 모든 것은 일어나는 이유가 있다.

p. 42

• 나는 이렇게 아름다운 밤하늘을 본 적이 없어.
• 나도 없어.
❶ 그는 그녀를 다시 만날 것이라고 전혀 기대하지 않는다.
❷ 내 왼쪽에 한 어린 소년이 서 있었다.
❸ 그녀는 그녀의 외모에 대해 다른 사람들이 생각하는 것을 거의 걱정하지 않았다.

p. 43

• 허리 통증으로 고생하시는 분들은 이 운동들을 해야 해요.
• 허리 통증을 완화시키기 위해 스스로를 훈련시킬 수 있습니다.
❶ 우리는 여러분이 즐겁게 보낼 것임을 알고 있습니다.
❷ 방문자들은 약간의 요금을 내고 자신들의 접시를 만들 수 있다.
❸ 방에 남겨진 사람들은 겁먹어 보였다.

수능 *Final*

기초 *course*

10

수능기초 **10**일 **격파** 영어 영역 **독해**

수능 기초 체크 44선

천재고육

10일 격파

자르는 선

구성과 활용

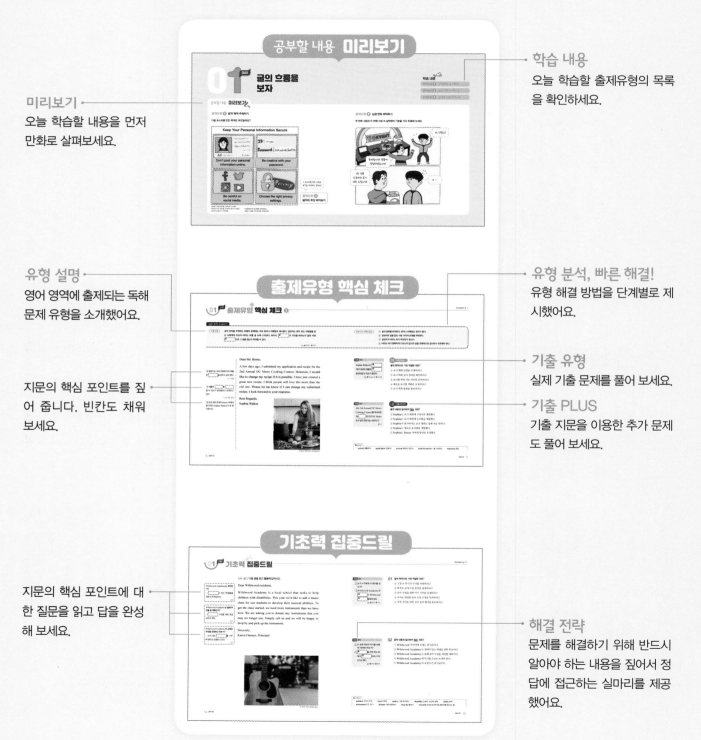

미리보기
오늘 학습할 내용을 먼저
만화로 살펴보세요.

학습 내용
오늘 학습할 출제유형의 목록
을 확인하세요.

유형 설명
영어 영역에 출제되는 독해
문제 유형을 소개했어요.

유형 분석, 빠른 해결!
유형 해결 방법을 단계별로 제
시했어요.

지문의 핵심 포인트를 짚어
줍니다. 빈칸도 채워
보세요.

기출 유형
실제 기출 문제를 풀어 보세요.

기출 PLUS
기출 지문을 이용한 추가 문제
도 풀어 보세요.

지문의 핵심 포인트에 대
한 질문을 읽고 답을 완성
해 보세요.

해결 전략
문제를 해결하기 위해 반드시
알아야 하는 내용을 짚어서 정
답에 접근하는 실마리를 제공
했어요.

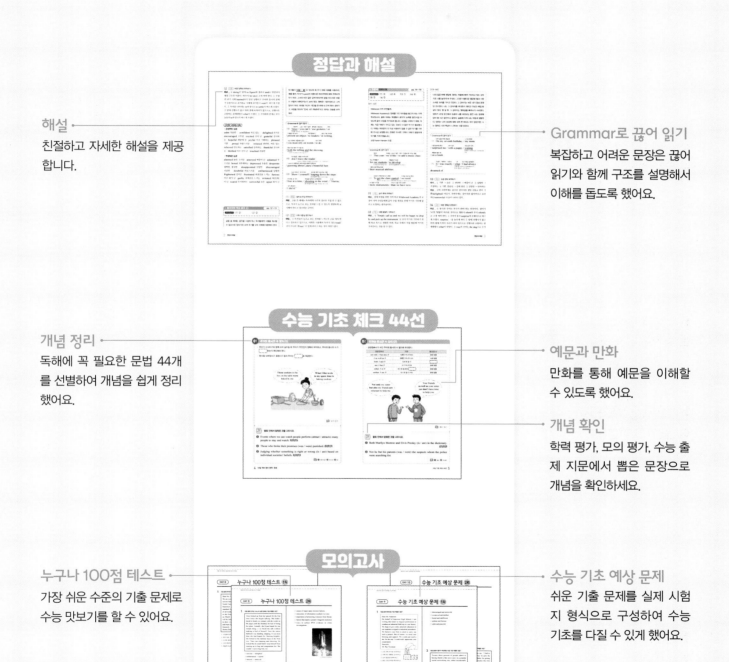

해설
친절하고 자세한 해설을 제공
합니다.

정답과 해설

Grammar로 끊어 읽기
복잡하고 어려운 문장은 끊어
읽기와 함께 구조를 설명해서
이해를 돕도록 했어요.

개념 정리
독해에 꼭 필요한 문법 44개
를 선별하여 개념을 쉽게 정리
했어요.

수능 기초 체크 44선

예문과 만화
만화를 통해 예문을 이해할
수 있도록 했어요.

개념 확인
학력 평가, 모의 평가, 수능 출
제 지문에서 뽑은 문장으로
개념을 확인하세요.

누구나 100점 테스트
가장 쉬운 수준의 기출 문제로
수능 맛보기를 할 수 있어요.

모의고사

수능 기초 예상 문제
쉬운 기출 문제를 실제 시험
지 형식으로 구성하여 수능
기초를 다질 수 있게 했어요.

01 DAY

글의 흐름을 보자

공부할 내용 미리보기

출제유형 ① 글의 목적 추측하기

다음 포스터를 만든 목적은 무엇일까요?

Keep Your Personal Information Secure

Don't post your personal information online.

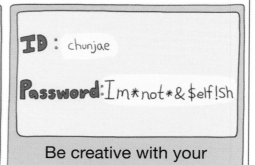

Be creative with your password.

Be careful on social media.

Choose the right privacy settings.

이 포스터를 만든 사람은 무엇을 주장하는 걸까요?

출제유형 ③
필자의 주장 파악하기

여러분의 개인 정보를 안전하게 지키세요
여러분의 개인 정보를 온라인에 올리지 마세요.
소셜 미디어에서 주의하세요.

비밀번호에서 창의력을 발휘하세요.
적절한 사생활 보호 환경을 선택하세요.

출제유형 **2** 심경 변화 파악하기

첫 번째 그림과 두 번째 그림 속 남학생의 기분을 각각 추측해 보세요.

글의 목적 추측하기

유형 설명 글의 목적을 추측하는 유형의 문제에는 주로 편지나 이메일이 제시된다. 글쓴이는 편지 또는 이메일을 읽는 사람에게 자신이 바라는 바를 글 속에 드러낸다. 따라서 ❶ [ ] 가 무엇을 바라는지 알면 어떤 ❷ [ ] 으로 그 글을 썼는지 파악할 수 있다.

답 | ❶ 글쓴이 ❷ 목적

💡 글쓴이는 요리 대회에 이미 제출한 [ ] 을 바꾸고 싶어 한다.
→ 요리법

💡 제출한 [ ] 을 [ ] 할 수 있는지 알려달라고 요청하고 있다.
→ 요리법, 변경

💡 요리 대회 관계자 Reese 씨에게 참가자인 Sophia Walker가 쓴 편지글이다.

Dear Mr. Reese,

A few days ago, I submitted my application and recipe for the 2nd Annual DC Metro Cooking Contest. However, I would like to change my recipe if it is possible. I have just created a great new recipe. I think people will love this more than the old one. Please let me know if I can change my submitted recipe. I look forward to your response.

Best Regards,
Sophia Walker

유형 분석, 빠른 해결!

1 글의 종류를 파악한다. 편지나 이메일인 경우가 많다.

2 글쓴이와 글을 읽는 사람 사이의 관계를 파악한다.

3 글쓴이가 바라는 바가 무엇인지 찾는다.

4 바라는 바가 명확하게 드러나지 않으면 글을 전체적으로 읽으면서 추론해야 한다.

해결 전략

Sophia Walker는 **❶** 에게 대회에 제출한 **❷** 을 변경할 수 있는지 물었다.

답 | ❶ Reese 씨 ❷ 요리법

01 기출 유형

글의 목적으로 가장 적절한 것은?

① 요리 대회 일정을 안내하려고

② 요리 대회 심사 결과를 확인하려고

③ 요리법 변경 가능 여부를 문의하려고

④ 새로운 요리법 개발을 요청하려고

⑤ 요리 대회 불참을 통보하려고

해결 전략

'the 2nd Annual DC Metro Cooking Contest'를 해석하면 '제 □ 회 연간 DC Metro 요리 경연 대회'라는 의미이다.

답 | 2

02 기출 PLUS

글의 내용과 일치하지 않는 것은?

① Sophia는 요리 대회에 신청서를 제출했다.

② Sophia는 요리 대회에 요리법을 제출했다.

③ Sophia가 참가하려는 요리 대회는 올해 처음 열린다.

④ Sophia는 새로운 요리법을 개발했다.

⑤ Sophia는 Reese 씨에게 답장을 요청했다.

WORDS

☐ submit 제출하다 ☐ application 신청(서) ☐ annual 매년의, 연간의 ☐ look forward to ~을 고대하다 ☐ response 응답

심경 변화 파악하기

유형 설명 글 속에서 주인공의 심경, 즉 마음의 상태가 어떻게 달라지는지 찾는 문제 유형이다. 심경을 짐작할 수 있는 행동을 묘사하는 표현이나 **❶** [   ], 부사 등의 쓰임에 주목해야 하며, 선택지에 나오는 심경 관련 형용사도 잘 알아두어야 한다. **❷** [   ] 이 바뀔 때 심경 변화가 뚜렷하게 드러나므로 비교적 쉽게 답을 찾을 수 있다.

답 | ❶ 형용사 ❷ 상황

☼ '나'는 [   ] 경연 대회에서 [   ] 에게 져서 속상했다.
→ 피아노, 친구

☼ [   ] 의 충고를 떠올렸다.
→ 선생님

☼ 충고를 되새기며 깨달음을 얻고 마음의 안정을 찾았다.

Once again, I had lost the piano contest to my friend. When I learned that Linda had ①<u>won</u>, I was deeply troubled and unhappy. My body was shaking with uneasiness. I had to run out of the concert hall to ②<u>settle</u> down. Sitting on the stairs alone, I recalled ③<u>what</u> my teacher had said. "Life is about winning, not necessarily about winning against others but winning at being you. And the way to win is to figure out who you are and ④<u>doing</u> your best." He was right. I had no reason to ⑤<u>oppose</u> my friend. Instead, I should focus on myself and my own improvement. I breathed out slowly. At last, my mind was at peace.

(유형 분석, 빠른 해결!)

1. 글의 첫 부분을 통해 인물이 처한 상황을 파악한다.

2. 형용사와 부사의 쓰임, 행동 묘사 등을 통해 인물의 초반부 심경을 파악한다.

3. 상황이 바뀌는 부분을 찾아 인물의 반응을 살피면 후반부 심경을 파악할 수 있다.

4. 긍정적인 변화인지 부정적인 변화인지 파악하는 것이 도움이 된다.

해결 전략

글의 초반부에 쓰인 troubled, ❶_____, uneasiness 등의 표현과, 후반부에 쓰인 'my mind was at ❷_____' 등에 유의한다.

답 | ❶ unhappy ❷ peace

01 기출 유형

글에 드러난 'I'의 심경 변화로 가장 적절한 것은?

① grateful → sorrowful

② upset → calm

③ envious → doubtful

④ surprised → disappointed

⑤ bored → relieved

해결 전략

① 시제 표현 ② to부정사의 형태 ③ 관계대명사 what의 쓰임 ④ 병렬 구조 ⑤ to부정사의 형태에 유의한다.

02 기출 PLUS

글의 밑줄 친 부분 중, 어법상 틀린 것은?

①   ②   ③   ④   ⑤

WORDS

☐ troubled 괴로운 ☐ uneasiness 불쾌, 거북함 ☐ settle down 진정하다 ☐ recall 기억해 내다 ☐ not necessarily 반드시 ~은 아닌 ☐ against ~에 반대하여 ☐ figure out 알아내다 ☐ oppose 겨루다, 반대하다

필자의 주장 파악하기

유형 설명 글쓴이의 주장은 강한 어조의 표현을 통해 반복적으로 나타날 때가 많다. ❶ 　　　　를 나타내는 조동사나 명령문 표현 등에 특히 유의한다. 주장이 명확하게 드러나지 않을 때에는 글의 ❷ 　　　　나 중심 소재에 대한 글쓴이의 태도를 통해 유추해야 한다.

답 | ❶ 의무 ❷ 주제

☀ 글을 쓸 때에는 어휘를 통해 　　　가 볼 수 있게 해야 한다.
→ 독자

☀ 등장인물의 외모, 글쓴이의 감정 등을 보일 듯이 묘사해야 한다.

Since you can't use gestures or ①present an object to readers in writing, you must rely on words to do both the telling and the showing. Use words to make the reader ②read. For example, don't leave the reader ③guessing about Laura's beautiful hair. Show ④how the gentle wind touches the edge of her silky, brown hair. Don't just say you felt happy. Show yourself ⑤leaping down the steps four at a time and shouting in the wind, "Hurray, I did it!"

© ESB Professional / shutterstock

유형 분석, 빠른 해결!

1 글의 도입부에서 중심 소재 또는 주제를 파악한다.

2 파악한 중심 소재 또는 주제가 반복적으로 나타나는지 확인한다.

3 조동사와 명령문 등 글쓴이의 생각을 강하게 나타내는 표현을 찾는다.

4 소재, 주제와 글쓴이의 생각이 결합된 답을 찾는다.

해결 전략

글을 쓸 때, ❶ [   ]를 통해 독자가 장면을 ❷ [   ] 것처럼 느끼게 해야 한다고 했다.

답 | ❶ 어휘 ❷ 보는

01 기출 유형

글에서 필자가 주장하는 바로 가장 적절한 것은?

① 글을 쓰기 전에 주변을 정돈해야 한다.

② 시각적으로 실감 나게 글을 써야 한다.

③ 일상생활에서 글의 소재를 찾아야 한다.

④ 글의 내용과 어울리는 그림을 제시해야 한다.

⑤ 마음속에 있는 것을 진솔하게 글에 담아야 한다.

해결 전략

독자가 '[   ]' 것처럼 느끼게 글을 써야 한다는 표현이 반복되고 있다.

답 | 보는

02 기출 PLUS

글의 밑줄 친 부분 중, 문맥상 낱말의 쓰임이 적절하지 <u>않은</u> 것은?

①   ②   ③   ④   ⑤

WORDS

☐ object 사물, 물체   ☐ rely on 의지하다   ☐ edge 가장자리, 끝   ☐ leap down 뛰어 내리다   ☐ Hurray! 만세!

기초력 집중드릴

[01~02] 다음 글을 읽고 물음에 답하시오.

Dear Wildwood residents,

Wildwood Academy is a local school that seeks to help children with disabilities. This year we'd like to add a music class for our students to develop their musical abilities. To get the class started, we need more instruments than we have now. We are asking you to donate any instruments that you may no longer use. Simply call us and we will be happy to drop by and pick up the instrument.

Sincerely,

Karen Hansen, Principal

Wildwood Academy는 무엇인가?

→ ☐☐☐☐☐ 가 있는 학생들을 위한 지역 학교이다.
장애

Wildwood Academy는 올해 무엇을 할 계획인가?

→ ☐☐☐☐☐ 수업을 새로 개설하려고 한다.
음악

Wildwood Academy의 교장은 무엇을 요청하고 있는가?

→ 쓰지 않는 ☐☐☐☐☐ 를 기부해 달라고 요청하고 있다.
악기

© TZIDO SUN / shutterstock

해결 전략

Ⓠ 누가 누구에게 이 편지를 썼
는가?

Ⓐ Wildwood Academy의
❶ [　　　　] 이 Wildwood
❷ [　　　　] 들에게 썼다.

답 | ❶ 교장 ❷ 주민

01 글의 목적으로 가장 적절한 것은?

① 고장 난 악기의 수리를 의뢰하려고

② 학부모 공개 수업 참석을 권장하려고

③ 음악 수업을 위한 악기 기부를 요청하려고

④ 추가로 개설된 음악 수업 신청을 독려하려고

⑤ 지역 주민을 위한 자선 음악 행사를 홍보하려고

해결 전략

Ⓠ 이 글에 따르면 악기를 어떻
게 기부해야 하는가?

Ⓐ ❶ [　　　　] 를 하면 학교 측
에서 ❷ [　　　　] 하여 가져
간다고 했다.

답 | ❶ 전화 ❷ 방문

02 글의 내용과 일치하지 않는 것은?

① Wildwood 주민에게 보내는 편지글이다.

② Wildwood Academy는 장애가 있는 학생을 위한 학교이다.

③ Wildwood Academy는 올해 음악 수업을 개설할 계획이다.

④ Wildwood Academy에 악기를 우편으로 보내면 된다.

⑤ Wildwood Academy의 교장이 쓴 편지글이다.

WORDS
☐ resident 거주자, 주민　☐ local 지역의　☐ seek to ~을 추구하다　☐ disability (신체적·정신적) 장애　☐ ability 능력
☐ instrument 도구, 악기　☐ donate 기부[기증]하다　☐ drop by 들르다　☐ sincerely 진심으로 (편지글 등을 맺을 때 쓰는 말)

[03~04] 다음 글을 읽고 물음에 답하시오.

'나'는 생일선물로 무엇을 받았는가?
→ [　　　　]로부터 [　　　　]를 받았다.
어머니, 강아지

몇 달 뒤에 어떤 일이 일어났는가?
→ [　　　　]가 [　　　　]밖으로 나가서 사라졌다.
강아지, 뒷마당

On my seventh birthday, my mom ①surprised me with a puppy waiting on a leash. It had beautiful golden fur and an adorable tail. It was exactly ②what I had always dreamed of. I took the dog everywhere and slept with it every night. A few months later, the dog got out of the backyard and ③was lost. I sat on my bed and cried for hours while my mother watched me ④silent from the doorway of my room. I finally fell asleep, ⑤exhausted from my grief. My mother never said a word to me about my loss, but I knew she felt the same as I did.

Q '나'에게 차례대로 어떤 일이 일어났는가?

A 생일에 ❶ [   ] 로부터 강아지를 선물로 받았고, 몇 달 후에 ❷ [   ] 를 잃어 버렸다.

답 | ❶ 어머니 ❷ 강아지

03 글에 드러난 'I'의 심경 변화로 가장 적절한 것은?

① delighted → sorrowful

② relaxed → annoyed

③ embarrassed → worried

④ excited → horrified

⑤ disappointed → satisfied

① 주어가 동사 surprise의 주체 인지 대상인지 파악한다.

② what 뒤에 나오는 절의 구조 를 확인한다.

③ was의 주어를 찾아 수가 일치 하는지 확인한다.

④ 형용사가 쓰일 수 있는 위치인 지 확인한다.

⑤ being이 생략된 분사 구문의 형태에 유의한다.

04 글의 밑줄 친 부분 중, 어법상 **틀린** 것은?

①   ②   ③   ④   ⑤

WORDS

☐ leash (개 등을 매는) 줄, 사슬   ☐ fur (동물의) 털   ☐ adorable 사랑스러운   ☐ doorway 문 앞, 출입구   ☐ grief 슬픔   ☐ loss 상실

[05~06] 다음 글을 읽고 물음에 답하시오.

실험을 통해 알 수 있는 사실은 무엇인가?

→ 사람들은 식사를 할 때 ☐☐ 먹는 음식을 거의 ☐☐% 더 많이 먹는다.

처음, 50

식사를 할 때 어떤 음식을 먼저 먹어야 하는가?

→ ☐☐에 좋은 음식을 먼저 먹어야 한다.

건강

The dish you start with serves as an anchor food for your entire meal. (①) Experiments show that people eat nearly 50 percent greater quantity of the food they eat first. (②) If you start with a dinner roll, you will eat more starches, less protein, and fewer vegetables. (③) Eat the healthiest food on your plate first. (④) If you are going to eat something unhealthy, at least save it for last. (⑤) This will give your body the opportunity to fill up on better options before you move on to starches or sugary desserts.

*anchor 닻 *starch 녹말

© Monkey Business Images/shutterstock

해결 전략

Q 이 글의 요지는?

A 식사를 할 때 **①**[   ] 먹는 음식의 종류에 따라 식사의 방향이 정해지므로, 건강에 **②**[   ] 음식을 먼저 먹는 것이 바람직하다.

답 | ❶ 처음[먼저] ❷ 좋은

05 글에서 필자가 주장하는 바로 가장 적절한 것은?

① 피해야 할 음식 목록을 만들어라.

② 다양한 음식들로 식단을 구성하라.

③ 음식을 조리하는 방식을 바꾸어라.

④ 자신의 입맛에 맞는 음식을 찾아라.

⑤ 건강에 좋은 음식으로 식사를 시작하라.

해결 전략

Q 주어진 문장 앞에 나올 내용을 예측하면?

A 대명사 **①**[   ]에 해당하는 내용, 즉 '**②**[   ]나 샐러드로 시작하기'와 의미가 통하는 내용이 나올 것이다.

답 | ❶ this ❷ 채소

06 글의 흐름으로 보아, 주어진 문장이 들어가기에 가장 적절한 곳은?

> As age-old wisdom suggests, this usually means starting with your vegetables or salad.

①   ②   ③   ④   ⑤

WORDS

☐ serve as ~의 역할을 하다 ☐ entire 전체의 ☐ quantity 양, 분량 ☐ roll 둥글고 작은 빵 ☐ protein 단백질

☐ at least 적어도 ☐ save 남겨 두다 ☐ fill up on ~으로 꽉 채우다, 배부르게 먹다 ☐ move on to ~으로 이동하다, 옮기다

☐ sugary 설탕이 든, 지나치게 단 ☐ age-old 아주 오래된 ☐ wisdom 지혜

02 DAY
글을 깊이 있게 보자

공부할 내용 **미리보기**

출제유형 1 밑줄 친 부분의 의미 파악하기

밑줄 친 동생의 말이 어떤 의미일지 추측해 보세요.

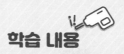

학습 내용

출제유형 ① 밑줄 친 부분의 의미 파악하기

출제유형 ② 글의 주제 파악하기

출제유형 ③ 글의 요지 파악하기

출제유형 ② 글의 주제 파악하기 / 출제유형 ③ 글의 요지 파악하기

주제와 요지를 어떻게 파악할 수 있을지 생각해 보세요.

밑줄 친 부분의 의미 파악하기

(유형 설명) 밑줄 친 어구에 담긴 ❶ [ ] 의미를 찾아야 하는 문제 유형으로, 비유적인 표현이 어떤 의미를 나타내는지 추론해야 하는 경우가 많다. 단순히 해석만 하는 것이 아니라 글의 ❷ [ ] 을 파악해야 밑줄 친 부분을 통해 글쓴이가 말하고자 하는 바를 알아낼 수 있다.

답 | ❶ 함축적 ❷ 흐름

☀ 때로는 [ ] 도중 상대방이 일부러 당신을 화나게 만든다는 점을 기억해야 한다.
→ 논쟁

☀ 논점에 초점을 맞추고, 짜증스러운 발언에도 침착하게 답하라.

☀ 주의 깊은 청자는 오히려 당신이 '[ ]를 물지' 않았다는 사실에 감탄할 것이다.
→ 미끼

We all know that tempers are one of the first things lost in many arguments. It's easy to say one should keep cool, but how do you do it? The point to remember is that sometimes in arguments the other person is trying to get you to be angry. They know that if they get you to lose your cool you'll say something that sounds foolish. So don't fall for it. Focus on the issue raised and respond with a cool answer to an annoying remark. It is likely to be most effective. Indeed, any attentive listener will admire the fact that you didn't "rise to the bait."

© franz12 / shutterstock

유형 분석, 빠른 해결!

① 밑줄 친 부분이 있는 문장을 먼저 확인한다.

② 글 전체를 읽으며 흐름을 파악한다.

③ 밑줄 친 부분을 빈칸이라 생각하고 문맥상 들어갈 내용을 짐작해 본다.

④ 선택지에서 고른 표현을 밑줄 친 부분 대신 넣어 흐름이 자연스러운지 확인한다.

해결 전략

❶ [   ]을 할 때 상대방이 의도적으로 자극해도 ❷ [   ] 않는 태도를 가리켜 'did't rise to the bait'라고 했다.

답 | ❶ 논쟁 ❷ 화내지

01 기출 유형

밑줄 친 "rise to the bait"가 글에서 의미하는 바로 가장 적절한 것은?

① stay calm
② blame yourself
③ lose your temper
④ listen to the audience
⑤ apologize for your behavior

해결 전략

논쟁에서 이기려면 화를 내지 말고 [   ]을 유지해야 한다는 것이 이 글의 요지이다. 요지나 주제를 파악하면 적절한 제목을 알 수 있다.

답 | 침착함

02 기출 PLUS

글의 제목으로 가장 적절한 것은?

① How to Be an Attentive Listener
② Why Do We Need to Talk Frankly?
③ Keep a Cool Head to Win an Argument
④ Don't Annoy the Others in an Argument
⑤ The Importance of Good Discussion Topics

WORDS

☐ temper 성질, 화 *cf.* lose[keep] one's temper 화를 내다[참다]   ☐ argument 논쟁, 말다툼   ☐ fall for ~에 속아 넘어가다
☐ raise 제기하다   ☐ respond 응답하다, 대응하다   ☐ remark 발언, 언급   ☐ attentive 주의 깊은   ☐ rise to the bait 미끼를 물다

글의 주제 파악하기

유형 설명   글의 주제를 찾는 유형은 글의 핵심 내용이 무엇인지 파악하는 문제 유형이다. 글의 중심 ❶ [　　　]를 찾은 뒤, 그것에 대한 글쓴이의 견해나 ❷ [　　　]를 파악하면 주제가 무엇인지 알 수 있다. 주제문이 명확하게 드러나지 않을 때가 많으므로 글의 내용을 종합적으로 이해할 수 있어야 한다.

답 | ❶ 소재 ❷ 태도

💡 [　　　] 발전 에너지는 깨끗하고 재생 가능한 에너지원이지만, [　　　]에 대해 몇 가지 사실을 알아 두어야 한다.

→ 수력, 댐

💡 댐이 미치는 가장 나쁜 영향은 [　　　]에 대한 것이다.

→ 연어

Hydroelectric power is a clean and renewable power source. However, there are a few things about dams that are important to know. To build a hydroelectric dam, a large area must be ① <u>flooded</u> behind the dam. Whole towns sometimes can ② <u>vanish</u>. The water released from the dam can be colder ③ <u>than</u> usual. This can affect the ecosystems in the rivers downstream. The worst effect of dams ④ <u>have</u> been observed on salmon. They have to travel upstream to lay their eggs. If ⑤ <u>blocked</u> by a dam, the salmon life cycle cannot be completed.

*hydroelectric 수력 발전의

유형 분석, 빠른 해결!

① 글의 중심 소재를 찾는다.

② 중심 소재에 대한 글쓴이의 태도가 드러나는 주제문을 찾는다.

③ 선택지에서 주제문의 내용과 가장 가까운 것을 고른다.

④ 주제문이 명확하지 않을 때에는 글 전체를 요약할 수 있는 선택지를 찾아야 한다.

해결 전략

수력 발전을 위해 [   ]이
건설될 때 여러 가지 문제가 발생
한다고 했다.

답 | 댐

01 기출 유형

글의 주제로 가장 적절한 것은?

① necessity of saving energy

② dark sides of hydroelectric dams

③ types of hydroelectric power plants

④ popularity of renewable power sources

⑤ importance of protecting the environment

해결 전략

① 수동태의 쓰임 ② 주어와 동사
의 관계 ③ 비교 표현에서 than의
쓰임 ④ 주어와 동사의 수 일치 ⑤
과거분사의 의미와 쓰임에 유의
한다.

02 기출 PLUS

글의 밑줄 친 부분 중, 어법상 틀린 것은?

①   ②   ③   ④   ⑤

WORDS

☐ renewable 재생 가능한   ☐ flood 물에 잠기다[잠기게 하다]   ☐ vanish 사라지다   ☐ release 방출하다   ☐ ecosystem 생태계
☐ downstream (강의) 하류에   ☐ observe 관찰하다   ☐ salmon 연어   ☐ upstream (강의) 상류에   ☐ lay eggs 알을 낳다

출제유형 핵심 체크 ③

글의 요지 파악하기

유형 설명 요지란 글에서 **❶** 이 되는 중요한 내용으로, 글쓴이의 **❷** 이나 주제를 찾는 것과 비슷한 방식으로 찾을 수 있다. 즉, 글쓴이가 글을 통해 전달하고자 하는 바를 파악해야 하므로 글을 **❸** 으로 볼 수 있어야 한다. 요지를 찾는 문제의 선택지는 대개 우리말로 주어진다는 점에 유의한다.

답 | ❶ 핵심 ❷ 주장 ❸ 전체적

💡 의 체중과 태도가 환자의 체중 과 체중 유지 성공에 주요한 영향을 미친다는 연구 결과가 많다.
→ 배우자, 감소량

💡 배우자가 과체중일 때보다 정상 체중일 때 환자가 더 체중을 감량했다.
→ 많은

💡 배우자가 체중 조절 프로그램에 함께 참여할 때 탈락률이 했다.
→ 감소

A number of studies have shown that the body weight and attitudes of a patient's spouse can have a major impact on the amount of weight lost and on success in weight maintenance. A study found that overweight patients with normal-weight partners lost significantly more weight than those with overweight partners. It was also found that success was greater in those patients when recommended changes _____ _____. Similarly, drop-out rates were reduced when the patient's spouse was included in a weight-control program.

© Sergey Fatin / shutterstock

유형 분석, 빠른 해결!

1. 글의 도입부를 읽고 중심 소재를 파악한다.
2. 중심 소재에 대한 글쓴이의 의견이 드러나는 문장을 찾아 주제를 파악한다.
3. 중심 소재와 주제가 반복적으로 드러나고 있는지 확인한다.
4. 반복되는 핵심 내용을 통해 요지를 파악한 뒤, 선택지에서 가장 가까운 것을 찾는다.

해결 전략

배우자의 **❶**   과 **❷**   가 환자의 체중 감량과 유지에 큰 영향을 미친다고 했다.

답 | ❶ 체중 ❷ 태도

01 기출 유형

글의 요지로 가장 적절한 것은?

① 적정 체중을 유지하는 것이 중요하다.
② 식단 개선을 통해 체중 조절이 가능하다.
③ 다양한 환자 관리 프로그램을 개발해야 한다.
④ 환자의 체중 감량에 있어서 배우자의 영향이 크다.
⑤ 단기간의 체중 감량은 환자에게 해로운 결과를 초래한다.

해결 전략

빈칸이 있는 문장 뒤에 배우자의 **❶**   와 관련된 내용이 부사 **❷**   로 이어진다.

답 | ❶ 태도 ❷ Similarly

02 기출 PLUS

빈칸에 들어갈 말로 가장 적절한 것은?

① were prohibited by researchers
② were not carried out by their partners
③ did not take effect in spite of their attitudes
④ were being actively supported by the spouse
⑤ excluded some specific ingredients from their diet

WORDS
□ spouse 배우자   □ impact 영향   □ amount 양   □ maintenance 유지   □ overweight 과체중의
□ significantly 상당히, 중요하게   □ recommended 권장된, 권고된   □ drop-out rate 탈락률   □ weight-control 체중 조절

[01~02] 다음 글을 읽고 물음에 답하시오.

빙하가 다시 형성되기 시작한다면 어떤 대책을 사용할 것이라고 예측했는가?

→ TNT나 [　　　]로 빙하를 [　　　]시킬 것이라고 했다.
핵미사일, 폭파

1964년에 알래스카에서 일어난 지진의 강도는 어떠했는가?

→ 핵폭탄 [　　　] 개와 맞먹는 힘이었다.
2천

1964년의 알래스카 지진이 빙하에 어떤 영향을 주었는가?

→ 전혀 영향을 주지 못했다.

Here's an interesting thought. If glaciers started to draw on water on Earth and advance again, what exactly would we do? Blast them with TNT or maybe nuclear missiles? ①Well, doubtless we would, but consider this. ②In 1964, the largest earthquake ever recorded in North America rocked Alaska with 200,000 megatons of concentrated might, the equivalent of 2,000 nuclear bombs. ③After an earthquake, aftershocks can continue for weeks or months. ④Almost 3,000 miles away in Texas, water sloshed out of swimming pools. ⑤The quake devastated 24,000 square miles of wilderness. And what effect did all this might have on Alaska's glaciers? None.

*slosh 철벅철벅 튀다   *devastate 황폐하게 하다

© Evgeny Kovalev spb/shutterstock

해결 전략

Q 밑줄 친 "None."과 같은 의미가 되도록 문장을 완성하면?

A All the might had ❶[____] effect on Alaska's ❷[____].

답 | ❶ no ❷ glaciers

01 밑줄 친 "None."이 글에서 의미하는 바로 가장 적절한 것은?

① It would be of no use to try to destroy glaciers.

② The melting glaciers would drive the rise of the sea level.

③ The Alaskan wilderness would not be harmed by glaciers.

④ Re-forming glaciers would not spread over North America.

⑤ The causes of glacier re-formation would not include quakes.

해결 전략

Q 이 글의 요지는 무엇인가?

A 빙하는 매우 강력한 [____]에도 영향을 받지 않을 만큼 단단하므로, 인간이 파괴하기 어려울 수 있다.

답 | 지진

02 글에서 전체 흐름과 관계 없는 문장은?

①　　　　②　　　　③　　　　④　　　　⑤

WORDS

☐ glacier 빙하　☐ draw on 끌어들이다　☐ advance 나아가다　☐ blast 폭파하다, 폭발시키다　☐ TNT 고성능 폭약
☐ nuclear missile 핵미사일　☐ doubtless 의심할 여지없이　☐ concentrated 농축[응축]된　☐ might 힘, 에너지
☐ equivalent 동등한; 등가물　☐ aftershock 여진　☐ quake 지진 (= earthquake)　☐ wilderness 황무지

긍정적인 습관 형성은 생활에 어떤 영향을 미치는가?

→ 부정적인 생활 습관이 [　　] 된다.

개선

좋은 습관을 가진 사람들이 다른 사람들보다 더 뛰어나 보이는 이유는 무엇인가?

→ 좋은 습관을 유지할 수 있으면 다른 일도 더 [　　] 할 수 있기 때문이다.

쉽게

[03~04] 다음 글을 읽고 물음에 답하시오.

Recent studies show some interesting findings about habit formation. In these studies, students who successfully acquired one positive habit reported less stress; less (A) impulsive / intentional spending; better dietary habits; decreased caffeine consumption; and even fewer dirty dishes. Keep working on one habit long enough, and not only does it become (B) easier / worse , but so do other things as well. It's why those with the right habits seem to do better than others. They're doing the most (C) important / pleasant thing regularly and, as a result, everything else is easier.

해결 **전략**

Q 이 글의 중심 소재는 무엇인가?

A 좋은 [   ]을 형성하는 것이 생활에 미치는 영향.

답ㅣ 습관

03 글의 요지로 가장 적절한 것은?

① 참을성이 많을수록 성공할 가능성이 커진다.

② 한 번 들인 나쁜 습관은 쉽게 고쳐지지 않는다.

③ 나이가 들어갈수록 좋은 습관을 형성하기 힘들다.

④ 무리한 목표를 세우면 달성하지 못할 가능성이 크다.

⑤ 하나의 좋은 습관 형성은 생활 전반에 긍정적 효과가 있다.

해결 **전략**

(A) 더 적은 ❶(충동적 / 의도적) 소비

(B) 습관이 ❷(더 쉬워지다 / 더 나빠지다)

(C) 가장 ❸(중요한 / 즐거운)일

답ㅣ ❶ 충동적 ❷ 더 쉬워지다 ❸ 중요한

04 (A), (B), (C)의 각 네모 안에서 문맥에 맞는 낱말로 가장 적절한 것은?

	(A)	(B)	(C)
①	impulsive	easier	pleasant
②	impulsive	worse	important
③	impulsive	easier	important
④	intentional	easier	pleasant
⑤	intentional	worse	important

WORDS

☐ formation 형성 ☐ acquire 얻다 ☐ positive 긍정적인 ☐ report 알리다, 전하다 ☐ spending 소비
☐ dietary 음식물의, 식이요법의 ☐ consumption 소비 ☐ regularly 규칙적으로

02 DAY 기초력 집중드릴

[05~06] 다음 글을 읽고 물음에 답하시오.

Fast fashion refers to trendy clothes quickly created and sold to consumers at extremely low prices. Fast fashion items may not cost you much at the cash register, but they come with _____. Many people in developing countries, some just children, often work long hours in dangerous conditions to make them. Most of them are paid barely enough to survive. Fast fashion also hurts the environment. Garments are manufactured using toxic chemicals and then transported around the globe. And millions of tons of clothing piles up in landfills each year.

패스트 패션의 정의는?
→ 빠르게 만들어지고 매우 [   ] 가격에 팔리는 유행 의류이다.
낮은[저렴한]

글쓴이가 생각하는 패스트 패션 산업의 문제점은 무엇인가?
→ ① 노동자들이 [   ] 환경에서 장시간 일한다.
② [   ] 을 훼손한다.
위험한, 환경

© Kaspars Grinvalds/shutterstock

해결 전략

Q 패스트 패션 산업에 대한 글 쓴이의 태도는 어떠한가?

A 노동 조건이 열악하고, 환경을 훼손한다고 하는 등 (긍정적 / 부정적)인 시각을 갖고 있다.

답 | 부정적

05 글의 주제로 가장 적절한 것은?

① problems behind the fast fashion industry
② positive impacts of fast fashion on lifestyle
③ reasons why the fashion industry is growing
④ the need for improving working environment
⑤ the seriousness of air pollution in developing countries

해결 전략

Q 빈칸이 있는 문장 이후의 내용을 요약하면?

A 패스트 패션 산업은 여러 가지 (긍정적 / 부정적)인 영향을 미친다.

답 | 부정적

06 글의 빈칸에 들어갈 말로 가장 적절한 것은?

① a serious price
② various options
③ loyal customers
④ a wonderful style
⑤ sustainable development

WORDS

□ refer to ~을 의미하다　□ extremely 극히　□ cost (값·비용이) ~이다, ~을 잃게 하다　□ cash register 계산대
□ developing country 개발도상국　□ condition 환경, 상황　□ barely 간신히, 겨우　□ garment 의복, 옷
□ manufacture 제조[생산]하다　□ toxic chemical 독성 화학물질　□ pile up (양이) 많아지다, 쌓이다　□ landfill 쓰레기 매립지

비판적으로 읽으면 정보가 보인다

출제유형 ① 글의 제목 추론하기

동영상의 제목이 무엇일지 여러분도 생각해 보세요.

출제유형 **2** 도표 내용 파악하기 / 출제유형 **3** 내용 불일치 가려내기

도표 내용을 파악할 때와 주어진 글과의 일치·불일치를 가려낼 때 주의할 점을 생각해 보세요.

글의 제목 추론하기

유형 설명 | 글의 주제를 ❶ [   ]적으로 표현한 것이 제목이므로, 글의 제목으로 알맞은 것을 찾는 유형의 문제를 풀 때에는 우선 글의 ❷ [   ]를 파악해야 한다. 제목은 강한 인상을 주기 위해 의문문, 명령문, 속담, 명사구 등의 형태로 쓰는 경우가 많고, 주제와 완전히 일치하지 않을 수도 있다.

답 | ❶ 함축 ❷ 주제

💡 대학 캠퍼스에서 [   ]들이 어려움을 겪고 있는 [   ]들을 돕는다.

→ 동물, 학생

💡 동물과의 접촉을 통해 [   ]과 [   ] 수치가 감소하고 행복 호르몬은 증가한다.

→ 혈압, 스트레스 호르몬

On college campuses, some animals are helping students in need. School officials arrange pet therapy events for depressed students, especially during exams. Most of the animals are the pets of volunteers, not animals trained to help people. Their visits are obviously beneficial: Research shows that contact with pets can decrease blood pressure and stress-hormone levels and increase so-called happiness hormones. Pet visits on campus are considered as a great way to support students on their path to success.

© YAKOBCHUK VIACHESLAV / shutterstock

유형 분석, 빠른 해결!

1 글의 첫 부분을 읽으며 중심 소재 및 주제를 파악한다.

2 반복해서 제시되는 표현을 통해 글의 주제를 확인한다.

3 선택지와 자신이 파악한 주제를 비교하여 가장 가까운 것을 찾는다.

4 선택지가 의문문이나 속담 등일 경우에는 함축·비유하는 바를 파악해서 답을 찾는다.

해결 전략

① [⬤] 과의 접촉을 통해 어려움을 겪는 [❷] 들의 상황을 개선할 수 있다는 것이 글의 주된 내용이다.

답 | ❶ 동물 ❷ 학생

01 기출 유형

글의 제목으로 가장 적절한 것은?

① What Is a Service Animal?

② How Hormones Affect Your Mood

③ Pets: A Solution for Stressed Students

④ Once You Volunteer, Others Will Join You

⑤ Managing Emotions Improves School Grades

해결 전략

글의 중심 소재는 대학 캠퍼스에서 시행되는 동물 치료 요법으로, [ ] 학생들이 동물에게 도움을 받을 수 있다고 했다.

답 | 우울한

02 기출 PLUS

글의 요지로 가장 적절한 것은?

① 대학은 학생들의 정서적 문제를 해결해야 한다.

② 긍정적인 사고방식으로 스트레스를 줄여야 한다.

③ 동물은 학생들의 정서적 문제 해결에 도움이 된다.

④ 시험 기간의 스트레스는 학생 스스로 해소할 수 없다.

⑤ 스트레스 호르몬은 행복 호르몬보다 통제하기 어렵다.

WORDS

☐ official 당국   ☐ therapy 치료, 요법   ☐ depressed 우울한   ☐ trained 훈련된   ☐ obviously 명백히   ☐ beneficial 유익한
☐ contact 접촉   ☐ blood pressure 혈압   ☐ level 수준   ☐ so-called 소위, 흔히 ~라고 일컬어지는   ☐ path 길, 통로

도표 내용 파악하기

(유형 설명) 도표의 내용을 설명하는 지문을 읽고 ❶ [　　　　] 와 일치하지 않는 문장을 찾는 유형의 문제이다. 다양한 형태의 도표에서 정보를 찾고 그 의미를 해석하는 연습을 해야 한다. 특히 수치의 변화에 유의하고 항목별로 ❷ [　　　] 를 비교하며 글을 꼼꼼히 읽어야 한다.

답 | ❶ 도표 ❷ 수치

☀ [　　　] 년 세계 최상위 국제 [　　　] 소비 국가를 보여 주는 그래프이다.
→ 2014, 관광

☀ 국제 관광에 소비를 많이 한 순서대로 국가와 소비액이 제시되어 있다.

World's Top International Tourism Spenders in 2014

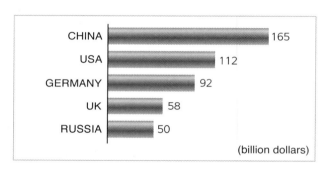

The above graph shows the world's top international tourism spenders in 2014. ①China was at the top of the list with a total of 165 billion dollars. ②The United States of America (USA) spent more than twice as much as Russia on international tourism. ③Germany, which spent 20 billion dollars less than the USA, took third place. ④The United Kingdom (UK) spent 58 billion dollars, which was less than half of the amount spent by the USA. ⑤Of the five spenders, Russia spent the smallest amount of money on international tourism.

（유형 분석, 빠른 해결!）

1. 도표 제목으로 주제를 파악하고, 도표의 특징을 살핀다.
2. 지문의 첫 문장으로 도표와 글의 전반적인 내용을 파악한다.
3. 선택지 문장을 도표와 하나씩 비교하며 글을 읽는다.
4. 항목별 수치, 수치의 증감, 비교 표현에 특히 유의한다.

해결 전략

2014년의 세계 최상위 국제 관광 소비 국가들의 소비 금액을 나타낸 도표이다. 중국, ❶〔   〕, 독일, ❷〔   〕, 러시아 순으로 소비 금액이 크다. 국가별 소비 금액을 비교해 본다.

답ㅣ❶ 미국 ❷ 영국

01 기출 유형

도표의 내용과 일치하지 않는 것은?

①   ②   ③   ④   ⑤

02 기출 PLUS

다음 중 도표의 내용과 일치하는 것은?

① 도표는 2014년 한 해 동안 전 세계 국가의 국제 관광 소비액을 보여 준다.

② 중국의 2014년 국제 관광 소비액은 미국의 두 배이다.

③ 독일의 2014년 국제 관광 소비액은 미국보다 200억 달러 많다.

④ 미국의 2014년 국제 관광 소비액이 영국과 러시아를 합친 것보다 많다.

⑤ 러시아는 전 세계에서 국제 관광 소비액이 가장 적은 나라이다.

WORDS

☐ international 국제의, 국제적인   ☐ tourism 관광업   ☐ billion 10억; 10억의   ☐ amount 총액

내용 불일치 가려내기

유형 설명　내용 불일치 가려내기 유형은 지문을 읽고 내용과 일치하지 않는 우리말 선택지를 찾는 문제로 출제된다. ❶ [　　　] 형식으로 한 사람의 일생을 간략히 설명하는 글이나, ❷ [　　　] 형식으로 생소한 대상을 소개하는 글이 자주 나온다. 지문과 선택지를 꼼꼼히 ❸ [　　　] 하여 문제를 풀도록 한다.

답 | ❶ 전기문 ❷ 설명문 ❸ 비교

🔆 대분의 Nuer 족은 [　　　] 에 거주한다.
→ Nile River Valley

🔆 • Nuer 족에게는 [　　　] 와 관련된 용어가 많다.
• Nuer 족은 소의 [　　　] 으로 불리는 것을 선호한다.
• Nuer 족의 주식은 [　　　] 이다.
→ 소, 이름, 유제품

🔆 Nuer 족은 [　　　] 들의 숫자를 세면 불운이 온다고 믿는다.
→ 아이[어린이]

①The Nuer are one of the largest ethnic groups in South Sudan, and most of them live in the Nile River Valley. ②The Nuer are a cattle-raising people, so they have various terms related to cattle. ③They prefer to be called by the names of the cattle they raise. The commonest daily foods for the Nuer are dairy products. ④Cattle are an important source of food for other ethnic groups too. And wild fruits and nuts are favorite snacks for the Nuer. ⑤The Nuer also have a culture of counting only older members of the family. They believe that counting the number of children one has could result in misfortune.

A village of the Nuer people ▶

© Matej Hudovernik / shutterstock

유형 분석, 빠른 해결!

1. 우리말 선택지를 먼저 읽어 글의 전반적인 내용과 흐름을 파악한다.
2. 지문과 선택지 내용이 일치하는지 하나씩 차례로 대조하며 읽는다.
3. 선택지 순서는 지문의 흐름과 일치한다는 점에 유의한다.
4. 선택지 내용 중 일부만 일치하지 않을 때가 많으므로 세부 사항에 특히 유의해야 한다.

해결 전략

Nure 족은 가족 구성원 중 나이가 [   ] 사람의 수만 세는 문화가 있다는 점을 기억한다.

답 | 많은

01 기출 유형

The Nuer에 관한 글의 내용과 일치하지 <u>않는</u> 것은?

① 주로 Nile River Valley에 거주한다.
② 소와 관련된 다양한 용어를 가지고 있다.
③ 자신들이 기르는 소의 이름으로 불리는 것을 선호한다.
④ 가장 일반적인 일상 음식은 유제품이다.
⑤ 어린 자녀의 수를 세는 것이 행운을 가져온다고 믿는다.

해결 전략

이 글은 ❶ [   ]에 대한 설명문으로 그들의 거주지와 식생활, ❷ [   ]를 다루고 있다.

답 | ❶ Nuer 족 ❷ 문화

02 기출 PLUS

글에서 전체 흐름과 관계 <u>없는</u> 문장은?

①   ②   ③   ④   ⑤

WORDS

☐ ethnic 민족의, 종족의   ☐ cattle-raising (소) 목축   ☐ various 다양한   ☐ term 용어   ☐ prefer 선호하다

☐ daily food 일상적인 음식   ☐ dairy product 유제품   ☐ source 원천, 공급처   ☐ result in ~을 야기하다   ☐ misfortune 불운

[01~02] 다음 글을 읽고 물음에 답하시오.

아이들이 무엇을 결정하게 하라고 했는가?

→ [ ] 먹을지, 그리고 [ ] 먹을지 결정하게 하라고 했다.

얼마나 (많이), 무엇을

위와 같은 교육의 효과는 무엇이라고 했는가?

→ [ ] 과 자제력을 가르쳐 줄 수 있다고 했다.

자신감

Give children options and allow them to make their own decisions on how much to eat and what to eat. (①) For example, include them in the decision-making process of preparing dinner — "Lisa, would you like to have meatballs or chicken?" (②) When discussing how much they should eat during dinner, serve them a reasonable amount. (③) If they claim they are still "hungry" after they are through, ask them to wait five to ten minutes. (④) These are fantastic behaviors that, when taught properly, teach brilliant self-confidence and self-control. (⑤)

© Pressmaster / shutterstock

해결 전략

ⓠ 이 글의 요지는?

ⓐ ❶ [   ] 에 대한 결정을 스스로 하도록 아이들을 교육하면 ❷ [   ] 과 자제력을 학습시킬 수 있다.

답 | ❶ 음식[식사] ❷ 자신감

01 글의 제목으로 가장 적절한 것은?

① Be a Role Model to Your Children

② Hunger: The Best Sauce for Children

③ Table Manners: Are They Important?

④ Good Nutrition: Children's Brain Power

⑤ Teach Children Food Independence

해결 전략

ⓠ 주어진 문장의 앞에 나올 내용은 무엇인가?

ⓐ 음식을 먹었는데도 여전히 [   ] 을 느끼거나 더 먹고 싶어 하는 상황이 제시될 것이다.

답 | 배고픔

02 글의 흐름으로 보아, 주어진 문장이 들어가기에 가장 적절한 곳은?

> If they continue to feel hunger, then they can have a second plate of food.

①   ②   ③   ④   ⑤

WORDS

☐ option 선택권, 선택할 수 있는 것 ☐ allow 허락하다 ☐ decision-making 의사 결정 ☐ process 과정, 절차 ☐ discuss 의논하다
☐ reasonable 적당한, 타당한 ☐ claim 주장하다 ☐ be through 끝내다, 마치다 ☐ behavior 행동 ☐ properly 적절히, 올바로
☐ self-confidence 자신감 ☐ self-control 자제력

[03~04] 다음 글을 읽고 물음에 답하시오.

이 그래프에서 알 수 있는 것은 무엇인가?

→ 2013, 2014, 2015년 10월에 [ ]를 방문한 한국인들의 [ ] 목적과 그 인원수를 알 수 있다.

뉴질랜드, 여행

Travel Purpose of Korean Visitors to New Zealand in October of 2013, 2014, 2015

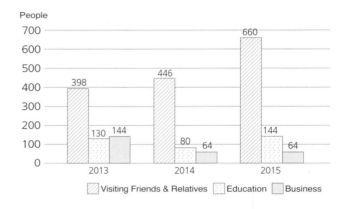

이 그래프에 나타난 한국인들의 뉴질랜드 방문 목적 세 가지는 무엇인가?

→ [ ]와 친척 방문, [ ], 사업

친구, 교육

This graph shows the number of Korean visitors to New Zealand according to their travel purpose in October of 2013, 2014, and 2015. ①Over the given period, the most popular purpose of visiting New Zealand was visiting friends and relatives. ②Visitors for the purpose of education declined from 2013 to 2015. ③The number of visitors with business interests in 2014 dropped compared with that in the previous year. ④That number stayed the same in 2015. ⑤In 2015 the number of people visiting for education purposes was more than double the number of those visiting for business purposes.

해결 전략

Q 각 방문 목적별 한국인 숫자는 어떻게 변화했는가?

A ・친구와 친척을 방문하는 한국인 수는 계속 ❶ _____ 했다.

・교육차 방문하는 한국인 수는 2014년에 ❷ _____ 했다가 2015년에 다시 ❸ _____ 했다.

・사업차 방문하는 한국인 수는 2014년에 감소한 뒤 2015년에는 유지되었다.

답 | ❶ 증가 ❷ 감소 ❸ 증가

03 도표의 내용과 일치하지 <u>않는</u> 것은?

①   ②   ③   ④   ⑤

04 다음 중 도표의 내용과 일치하는 것은?

① 사업차 뉴질랜드를 방문한 한국인 수는 계속 감소했다.

② 2014년 10월에 방문한 한국인 수는 2013년 10월보다 증가했다.

③ 교육 목적으로 방문한 한국인 수는 2015년 10월에 가장 많았다.

④ 2013년 10월에 뉴질랜드를 방문한 한국인은 700명이 넘는다.

⑤ 2015년 10월에 친구와 친척을 방문한 한국인 숫자는 2013년 10월의 두 배가 넘었다.

WORDS

☐ **according to** ~에 따르면   ☐ **given** 특정한, 정해진   ☐ **relative** 친척, 친지   ☐ **decline** 감소하다   ☐ **interest** 관심사, 이해관계

☐ **drop** 떨어지다, 낮아지다   ☐ **compared with** ~와 비교하여   ☐ **previous** 이전의, 전의   ☐ **double** 두 배의; 두 배

[05~06] 다음 글을 읽고 물음에 답하시오.

Fauset은 어떤 일을 했는가?
→ ☐ 과 시를 썼고, ☐ 를
가르쳤으며, 편집자로 일했다.
소설, 프랑스어

Fauset의 주요 업적은 무엇인가?
→ • Harlem Renaissance의 많
은 ☐ 들을 격려했다.
• 흑인 소녀의 인종적 ☐
과 자부심을 다룬 소설 〈Plum
Bun〉을 썼다.
작가, 정체성

Jessie Redmon Fauset was born in Snow Hill, New Jersey, in 1884. She was the first black woman to ① graduate from Cornell University. Fauset wrote novels and poetry, taught French in public schools, and worked as a journal editor. While ② working as an editor, she encouraged many well-known writers of the Harlem Renaissance. Though she is famous as an editor, many critics consider ③ her novel *Plum Bun* Fauset's strongest work. In it, a black girl who could pass for white ultimately ④ claiming her racial identity and pride. Fauset died ⑤ of heart disease April 30, 1961, in Philadelphia.

*pass for ~으로 여겨지다

© The Curious Eye / shutterstock

05 Jessie Redmon Fauset에 관한 글의 내용과 일치하지 <u>않는</u> 것은?

① Cornell University를 졸업한 최초의 흑인 여성이었다.

② 공립학교에서 프랑스어를 가르쳤다.

③ Harlem Renaissance에 부정적인 시각을 갖고 있었다.

④ 흑인 소녀의 이야기를 다룬 소설을 썼다.

⑤ Philadelphia에서 심장병으로 사망했다.

06 글의 밑줄 친 부분 중, 어법상 <u>틀린</u> 것은?

①   ②   ③   ④   ⑤

WORDS

☐ graduate from ~을 졸업하다   ☐ public school 공립학교   ☐ editor 편집자   ☐ encourage 격려하다, 독려하다
☐ Harlem Renaissance 1920년대 미국 뉴욕의 흑인 지구 할렘에서 일어난 흑인 예술 문화 부흥 운동   ☐ critic 비평가   ☐ consider 여기다
☐ ultimately 결국, 본질적으로   ☐ claim 주장하다   ☐ racial 인종의   ☐ identity 정체성

O4 ^{DAY} 글의 세부 정보를 파악하자

공부할 내용 **미리보기**

출제유형 ❶ 실용문 내용 파악하기

여학생이 포스터에서 발견한 정보는 무엇인가요?

출제유형 **2** 어법 정확성 판단하기 / 출제유형 **3** 어휘 적합성 판단하기

보고서의 문제점을 찾기 위해 누나가 동생에게 제안한 방법은 무엇인가요?

출제유형 핵심 체크 ❶

실용문 내용 파악하기

유형 설명

실용문의 내용을 파악하는 문제 유형은 주로 행사나 대회 ❶ [　　　]이나 제품 ❷ [　　　]이 지문으로 주어지고, 우리말 선택지 중 일치하는 것을 고르는 문제와 일치하지 않는 것을 고르는 문제가 각각 한 개씩 출제된다. 난이도가 낮은 편이므로 지문과 선택지를 꼼꼼히 ❸ [　　　]하여 실수하지 않도록 한다.

답 | ❶ 안내문 ❷ 광고문 ❸ 비교

💡 Happy Voice는 학교 [　　　] 이며 [　　　]을 열 예정이다.

→ 동아리, 오디션

💡 ・오디션 대상은 [　　　] 이다.

・오디션은 3월 24일 금요일 오후 3시에 [　　　]에서 열린다.

・모든 참가자는 지정곡 한 곡과 [　　　] 한 곡을 불러야 한다.

→ 신입생, 강당, 자유곡

💡 오디션 접수는 이메일로 해야 한다.

2017 Happy Voice Choir Audition

Do you love to sing? Happy Voice, one of the most famous school clubs, ①are holding an audition for you. Come and join us for some very ②exciting performances!

・**Who:** Any freshman
・**When:** Friday, March 24, 3 p.m.
・**Where:** Auditorium

All ③applicants should sing two songs:
– 1st song: Oh Happy Day!
– 2nd song: You choose your ④own.

To ⑤enter the audition, please email us at hvaudition @qmail.com. For more information, visit the school website.

유형 분석, 빠른 해결!

1. 일치하는 것을 찾아야 하는지, 일치하지 않는 것을 찾아야 하는지 확인한다.

2. 먼저 선택지를 빠르게 읽고 지문에서 어떤 정보를 확인해야 할지 미리 알아둔다.

3. 지문과 선택지 내용이 일치하는지 하나씩 차례로 대조하며 읽는다.

4. 선택지 내용 중 일부만 일치하지 않을 때가 많으므로 세부 사항에 유의한다.

해결 전략

오디션 주최 측과 참가 대상, 개최 일정과 ❶ , 불러야 하는 노래의 ❷ 와 종류, 참가 신청 방법 등을 차례로 확인한다.

답 | ❶ 장소 ❷ 수

01 기출 유형

2017 Happy Voice Choir Audition에 관한 안내문의 내용과 일치하지 <u>않는</u> 것은?

① 학교 동아리가 개최한다.

② 신입생이면 누구나 참가할 수 있다.

③ 3월 24일에 강당에서 열린다.

④ 지원자는 자신이 선택한 두 곡을 불러야 한다.

⑤ 참가하려면 이메일을 보내야 한다.

해결 전략

① 주어와 동사의 수 일치 ② 감정을 나타내는 분사형용사의 쓰임 ③ 명사의 수 ④ own의 쓰임 ⑤ to부정사의 쓰임을 확인한다.

02 기출 PLUS

글의 밑줄 친 부분 중, 어법상 <u>틀린</u> 것은?

①   ②   ③   ④   ⑤

WORDS

☐ choir 합창단   ☐ hold 열다, 주최하다   ☐ freshman 신입생   ☐ applicant 지원자   ☐ enter ~에 들어가다, 출전하다

04 DAY 출제유형 핵심 체크 ②

어법 정확성 판단하기

유형 설명 지문을 읽고 밑줄 친 부분 다섯 개 중 어법상 잘못 쓰인 것을 찾는 유형이 주로 출제된다. (A), (B), (C) 세 개의 네모 안에서 어법에 맞는 표현을 골라 바르게 짝지어진 선택지를 고르는 문제 유형도 출제 가능성이 있다. 문장의 ❶ [   ]와 문맥을 모두 확인해 답을 찾는다.

답 | ❶ 구조

💡 ① is의 주어는 [   ]이다.
→ my washing machine

💡 ② that은 (명사절을 이끄는 접속사 / 관계대명사)로 쓰였다.
→ 명사절을 이끄는 접속사

💡 ③ 감각동사 뒤에 보어로 올 수 있는 것은 [   ]이다.
→ 형용사

💡 ④ stop의 목적어로는 (to부정사 / 동명사)를 쓴다.
→ 동명사

💡 ⑤ 원형부정사는 목적격 보어로 쓰일 수 (있다 / 없다).
→ 있다

I regret to say my washing machine supplied three months ago ①is no longer working. Please send a service engineer as soon as possible. The product warranty says ②that you provide materials for free, but charge for the engineer's labor. This sounds ③unfair. I believe the machine's failure is caused by a manufacturing defect. Initially, it made a lot of noise, and later, it stopped ④to operate entirely. As it is wholly the company's responsibility to correct the defect, I hope you will not make us ⑤pay for the repair labor.

© Audrey-Popov / shutterstock

유형 분석, 빠른 해결!

1 밑줄 친 부분의 문법적 형태를 파악한다.

2 밑줄 친 부분의 앞뒤를 살펴 문장의 구조를 파악하고, 문맥을 살핀다.

3 밑줄 친 부분이 문장의 구조와 문맥에 맞게 적절히 쓰였는지 살핀다.

4 다섯 개의 밑줄 친 부분을 차례로 확인하여 답을 찾는다.

해결 전략

밑줄 친 부분의 문법적 형태와 문장 구조에서의 쓰임을 확인한다.

01 기출 유형

글의 밑줄 친 부분 중, 어법상 틀린 것은?

①   ②   ③   ④   ⑤

해결 전략

글쓴이는 [①] 고장 원인은 제조상의 [②] 이므로 모든 비용을 회사가 부담하여 수리해 달라고 요구하고 있다.

답 | ❶ 세탁기 ❷ 결함

02 기출 PLUS

글의 목적으로 가장 적절한 것은?

① 구입한 의류를 반품하려고

② 세탁기 수리를 요청하려고

③ 수리비 지급을 독촉하려고

④ 세탁기 배송 여부를 확인하려고

⑤ 전자 제품 수리 강좌에 등록하려고

WORDS

☐ supply 공급하다 ☐ product warranty 제품 보증서 ☐ material 재료 ☐ charge for ~에 요금을 부과하다 ☐ labor 노동, 일
☐ failure 고장, 실패 ☐ manufacturing defect 제조상의 결함 ☐ initially 처음에 ☐ operate 작동하다 ☐ entirely 완전히
☐ wholly 완전히, 전적으로 ☐ responsibility 책임 ☐ correct 바로잡다, 고치다

어휘 적합성 판단하기

(유형 설명) 밑줄 친 부분 중 문맥상 낱말의 쓰임이 잘못된 것을 고르는 유형이 주로 출제된다. 네모 안에서 문맥에 맞는 낱말을 골라 바르게 짝지어진 선택지를 고르는 유형도 출제 가능성이 있다. 낱말의 쓰임은 대개 ❶ [   ] 와 관련이 있으며, ❷ [   ] 나 철자가 비슷하지만 쓰임이 다른 어휘를 익혀 두면 도움이 된다.

답 | ❶ 주제 ❷ 반의어

💡 인간은 기술 발전으로 겪는 [   ] 를 불편하게 여기므로 기술을 거부하거나, [   ] 으로 여기기도 한다.

→ 변화, 위협

Technological development commonly forces change, and change is uncomfortable. Technology is often resisted and some perceive it as a ①threat. It is important to understand our natural ②hate of being uncomfortable when we consider the impact of technology on our lives. As a matter of fact, most of us prefer the path of ③least resistance. This tendency means that the true potential of new technologies may remain ④unrealized because, for many, starting something new is just too much of a struggle. Even our ideas about how new technology can improve our lives may be ⑤encouraged by this natural desire for comfort.

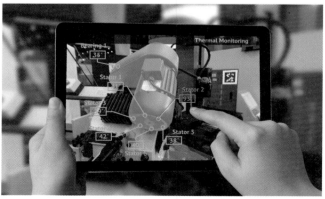

© Zapp2Photo / shutterstock

(유형 분석, 빠른 해결!)

① 글의 주제를 먼저 파악한다.

② 밑줄 친 부분이나 네모의 앞뒤에서 단서를 찾는다.

③-1 밑줄 친 부분 중에서 고를 때: 주제와 일관성 있는 내용의 문장이 되는지 확인한다.

③-2 네모 안에서 적절한 어휘를 고를 때: 선택한 단어로 완성된 문장이 자연스러운지 확인한다.

해결 전략

밑줄 친 낱말이 쓰였을 때 그 문장이 이 글의 [ ]와 어울리는지 확인한다.

답 | 주제

01 기출 유형

글의 밑줄 친 부분 중, 문맥상 낱말의 쓰임이 적절하지 <u>않은</u> 것은?

①   ②   ③   ④   ⑤

해결 전략

기술 발전에는 ❶[ ]가 따르는데, 인간은 변화를 불편하게 여겨 ❷[ ] 자체를 거부하기도 한다는 것이 이 글의 중심 내용이다.

답 | ❶ 변화 ❷ 기술

02 기출 PLUS

글의 요지로 가장 적절한 것은?

① 신기술을 개발하기 위해 더 많은 지원이 필요하다.

② 변화에 대한 거부감이 기술 발전을 저해할 수 있다.

③ 다양한 시도를 해야만 최선의 결과를 얻을 수 있다.

④ 때로는 현실에 안주하는 것이 문제를 해결해 주기도 한다.

⑤ 개인의 잠재적 능력을 개발하기 위해 사회적 제도로 뒷받침해야 한다.

WORDS

☐ commonly 흔히, 일반적으로   ☐ force 강요하다, 피할 수 없게 하다   ☐ resist 저항하다   ☐ perceive ~으로 여기다, 인지하다
☐ natural 타고난, 천성의   ☐ resistance 저항   ☐ tendency 경향   ☐ potential 가능성, 잠재력   ☐ remain ~한 상태로 남다
☐ too much of 지나친, 과도한   ☐ struggle 힘든 일, 투쟁   ☐ improve 개선하다   ☐ comfort 안락, 편안

04 DAY 기초력 집중드릴

[01~02] 다음 글을 읽고 물음에 답하시오.

무엇에 관한 글인가?
→ 불꽃놀이 행사에 대해 소개하는 안내문이다.

불꽃놀이 행사는 언제, 어디에서, 어떤 프로그램으로 열리는가?
→ _____월 5, 6일에 Crystal Castle에서 열린다. 라이브 음악 쇼와 _____, 불꽃놀이 등의 프로그램으로 구성되어 있다.
12, 보물찾기

행사에 대해 알 수 있는 사실은?
→ • (유료 / 무료) 주차장이 있다.
• 12살 이하 어린이는 _____과 동행해야 한다.
• 입장권은 행사 웹사이트에서 예약해야 한다.
무료, 성인[어른]

Crystal Castle Fireworks

Come and enjoy the biggest fireworks display in the South West of England!

Dates: 5th & 6th December
Location: Crystal Castle, 132 Oak Street
Time: 15:00 – 16:00 Live Music Show
               16:30 – 17:30 A Treasure Hunt
               18:00 – 18:30 Fireworks Display
Parking: Free car park opens at 13:00.

Note:

Any child aged 12 or under must be accompanied by an adult.

All tickets must be reserved beforehand on our website www.crystalcastle.com.

56 DAY 04

01 Crystal Castle Fireworks에 관한 안내문의 내용과 일치하는 것은?

해결 전략

Crystal Castle Fireworks의 특징과 프로그램 구성, 추가 안내 사항 등을 확인한다.

① 영국의 북부 지역에서 가장 큰 불꽃놀이이다.

② 라이브 음악 쇼가 불꽃놀이 이후에 진행된다.

③ 불꽃놀이는 1시간 동안 진행된다.

④ 주차장은 오후 1시부터 유료로 이용 가능하다.

⑤ 12세 이하의 아동은 성인과 동행해야 한다.

02 Crystal Castle Fireworks에 관한 안내문의 내용과 일치하지 <u>않는</u> 것은?

해결 전략

Crystal Castle Fireworks의 행사 기간과 장소, 프로그램 구성, 추가 안내 사항 등을 확인한다.

① 이틀 동안 열린다.

② Oak가 132번지에서 열린다.

③ 라이브 음악 쇼가 1시간 동안 진행된다.

④ 보물찾기 행사 후에 불꽃놀이가 진행된다.

⑤ 입장권은 현장에서 구매할 수 있다.

WORDS

☐ firework 불꽃놀이　☐ display 진열, 전시　☐ location 장소, 위치　☐ treasure hunt 보물찾기
☐ accompany 동행하다, 동반하다　☐ reserve 예약하다　☐ beforehand 사전에

04 DAY 기초력 집중드릴

[03~04] 다음 글을 읽고 물음에 답하시오.

① 밑줄 친 show의 쓰임은?
→ 앞의 to와 함께 to부정사를 이룬다. to부정사는 [　　　]을 나타내는 부사적 용법으로 쓰였다.
목적

② 밑줄 친 which의 쓰임은?
→ 뒤에 완전한 절이 나오는 것으로 보아 어색하게 쓰였다.

③ 밑줄 친 to find의 쓰임은?
→ 앞의 명사구 [　　　]를 꾸미는 형용사적 용법으로 쓰였다.
a good way

④ 밑줄 친 like의 쓰임은?
→ 뒤에 명사구가 나오는 것으로 보아 (동사 / 전치사)로 쓰였다.
전치사

⑤ 밑줄 친 is의 쓰임은?
→ 앞의 The main purpose가 [　　　]이며, 문장 전체의 동사로 쓰였다.
주어

"You are what you eat." That phrase is often used to ①show the relationship between the foods you eat and your physical health. But do you really know ＿＿＿＿＿＿ when you buy processed foods and canned foods? Many of the manufactured products made today contain so many artificial ingredients ②which it is sometimes difficult to know exactly what is inside them. Fortunately, now there are food labels. Food labels are a good way ③to find the information about the foods. Labels on food are ④like the table of contents found in books. The main purpose of food labels ⑤is to inform you what is inside the food you are purchasing.

*manufactured (공장에서) 제조된　*table of contents (책 등의) 목차

© tmcphotos/shutterstock

해결 전략

① to부정사의 쓰임 ② 관계대명사와 접속사의 구별 ③ to부정사의 쓰임 ④ 전치사의 쓰임 ⑤ be동사와 주어의 관계 등을 확인한다.

03 글의 밑줄 친 부분 중, 어법상 **틀린** 것은?

①   ②   ③   ④   ⑤

해결 전략

Q 이 글의 요지는 무엇인가?

A 가공식품의 [　　　]에 쓰인 정보를 통해 우리가 무엇을 먹게 되는지 알 수 있다.

답 | 식품 라벨

04 빈칸에 들어갈 말로 가장 적절한 것은?

① what you are eating
② where the phrase came from
③ how to avoid unhealthy foods
④ that you are spending more money
⑤ that you need some physical activities

WORDS

☐ phrase 구절   ☐ physical health 신체 건강   ☐ processed foods 가공식품   ☐ canned foods 통조림 식품
☐ manufacture 제조하다   ☐ contain 함유하다   ☐ artificial 인공의   ☐ ingredient 재료, 성분   ☐ label 라벨, 상표, 꼬리표
☐ purpose 목적   ☐ inform 정보를 주다   ☐ purchase 구매하다

[05~06] 다음 글을 읽고 물음에 답하시오.

The brain makes up just two percent of our body weight but uses 20 percent of our energy. (①) In newborns, it's no less than 65 percent. That's partly why babies sleep all the time — their growing brains (A) warn / exhaust them. (②) Our muscles use even more of our energy, about a quarter of the total, but we have a lot of muscle. (③) Actually, per unit of matter, the brain uses by far (B) more / less energy than our other organs. (④) But it is also marvelously (C) creative / efficient . Our brains require only about four hundred calories of energy a day — about the same as we get from just a blueberry muffin. (⑤) Try running your laptop for twenty-four hours on a muffin and see how far you get.

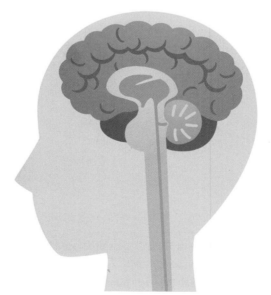

© kotikoti / shutterstock

Ⓠ 이 글의 요지는 무엇인가?

Ⓐ 뇌는 몸에서 차지하는 비중에 비해 많은 [   ]를 소비하지만, 매우 효율적으로 작동하는 기관이기도 하다.

답 | 에너지

05 (A), (B), (C)의 각 네모 안에서 문맥에 맞는 낱말로 가장 적절한 것은?

	(A)	(B)	(C)
①	warn	····· less	····· efficient
②	warn	····· more	····· efficient
③	exhaust	····· more	····· efficient
④	exhaust	····· more	····· creative
⑤	exhaust	····· less	····· creative

Ⓠ 주어진 문장의 앞에 나올 내용은 무엇인가?

Ⓐ [   ]가 우리 몸의 기관 중 가장 에너지가 많이 드는 값비싼 것이라고 할 수 있는 근거가 제시될 것이다.

답 | 뇌

06 글의 흐름으로 보아, 주어진 문장이 들어가기에 가장 적절한 곳은?

That means that the brain is the most expensive of our organs.

①   ②   ③   ④   ⑤

WORDS

☐ make up 구성하다, 이루다   ☐ newborn 신생아   ☐ no less than 자그마치, ~에 못지않게   ☐ partly 부분적으로
☐ quarter 4분의 1   ☐ per unit of ~ 단위 당   ☐ by far (비교급·최상급을 강조하여) 훨씬   ☐ organ 장기   ☐ marvelously 놀라울 만큼
☐ require 요구하다   ☐ run 작동하다, 작동시키다

05 DAY 글의 흐름을 알면 빈칸도 보인다

공부할 내용 **미리보기**

출제유형 ①, ② 빈칸 어구 추론하기

빈칸에 들어가는 말은 주로 무엇과 관련된 말일지 생각해 보세요.

출제유형 **3** 글을 한 문장으로 요약하기

글을 요약할 때 어떻게 해야 상대방에게 내용을 잘 전달할 수 있을지 생각해 보세요.

빈칸 어구 추론하기 (1)

유형 설명 글의 빈칸에 들어갈 짧은 어휘나 어구를 추론하는 유형의 문제는 대부분 글의 주제나 요지와 관련된 핵심 표현이 답이 된다. 따라서 글 전체의 내용을 파악하여 ❶ _____ 나 ❷ _____ 를 파악하면 문제를 더 쉽게 풀 수 있다. 출제 비중이 높은 유형이므로 유의해야 한다.

답 | ❶ 주제 ❷ 요지

💡 Armand Hammer는 고령에도 쉬지 않고 일한 _____ 이다.
　→ 사업가

💡 George Bernard Shaw는 죽을 때까지 열심히 일하고 싶다고 말한 _____ 이다.
　→ 작가

💡 Hammer와 Shaw 두 사람과 같은 생각을 가진 글쓴이의 의견을 짐작할 수 있다.

Armand Hammer was a great businessman who died in 1990 at the age of ninety-two. He was once asked how a man of his age had the energy to continually travel the world to do business. He said, "I love my work. I can't wait to start a new day. I never wake up without being full of ideas. Everything is a challenge." George Bernard Shaw, one of the most successful writers of all time, said something similar about a hundred years earlier. He wrote, "I want to be thoroughly used up when I die, for the harder I work, the more I live." I think Hammer and Shaw would have agreed with me that nothing can replace _____ in life.　*thoroughly 완전히, 철저히

George Bernard Shaw ▶

© Morphart Creation / shutterstock

① 빈칸을 포함하는 문장을 먼저 읽고 어떤 정보가 필요한지 파악한다.

② 빈칸에 들어갈 말은 주제와 연관이 있다는 점을 생각하며 글을 읽는다.

③ 글에서 반복되는 개념, 즉 주제와 관련이 있는 표현에 유의한다.

④ 글에서 찾은 단서로 빈칸에 들어갈 말을 추론한다.

해결 전략

예시로 등장한 Hammer와 Shaw 둘 다 [　　　]을 매우 중요하게 생각했던 사람들이다.

답 | 열심히 일하는 것[근면]

01 기출 유형

빈칸에 들어갈 말로 가장 적절한 것은?

① hard work

② true friendship

③ good education

④ witty comments

⑤ careful planning

해결 전략

고령에도 전 세계를 다니며 사업을 계속한 ❶ [　　　]와 열심히 일하고 완전히 소진된 상태로 죽고 싶다고 한 ❷ [　　　]의 예를 들고 있다.

답 | ❶ Hammer ❷ Shaw

02 기출 PLUS

필자가 주장하는 바로 가장 적절한 것은?

① 나이가 들수록 건강에 유의해야 한다.

② 되도록 다양한 지역을 여행하는 것이 좋다.

③ 열심히 일하는 것이 인생에서 가장 중요하다.

④ 훌륭한 예술가가 되기 위해서는 성실해야 한다.

⑤ 서로 의견이 다를 때에도 상대방을 존중해야 한다.

WORDS

☐ continually 계속해서, 줄곧 　☐ challenge 도전 　☐ similar 비슷한, 유사한 　☐ used up 몹시 지친 　☐ replace 대신하다, 교체하다

05 DAY 출제유형 핵심 체크 ②

☀ 전날에는 플라스틱 물병을 샀던 사람이 플라스틱 물병의 ☐에 대한 기사를 읽고 난 후에는 똑같은 병을 ☐ 수도 있다.

→ 위험성, 멀리할[피할]

☀ 반플라스틱 회의에 가던 사람이 ☐에 추락했을 때에는 플라스틱 물병이 그에게 가장 ☐ 물건이 될 수 있다.

→ 사막, 귀중한[가치 있는]

People have _____. For example, a person might buy a bottle of water, but after ①reading an article on possible risks of plastic bottles, ②that same person might avoid an identical bottle of water the next day. When a year later this same person flies to an anti-plastics conference and ③crashing in the desert, a plastic bottle of water might ④suddenly become one of the most valuable things in the universe — to that person, at that time, and in that place. This person shows a preference for one thing over another and demonstrates a ranking and ⑤ordering of values with every choice and every action.

© Sergey Chayko / shutterstock

유형 분석, 빠른 해결!

① 글의 중심 소재를 파악한다.

② 반복되는 개념에 유의하여 글의 주제를 찾는다.

③ -1 빈칸 문장이 주제문일 때: 선택지에서 글 내용을 포괄하는 일반적인 진술을 찾는다.

③ -2 빈칸 문장이 뒷받침 문장일 때: 선택지에서 주제문에 대한 구체적인 근거를 찾는다.

해결 전략

❶ □ 에 따라 동일한 대상에 대해서 가치 판단이 ❷ □ 수 있음을 플라스틱 물병을 예로 들어 설명하고 있다.

답 | ❶ 상황[환경] ❷ 달라질[변할]

---

01 기출 유형

빈칸에 들어갈 말로 가장 적절한 것은?

① economic freedom of choice

② smart strategies on consumption

③ different reactions to natural disasters

④ their own ways of saving the environment

⑤ changing values depending on the situation

해결 전략

① 분사구문에서 현재분사의 쓰임 ② that의 쓰임 구분 ③ 병렬 구조 ④ 부사가 꾸미는 말 ⑤ 병렬 구조에 유의한다.

---

02 기출 PLUS

글의 밑줄 친 부분 중, 어법상 틀린 것은?

①   ②   ③   ④   ⑤

WORDS

□ risk 위험, 위험 요소 □ avoid 피하다 □ identical 동일한 □ conference 회의, 회담 □ crash (비행기 등의 사고로) 추락하다
□ valuable 가치 있는 □ preference 선호 □ demonstrate 입증하다, 보여 주다 □ ordering 순서 매기기, 정리, 배치

글을 한 문장으로 요약하기

유형 설명 | 글의 내용을 요약한 문장의 빈칸에 들어갈 말을 찾는 문제 유형이다. 요약문의 빈칸에 들어갈 말은 보통 글의 핵심어이므로 **❶** ⬜⬜⬜ 와 연관될 때가 많다. 그러므로 **❷** ⬜⬜⬜ 해서 나오는 단어나 어구를 통해 주제를 파악하며 지문을 읽는다.

답 | ❶ 주제 ❷ 반복

💡 ⬜⬜⬜⬜ 의 생산 회사가 독일의 유통 회사에 좋은 인상을 주기 위해 ⬜⬜⬜ 를 유창하게 하는 젊은 임원을 파견했다.
→ 미국, 독일어

💡 ⬜⬜⬜ 으로 발표를 시작한 것이 독일의 비즈니스 환경에는 맞지 않아 좋은 결과를 거두지 못했다.
→ 농담

An American hardware manufacturer was invited to introduce its products to a German distributor. Wanting to make the best possible impression, the American company sent its most promising young executive, Fred Wagner, who spoke fluent German. When Fred first met his German hosts, he shook hands firmly and greeted everyone in German. He began his presentation with a few jokes to set a relaxed atmosphere. However, he felt that his presentation was not very well received by the German executives. Actually, Fred made one particular error. He did not win any points by telling jokes. It was viewed as too informal and unprofessional in a German business setting.

유형 분석, 빠른 해결!

① 요약문과 선택지 어휘를 먼저 읽고 지문의 내용을 예측해 본다.

② 반복해서 등장하는 단어나 어구로 주제를 파악하며 지문을 읽는다.

③ 선택지에서 적절한 어휘를 골라 요약문을 완성한다.

④ 완성된 요약문이 글의 내용을 짧게 요약하면서도 그 의미가 통하는지 확인한다.

해결 전략

이 이야기는 ❶ [　　　]를 유창하게 구사하는 미국 회사 임원이 독일의 비즈니스 환경과 맞지 않게 ❷ [　　　]을 섞어가며 발표하여 실패한 사례를 보여 준다.

답 | ❶ 독일어 ❷ 농담

01 기출 유형

글의 내용을 한 문장으로 요약하고자 한다. 빈칸 (A), (B)에 들어갈 말로 가장 적절한 것은?

This story shows that using ____(A)____ in a business setting can be considered ____(B)____ in Germany.

(A)	(B)	(A)	(B)
① humar	······ essential	② humor	······ inappropriate
③ gestures	······ essential	④ gestures	······ inappropriate
⑤ first names	······ useful		

해결 전략

다른 나라의 문화와 비즈니스 상황을 이해하지 못하고 행동하면 국제 비즈니스에서 [　　　] 할 수 있다는 내용이다.

답 | 실패

02 기출 PLUS

글의 제목으로 가장 적절한 것은?

① The History of German-American Trade Relations

② Why Jokes Not Work in a German Business Setting

③ Various Ways to Speak a New Language Fluently Faster

④ How to Be More Impressive When You Start a Presentation

⑤ The Impact of Cultural Difference on International Business

WORDS

☐ manufacturer 제조자, 생산 회사　☐ distributor 유통 회사　☐ possible (최상급 등과 함께 쓰여) 가능한 한　☐ impression 인상

☐ promising 전도유망한　☐ executive 간부, 경영진　☐ fluent 유창한　☐ firmly 굳게, 단호하게　☐ presentation 발표

☐ atmosphere 분위기　☐ particular 특정한　☐ informal 비격식적인, 격식에 얽매이지 않는　☐ unprofessional 전문가답지 못한

[01~02] 다음 글을 읽고 물음에 답하시오.

인간이 침팬지보다 장거리 달리기에서 유리한 이유는 무엇인가?

→ 인간이 침팬지보다 _____을 더 잘 떨어뜨리기 때문이다.

체온

Humans are champion long-distance runners. As soon as a person and a chimp start running they both get hot. Chimps quickly overheat; humans do not, because they are much better at shedding body heat. According to one leading theory, ancestral humans lost their hair over successive generations because less hair meant cooler, more effective long-distance running. That ability let our ancestors outrun prey. Try wearing a couple of fur coats on a hot humid day and run a mile. Now, take those coats off and try it again. You'll see what a difference _____ makes.

*shed 떨어뜨리다

인간이 장거리 달리기에 적합하도록 진화한 것의 장점은 무엇인가?

→ 먹잇감을 _____ 달릴 수 있게 되었다.

추월하여[앞질러]

© Getty Images Bank

Q 빈칸이 있는 문장 앞에 제시된 두 번의 달리기 방법(Try wearing ~ try it again.)의 차이는 무엇인가?

A 처음에는 [❶____]를 입고 달리다가, 다시 [❷____]를 벗고 달려 보라고 했다.

답 | ❶, ❷ 털 코트

01 빈칸에 들어갈 말로 가장 적절한 것은?

① hot weather

② a lack of fur

③ muscle strength

④ excessive exercise

⑤ a diversity of species

Q 이 글의 주제는 무엇인가?

A 인간은 [❶____]을 쫓을 때 과열되지 않도록 [❷____]을 조절하기 위해 털이 없는 방향으로 진화했다.

답 | ❶ 먹잇감 ❷ 체온

02 글의 내용을 한 문장으로 요약하고자 한다. 빈칸 (A), (B)에 들어갈 말로 가장 적절한 것은?

> Losing their ___(A)___ made it possible for humans to run and hunt without ___(B)___ .

	(A)		(B)
①	fur	……	competition
②	prey	……	overheating
③	fur	……	overheating
④	prey	……	competition
⑤	thermometer	……	perspiration

WORDS

☐ long-distance 장거리의　☐ chimp 침팬지　☐ overheat 과열되다　☐ leading 가장 중요한, 선두의　☐ theory 이론, 학설
☐ ancestral 조상의, 선조의　☐ successive 연속적인, 잇따른　☐ outrun ~보다 더 빨리 달리다　☐ prey 먹이, 사냥감　☐ fur 털, 모피
☐ humid 습한　☐ excessive 과도한, 지나친　☐ thermometer 온도계, 체온계　☐ perspiration 땀, 발한

밑줄 친 'our herd behavior'에 의한 행동으로 언급된 것은?

→ ☐☐☐☐☐ 식당에서 식사할 가능성이 크다.

붐비는[사람이 많은]

대부분의 사람들은 빈 식당과 방금 여섯 사람이 들어간 식당 중 어느 쪽을 선택하는가?

→ (빈 / 여섯 사람이 들어간) 식당 을 선택한다.

여섯 사람이 들어간

[03~04] 다음 글을 읽고 물음에 답하시오.

We are more likely to eat in a busy restaurant, for <u>our herd behavior</u> determines our decision-making. Let's suppose you walk toward two empty restaurants. You do not know which one to enter. However, you suddenly see a group of six people enter one of them. Which one are you more likely to enter? Most people would go into the restaurant with people in it. Let's suppose you and a friend go into that restaurant. Now, it has eight people in it. Others see that one restaurant is empty and the other has eight people in it. So,

_____ .

*herd 무리, 떼

© Getty Images Bank

해결 전략

Ⓠ 이 글의 요지는 무엇인가?

Ⓐ 다른 사람들과 ☐

행동하려는 경향에 의해 의사

결정이 이루어진다.

답 | 비슷하게[동일하게]

03 빈칸에 들어갈 말로 가장 적절한 것은?

① both restaurants are getting busier

② you and your friend start hesitating

③ your decision has no impact on others'

④ they reject what lots of other people do

⑤ they decide to do the same as the other eight

해결 전략

Ⓠ 이 글에 제시된 'a busy restaurant', 'the restaurant with people in it'이 의미하는 바는 무엇인가?

Ⓐ '이미 다른 사람들이 ☐

식당'이다.

답 | 선택한

04 밑줄 친 our herd behavior가 글에서 의미하는 바로 가장 적절한 것은?

① how many people we contact in a day

② choosing a location to open a restaurant

③ sense of taste to distinguish different tastes

④ thinking of something against those around us

⑤ tendency to follow and copy what other people are doing

WORDS

☐ be likely to ~하기 쉽다, ~할 가능성이 있다 ☐ behavior 행동 ☐ determine 결정하다 ☐ decision-making 의사 결정
☐ suppose 가정하다 ☐ empty 비어 있는, 빈 ☐ hesitate 망설이다 ☐ reject 거절하다 ☐ contact 연락하다
☐ distinguish 구별하다

[05~06] 다음 글을 읽고 물음에 답하시오.

'I'는 지리 수업에서 왜 어려움을 겪었는가?

→ [   ]와 [   ]를 구분할 수 없었다.

경도, 위도

'I'가 문제를 극복하기 위해 생각해 낸 방법을 완성하면?

→ 단어 'longitude(경도)'에 철자 'n'이 포함되어 있다. → 철자 'n'으로 '[   ](북쪽)'를 연상한다.

→ 'north'에서 'south'로 연결되는 [   ]을 연상한다. ·

north, 경도선

When I was in eighth grade, we were studying longitude and latitude in geography class. Every day for a week, we had a quiz, and I kept getting longitude and latitude confused. I was so frustrated that I couldn't keep them straight in my mind. I stared and stared at those words until suddenly I figured out what to do. I told myself, when you see that n in longitude it will remind you of the word north. Therefore, it will be easy to remember that longitude lines go from north to south. It worked; I got them all right on the next quiz, and on the test.

*longitude 경도   *latitude 위도

© James. Pintar / shutterstock

해결 전략

Q 이 글의 주제는 무엇인가?

A 새로운 것을 배울 때 이미 내
가 [   ] 것을 활용하
여 연상하는 방법을 쓰는 것
이 도움이 된다.

답 | 알고 있는

05 글의 내용을 한 문장으로 요약하고자 한다. 빈칸 (A), (B)에 들어갈 말로 가장 적절한 것은?

The above story suggests that ___(A)___ what you are learning with what you already know helps you ___(B)___ the learning material.

(A) (B)

① associating ······ memorize

② associating ······ publish

③ presenting ······ publish

④ replacing ······ evaluate

⑤ replacing ······ memorize

해결 전략

Q 이 글에서 글쓴이의 상황은
어떻게 변화했는가?

A 경도와 위도를 계속 혼동하다
가, 스스로 ❶ [   ] 방법을
찾아 시험에서도 ❷ [   ]
않게 되었다.

답 | ❶ 외우는 ❷ 틀리지

06 글에 드러난 'I'의 심경 변화로 가장 적절한 것은?

① embarrassed → confident

② excited → disappointed

③ jealous → depressed

④ lonely → pleased

⑤ annoyed → unsatisfied

WORDS

□ geography 지리(학) □ confused 혼동하는 □ frustrated 좌절하는 □ straight 똑바로, 제대로 □ stare 응시하다, 노려보다
□ figure out 알아내다, 이해하다 □ remind ~ of ... ~에게 …을 떠올리게 하다 □ work 효과가 있다, 작동하다 □ evaluate 평가하다

06 DAY 글의 흐름을 알면 쓰기도 쉽다

공부할 내용 미리보기

출제유형 ① 글의 순서 배열하기

같은 날 같은 장소에서 찍은 다음 사진 세 장을 찍은 순서대로 나열해 보세요.

젖은 땅에 나뭇잎이 떨어져 있어.

땅이 젖어 있네.

비가 오고 있어.

답 ③ - ② - ①

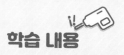
출제유형 **2** 주어진 문장의 위치 파악하기 / 출제유형 **3** 흐름에서 벗어난 문장 찾기

여자의 말에서 필요 없는 문장의 번호는 무엇인가요? 그리고 ⑤번 문장은 어디에 들어가는 게 좋을까요?

답 ③, ①과 ②사이

글의 순서 배열하기

유형 설명 주어진 글 뒤에 (A), (B), (C) 세 개의 단락을 알맞은 흐름으로 배열하는 유형이다. 글이 어떤 방식으로 ❶ ☐ 될지 파악하면 배열하기 쉬워진다. 대명사, 연결어 등의 단서가 주어지는 경우가 많으므로 ❷ ☐ 가 무엇을 가리키는지, ❸ ☐ 가 글의 흐름에 어떤 역할을 하는지 등을 파악하며 읽어야 한다.

답 | ❶ 전개 ❷ 대명사 ❸ 연결어

☼ 'I'로 시작하는 개인의 경험담인 것으로 보아 ☐ 순서대로 전개될 것이다.
→ 시간

☼ (A)의 it은 (C)에서 ☐ 이 글쓴이와 저녁 식사를 하러 일터에 온 일을 가리킨다. they는 글쓴이의 ☐ 을 가리킨다.
→ 가족, 가족

☼ 주어진 글의 the night shift와 (B)의 working at night가 연결된다. (B)에는 가족과 ☐ 를 하지 못하는 아쉬움이 나타난다.
→ 저녁 식사

I took a job on the night shift because the money was much better.

(A) I took a slightly longer break ①than usual and my boss wasn't too happy about that. So, we couldn't do ②it very often, but I loved it when they came.

(B) Unfortunately, working at night meant I could no longer have dinner with my family. A cold sandwich isn't exactly the same thing ③as a hot meal at home.

(C) One night, my wife packed up the kids and dinner and ④come to see me at work. We sat around the cafeteria table and it was the best meal I'd ⑤had in a long time.

*night shift 야간 근무

(유형 분석, 빠른 해결!)

1 맨 위에 주어진 글을 읽고 무엇에 관한 글인지 파악한다.

2 글이 어떤 전개 방식을 따르고 있는지 파악한다.
   e.g. 시간의 흐름, 비교와 대조, 문제와 해결책, 인과 관계 등

3 각 단락을 읽고 핵심 내용을 파악한다.

4 대명사나 연결어 등의 단서에 유의하여 단락을 배열한다.

해결 전략

주어진 글에는 **❶** 를 선택한 이유, (A)는 가족과 일터에서 저녁 식사를 한 이후의 상황, (B)는 야간 근무로 인해 가족과 **❷** 를 하지 못하는 아쉬움, (C)는 가족과 일터에서 저녁 식사를 한 일이 각각 나타나 있다.

답 | ❶ 야간 근무 ❷ 저녁 식사

01 기출 유형

주어진 글 다음에 이어질 글의 순서로 가장 적절한 것은?

① (A) - (C) - (B)   ② (B) - (A) - (C)

③ (B) - (C) - (A)   ④ (C) - (A) - (B)

⑤ (C) - (B) - (A)

해결 전략

① 비교급 표현 ② 대명사 it이 가리키는 대상 ③ 전치사 as의 쓰임 ④ 병렬 구조와 시제 ⑤ 시제를 확인한다.

02 기출 PLUS

글의 밑줄 친 부분 중, 어법상 틀린 것은?

①   ②   ③   ④   ⑤

WORDS

☐ slightly 약간   ☐ unfortunately 불행하게도   ☐ meal 식사, 끼니   ☐ pack up (짐을) 싸다, 챙기다

주어진 문장의 위치 파악하기

(유형 설명) 주어진 문장이 글의 어느 부분에 들어가야 하는지 찾는 유형으로, 각 문장 사이의 논리적 **❶** 이 끊기는 부분을 찾아 주어진 문장을 넣어야 한다. 연결어나 **❷** , 지시어 등의 단서에 유의하여 알맞은 위치를 찾도록 한다.

답 | ❶ 연결 ❷ 대명사

☀ 대명사 [ ] 이 누구를 가리키는지 확인해야 한다. 역접의 연결어 [ ] 로 보아 주어진 문장의 앞에는 흐름이 다른 내용이 올 것이다.

→ him, however

☀ 편집국장 Michael Agnes가 주어진 문장의 According to him에서 인칭대명사 목적격 [ ] 에 해당한다.

→ him

☀ Elton John은 사전에 없지만, 수십 년 전에 [ ] Marilyn Monroe는 사전에 있다는 것으로 보아 주어진 문장의 예시 역할을 하고 있다.

→ 사망한[죽은]

> According to him, however, entertainers who are alive are not included.

Most dictionaries list names of famous people. (①) The editors must make difficult decisions about whom to include and whom to exclude. (②) *Webster's New World Dictionary*, for example, includes Audrey Hepburn but leaves out Spencer Tracy. (③) It lists Bing Crosby, not Bob Hope. (④) Executive editor Michael Agnes explains that names are chosen based on their frequency of use and their usefulness to the reader. (⑤) For that very reason, Elton John isn't in the dictionary, but Marilyn Monroe, who died decades ago, is.

Audrey Hepburn

유형 분석, 빠른 해결!

① 주어진 문장을 먼저 읽고 앞뒤 내용을 유추한다.

② 연결어, 대명사, 지시어 등의 단서를 찾으며 글을 읽는다.

③ 문장 간의 연결을 확인하여 논리적 흐름이 매끄럽지 않거나 정보가 빠진 부분을 찾는다.

④ 주어진 문장을 넣어 앞뒤 흐름을 확인한다.

해결 전략

대명사 ❶ [ ] 이 가리키는 대상을 찾고, ❷ [ ] 로 보아 주어진 문장의 앞에 대비되는 내용이 나온다는 것에 유의한다.

답 | ❶ him ❷ however

01 기출 유형

글의 흐름으로 보아, 주어진 문장이 들어가기에 가장 적절한 곳은?

①   ②   ③   ④   ⑤

해결 전략

이 글의 중심 내용은 사전이 일정한 ❶ [ ] 에 따라 유명인의 이름을 ❷ [ ] 에 넣을지 여부를 결정한다는 것이다.

답 | ❶ 기준[원칙] ❷ 목록

02 기출 PLUS

글의 제목으로 가장 적절한 것은?

① How Many Surnames Are in Dictionaries

② Words That You Cannot Find in Dictionaries

③ How to Choose a Right Dictionary for Yourself

④ Audrey Hepburn: A Life of the Iconic Hollywood Star

⑤ When Dictionaries Add Famous People's Name or Not

WORDS

☐ entertainer 연예인   ☐ include 포함하다   ☐ list 목록을 작성하다, 열거하다   ☐ editor 편집자   ☐ exclude 배제하다, 제외하다

☐ leave out ~을 빼다, 생략하다   ☐ executive editor 편집장, 편집 주간   ☐ frequency 빈도, 잦음   ☐ usefulness 유용성, 사용 가능성

☐ decade 10년   ☐ iconic ~의 상징이 되는, 우상의

흐름에서 벗어난 문장 찾기

유형 설명) 글을 읽고 전체적인 흐름과 어울리지 않는 문장을 찾는 유형이다. 글의 주제를 파악한 뒤, 그 주제에서 벗어나는 문장이 무엇인지 골라야 한다. 다루는 ❶ [　　　　] 는 동일하지만 글 전체의 통일성을 해치는, 맥락이 다른 문장이 답일 경우가 많다. ❷ [　　　　] 와의 연관성을 중심으로 판단하도록 한다.

답 | ❶ 소재 ❷ 주제

💡 나는 많은 회사들이 자신들의 제품을 너무 [　　　　] 시장에 출시하는 것을 보아 왔다.
→ 서둘러[급하게]

💡 제품을 서둘러 출시하는 것은 창의적 과정에 [　　　　] 영향을 미친다.
→ 해로운[나쁜]

I have seen many companies rush their products to market too quickly. ①There are many reasons for taking such an action, including the need to recover costs or meet deadlines. ②However, it has a harmful impact on the creative process. ③Great ideas, like great wines, need proper aging: time to bring out their full flavor and quality. ④As a result, many companies are hiring employees regardless of their age and education. ⑤Rushing the creative process can lead to results that are below the standard of excellence.

© Getty Images Bank

유형 분석, 빠른 해결!

1 글의 소재와 주제를 파악한다. 이 유형의 지문에서는 첫 문장이 주제문일 때가 많다.

2 각 문장이 주제와 일관된 맥락을 유지하는지 살펴본다.
 → 소재는 같지만 주제와 맥락이 어긋나서 글 전체의 통일성을 해치는 문장일 경우가 많다.

3 선택한 문장을 빼고 읽어 보아 글의 흐름이 자연스러워졌는지 확인한다.

해결 전략

이 글의 주제는 제품을 지나치게 ❶ _____ 출시하면 ❷ _____ 과정에 악영향을 끼쳐 결과가 좋지 않을 수도 있다는 것이다.

답 | ❶ 서둘러[급하게] ❷ 창의적

01 기출 유형

글에서 전체 흐름과 관계 없는 문장은?

① ② ③ ④ ⑤

해결 전략

필자는 제품의 서두른 출시에 대해 (긍정적 / 부정적)인 입장을 보이고 있다.

답 | 부정적

02 기출 PLUS

글에서 필자가 주장하는 바로 가장 적절한 것은?

① 청소년 시기의 창의력 교육이 중요하다.

② 좋은 아이디어는 충분한 휴식 후에 나온다.

③ 자신의 기준을 타인에게 적용해서는 안 된다.

④ 지나치게 서두르면 결과물의 질이 저하될 수 있다.

⑤ 신제품을 출시할 때 개발 비용을 충분히 들여야 한다.

WORDS

□ rush 서두르다 □ recover 회복하다 □ cost 비용 □ deadline 기한 □ impact 영향, 충격 □ process 과정
□ proper 적절한 □ aging 숙성 □ bring out 가져오다 □ flavor 맛, 풍미 □ regardless of ~에 상관없이
□ below the standard of ~의 기준 이하

[01~02] 다음 글을 읽고 물음에 답하시오.

The scientific study of the physical characteristics of colors can be traced back to Isaac Newton.

(A) It was only when Newton placed a second prism in the path of the spectrum ①that he found something new. The composite colors produced a white beam. Thus he concluded that white light can be ②producing by combining the spectral colors.

(B) One day, he spotted a set of prisms at a big county fair. He took them home and began to experiment with ③them. In a darkened room he allowed a thin ray of sunlight to ④fall on a triangular glass prism.

(C) As soon as the white ray hit the prism, it separated into the familiar colors of the rainbow. This finding was not new, as humans had ⑤observed the rainbow since the beginning of time.

*composite 합성의

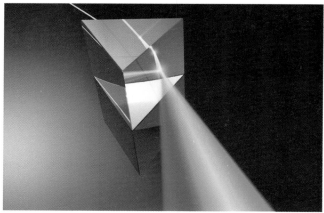

© Getty Images Bank

해결 전략

Q (A), (B), (C) 각각에서 Isaac Newton은 어떤 일을 했는가?

A (A)에서는 분리된 색을 **❶** 프리즘으로 다시 혼합하여 백색광을 만들었다. (B)에서는 **❷** 을 구입했다. (C)에서는 첫 번째 프리즘으로 백색광을 무지개색으로 분리했다.

답 | ❶ 두 번째 ❷ 프리즘

01 주어진 글 다음에 이어질 글의 순서로 가장 적절한 것은?

① (A) – (C) – (B)

② (B) – (A) – (C)

③ (B) – (C) – (A)

④ (C) – (A) – (B)

⑤ (C) – (B) – (A)

해결 전략

① It ~ that 강조구문 ② 능동태와 수동태 ③ 대명사 them이 지칭하는 대상의 수 ④ to부정사의 형태 ⑤ 시제를 확인한다.

02 글의 밑줄 친 부분 중, 어법상 틀린 것은?

①　　　　②　　　　③　　　　④　　　　⑤

WORDS

- physical 물질의, 물리적인　☐ characteristic 특징　☐ trace back ~까지 거슬러 올라가다, 유래하다　☐ place 놓다, 위치시키다
- prism 프리즘, 분광기　☐ spectrum 스펙트럼　☐ beam 빛줄기　☐ combine 결합하다　☐ spectral 스펙트럼의
- spot 발견하다　☐ ray 광선, 한 줄기 ~　☐ triangular 삼각형의　☐ separate 분리되다, 나뉘다

[03~04] 다음 글을 읽고 물음에 답하시오.

우정이 성장통을 겪게 되는 시기는?
→ [   ]를 겪을 때이다.
사춘기

어린 시절의 친구는 어떤 존재인가?
→ 서로의 모든 것을 알고, 처음 하는 일들을 [   ]하는 존재이다.
공유

관심사가 다른 친구와 사귀는 것의 장점은 무엇인가?
→ 서로에게 배울 수 있다는 것이 [   ]을 흥미롭게 해 준다.
삶[인생]

When you hit puberty, however, sometimes these forever-friendships go through growing pains.

Childhood friends — friends you've known forever — are really special. (①) They know everything about you, and you've shared lots of firsts. (②) You find that you have less in common than you used to. (③) Maybe you're into rap and she's into pop, or you go to different schools. (④) Change can be scary, but remember: Friends, even best friends, don't have to be exactly alike. (⑤) Having friends with other interests keeps life interesting — just think of what you can learn from each other.

*puberty 사춘기

© Getty Images Bank

03 글의 흐름으로 보아, 주어진 문장이 들어가기에 가장 적절한 곳은?

①   ②   ③   ④   ⑤

04 글의 요지로 가장 적절한 것은?

① 다양한 취미 생활이 인생을 풍요롭게 한다.
② 사람은 나이를 먹을수록 변화를 두려워하게 된다.
③ 어렸을 때 사귄 친구와는 멀어지는 것이 당연하다.
④ 사춘기 청소년에게는 가족보다 친구가 더 중요하다.
⑤ 친구 사이에 변화가 생기는 것은 자연스러운 일이다.

WORDS
☐ hit ~에 닿다, 이르다 ☐ go through 겪다 ☐ pain 고통 ☐ share 나누다, 공유하다
☐ have ~ in common ~을 공통적으로 지니다 ☐ be into ~을 좋아하다 ☐ scary 무서운 ☐ exactly 정확히, 꼭 ☐ alike 비슷한

[05~06] 다음 글을 읽고 물음에 답하시오.

차량 공유 운동은 어디에서 나타나는가?

→ ⬚ 에서 나타난다.
전 세계

차량 공유 운동의 영향이 큰 이유는 무엇인가?

→ 한 대의 공유 차량이 개인 차량 ⬚ 대를 대체하기 때문이다.
10

시 정부들이 차량 공유 운동을 통해 해결하려는 문제는 무엇인가?

→ 교통 체증과 ⬚ 부족을 해결하려 할 것이다.
주차장

Today car sharing movements have appeared all over the world. ①Even in strong car-ownership cultures such as North America, car sharing has gained popularity. ②In the U.S. and Canada, one in five adults in many urban areas use car sharing services. ③Strong influence on traffic jams and pollution can be felt from Toronto to New York, as each shared vehicle replaces around 10 personal cars. ④People won't need a license to operate driverless cars. ⑤City governments struggling with traffic jams and lack of parking lots are encouraging car sharing.

© Getty Images Bank

05 글에서 전체 흐름과 관계 <u>없는</u> 문장은?

①   ②   ③   ④   ⑤

06 글의 제목으로 가장 적절한 것은?

① Major Traffic Problems in Urban Areas
② Car Sharing Growth as An International Trend
③ Officials Must Listen to What Citizens Really Need
④ What Is Car Sharing?: The Benefits of Car Sharing
⑤ Why Car Sharing Services Popular in North America

WORDS

☐ movement 운동, 움직임   ☐ car-ownership 자동차 소유   ☐ gain 얻다   ☐ popularity 인기   ☐ urban 도시의
☐ vehicle 차량, 탈것   ☐ replace 대신하다, 대체하다   ☐ license (운전) 면허   ☐ driverless car 무인 자동차
☐ struggle with ~으로 고심하다   ☐ lack 부족   ☐ encourage 격려하다, 장려하다

긴 글도 나눠서 보면 짧은 글!

공부할 내용 **미리보기**

출제유형 ① 장문 이해하기

남학생이 듣고 있는 강의의 제목은 무엇일지 생각해 보세요.

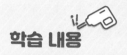
출제유형 **2** 복합 문단 지문 이해하기

만화 속 드라마에 나오는 이야기의 흐름을 생각해 보세요.

장문 이해하기

유형 설명 장문 독해는 길이가 긴 지문에 두 문항이 함께 출제되는 유형이다. ❶ [   ]이나 주제 등 글을 전체적으로 파악했는지 확인하는 문제와, 글의 세부 내용을 파악했는지 확인하는 문제가 각각 한 문항씩 출제된다. ❷ [   ]를 먼저 읽고 무엇을 확인해야 하는지 파악한 뒤에 지문을 읽어야 시간을 단축할 수 있다.

답 | ❶ 제목 ❷ 문제

💡 많은 고등학생들이 [   ]를 보거나 음악을 들으며 숙제를 하는 것을 고집하여 [   ]으로 공부한다.
→ TV, 비효율적

💡 몇몇 전문가들은 학생들이 [   ]에 노출된 상태로도 공부를 잘 할 수 있다고 주장한다.
→ (배경) 소음

💡 그러나 이는 일반적인 의견이 아니며, 많은 교사와 학습 전문가들이 [   ] 환경에서 공부하는 것은 [   ]이라고 확신한다.
→ 시끄러운, 비효율적

Many high school students study inefficiently because they insist on doing their homework while watching TV or listening to loud music. They argue that they can study *better* with the TV or radio (a)playing. Some professionals actually (b)oppose their position. They argue that many teenagers can actually study productively under less-than-ideal conditions because they've been exposed repeatedly to "background noise" since early childhood. These educators argue that children have become (c)used to the sounds of the TV, video games, and loud music. They also argue that insisting students turn off the TV or radio when doing homework will not necessarily (d)improve their academic performance. This position is certainly not generally shared, however. Many teachers and learning experts are (e)convinced by their own experiences that students who study in a noisy environment often learn inefficiently.

유형 분석, 빠른 해결!

① 문제를 먼저 읽고 글에서 무엇을 확인해야 하는지 미리 파악한다.

② 반복해서 제시되는 개념을 통해 글의 제목, 주제, 요지 등을 파악한다.

③ 세부 내용을 묻는 문제는 주제와 연관시켜 답을 찾는다.
   e.g. 빈칸에 들어갈 말이나 문맥상 낱말의 쓰임 등

해결 전략

이 글은 [   ] 환경에서 공부하는 것이 괜찮다는 의견과 비효율적이라는 의견을 대립시켜 보여 준다.

답 | 시끄러운

01 기출 유형

글의 제목으로 가장 적절한 것은?

① Successful Students Plan Ahead

② Studying with Distractions: Is It Okay?

③ Smart Devices as Good Learning Tools

④ Parents & Teachers: Partners in Education

⑤ Good Habits: Hard to Form, Easy to Break

해결 전략

각 낱말의 쓰임이 글의 주제와 전개에 어울리는지 확인한다.

02 기출 유형

글의 밑줄 친 (a)~(e) 중, 문맥상 낱말의 쓰임이 적절하지 <u>않은</u> 것은?

① (a)   ② (b)   ③ (c)   ④ (d)   ⑤ (e)

해결 전략

밑줄 친 부분이 있는 문장은 학생들의 의견에 (동의 / 반대)하는 전문가들의 입장에 대한 뒷받침 문장이다.

답 | 동의

03 기출 PLUS

밑줄 친 under less-than-ideal conditions가 글에서 의미하는 바로 가장 적절한 것은?

① surrounded by distractions   ② following unhealthy lifestyles

③ not in their school classroom ④ listening their favorite music

⑤ removing unwanted background noise

WORDS

☐ inefficiently 비효율적으로   ☐ insist on ~을 주장[강조]하다   ☐ productively 생산적으로   ☐ less than 결코 ~ 않는

☐ expose 드러내다, 노출시키다   ☐ academic performance 학업 성과   ☐ generally 일반적으로   ☐ convince 납득시키다, 확신시키다

복합 문단 지문 이해하기

유형 설명

순서가 뒤섞인 네 개의 문단으로 이루어진 긴 글을 읽고 세 개의 문제를 푸는 유형이다. 글의 **❶** 을 파악하여 문단 순서를 배열하는 문제 한 개와 지칭 추론, 내용 일치·불일치 등 **❷** 을 파악하는 문제 두 개가 출제된다. 대개 일화 형식의 쉬운 지문이 나오므로 빠르게 읽는 연습을 하도록 한다.

답 | ❶ 흐름 ❷ 세부 내용

💡 □ 가 가정에 □ 을 투자하지 않으면 가정이 강해지지 않는다.

→ 부모, 시간

(A)

Families don't grow strong unless parents ⓐ<u>invest</u> precious time in them. Baseball player Tim Burke made a difficult decision ⓑ<u>concerning</u> his family. Since childhood his dream was to be a professional baseball player. Through years of hard work (a)<u>he</u> achieved that goal.

💡 Tim은 □ 이유를 묻는 기자의 질문에 가족은 □ 와 달리 자신이 없으면 괜찮지 않기 때문이라고 답했다.

→ 은퇴, 야구

(B)

When Tim left the stadium for the last time, a reporter stopped him. And then (b)<u>he</u> asked why he was ⓒ<u>retiring</u>. "Baseball is going to do just fine without me," he said to the reporter. "But my family isn't. They need me a lot more than baseball does."

WORDS

□ unless ~하지 않는 한　□ invest 투자하다, 들이다　□ concerning ~에 관한　□ childhood 유년 시절
□ professional 직업적인, 전문적인　□ achieve 성취하다　□ retire 은퇴하다

유형 분석, 빠른 해결!

① 문제를 먼저 읽고 글에서 무엇을 확인해야 하는지 미리 파악한다.

② 문단 (A)를 읽고 글의 전개 방향을 짐작해 본다.

③ 접속사, 연결어, 대명사 등에 유의하여 글의 흐름을 파악하고 문단을 배열한다.

④ 문단이 제시된 순서대로 세부 내용을 확인하여 답을 찾는다.

(C)

💡 Tim이 투수 생활을 성공적으로 하는 동안, 그와 그의 아내는 특수 장애 아동 네 명을 _____ 하기로 결정했다.

→ 입양

While he was a successful pitcher for the Montreal Expos, (c) he and his wife discovered that they were unable to have children. After much thought, they decided to ⓓadapt four special-needs children. This ⓔled to one of the most difficult decisions of Tim's life.

(D)

💡 Tim은 _____ 를 포기하기로 결심했다.

→ 야구

(d) He discovered that his life as a baseball player _____ with his ability to be a quality husband and dad. After more thought, he made an unbelievable decision: (e) he decided to give up professional baseball.

WORDS

☐ pitcher 투수 ☐ discover 발견하다 ☐ unable ~할 수 없는 ☐ special-needs 특수 장애가 있는 ☐ ability 능력
☐ quality 양질의, 우수한 ☐ give up 포기하다

해결 전략

(B)에는 Tim이 은퇴 인터뷰에서 밝힌 ❶ [   ]를 그만둔 이유, (C)에는 Tim과 아내의 ❷ [   ] 결정, (D)에는 야구 선수와 가족 구성원으로서의 Tim의 역할 고민이 나타나 있다.

답 | ❶ 야구 ❷ 입양

01 기출 유형

주어진 글 (A)에 이어질 내용을 순서에 맞게 배열한 것으로 가장 적절한 것은?

① (B) - (D) - (C)　　　　② (C) - (B) - (D)

③ (C) - (D) - (B)　　　　④ (D) - (B) - (C)

⑤ (D) - (C) - (B)

해결 전략

먼저 글을 순서대로 배열한 다음, 밑줄 친 he가 가리키는 사람이 누구인지 각각 앞의 내용에서 찾는다.

02 기출 유형

밑줄 친 (a)~(e) 중에서 가리키는 대상이 나머지 넷과 다른 것은?

① (a)　　② (b)　　③ (c)　　④ (d)　　⑤ (e)

해결 전략

문단이 제시된 순서대로 선택지의 내용을 확인한다. Tim Burke는 ❶ [   ]보다 ❷ [   ]을 중시했다는 점에 유의한다.

답 | ❶ 야구 ❷ 가족[가정]

03 기출 유형

Tim Burke에 관한 내용과 일치하지 않는 것은?

① 열심히 노력하여 프로 야구 선수가 되었다.

② 마지막 경기 후에 기자로부터 질문을 받았다.

③ Montreal Expos 팀의 투수였다.

④ 네 명의 아이를 입양하기로 했다.

⑤ 가정을 위해 프로 야구를 계속하기로 했다.

해결 전략

Tim이 결국 야구 선수로서의 삶과 가족 구성원으로의 삶 중 하나를 선택했다는 점에 유의한다.

04 기출 PLUS

빈칸에 들어갈 말로 가장 적절한 것은?

① conflicted ② followed ③ surrounded
④ convinced ⑤ connected

해결 전략

동사와 목적어의 관계, 주제와의 연관성 등에 유의하며 쓰임을 확인한다.

05 기출 PLUS

글의 밑줄 친 ⓐ~ⓔ 중, 문맥상 낱말의 쓰임이 적절하지 않은 것은?

① ⓐ ② ⓑ ③ ⓒ ④ ⓓ ⑤ ⓔ

[01~03] 다음 글을 읽고 물음에 답하시오.

실험에 참가한 사람들은 어떤 일을 했는가?
→ 오후에 공원에서 [   ]를 주웠다.
쓰레기

어느 그룹의 만족도가 더 높았는가?
→ 보수를 (적게 / 많이) 받은 그룹이 보수를 (적게 / 많이) 받은 그룹보다 만족도가 훨씬 더 높았다.
적게, 많이

두 그룹의 만족도가 다른 이유는 무엇인가?
→ 참가자들이 일 자체가 아니라 자신이 받는 [   ]에 대한 일반적인 인식에 따라 [   ]를 결정했기 때문이다.
보수, 만족도

A researcher asked two groups of people to spend an afternoon picking up trash in a park. One group was paid very well for their time, but the other was only given a small amount of cash. After an hour everyone rated how much they enjoyed the afternoon. The result was surprising. The average enjoyment for the well-paid group was only 2 out of 10, while the poorly paid group's average rating was an amazing 8.5. It seemed that those who had been paid well thought, "People usually pay me to do things I dislike. I was paid a large amount, so I must dislike cleaning the park." In contrast, those who received less money thought, "I don't need to be paid much to do something I enjoy. I worked for very little pay, so I must have enjoyed cleaning the park." According to the result of this study, giving excessive _____ may have a negative effect on the attitude of the people doing the work.

© Getty Images Bank

해결 전략

Q 실험에서 알아보고자 한 것은 무엇인가?

A ❶ [   ] 의 많고 적음에 따른 일의 ❷ [   ] 차이 를 알아보았다.

답 | ❶ 보수 ❷ 만족도

01 글의 제목으로 가장 적절한 것은?

① Does More Money Make Us Work More Happily?
② Can You Be Happy When Others Are Sad?
③ Is Following Your Heart Always Right?
④ Enjoy Your Work and You Will Become Rich
⑤ Pay More and Your Employees Will Work Harder

해결 전략

Q 실험 내용에 따르면, 일하는 태도에 부정적 영향을 줄 수 있는 것은 무엇인가?

A 일에 대한 과도한 [   ] 가 부정적 영향을 준다.

답 | 보수[대가]

02 빈칸에 들어갈 말로 가장 적절한 것은?

① rewards   ② criticism   ③ stress
④ attention   ⑤ expectations

해결 전략

선택지를 읽고, 지문의 세부 내용 과 비교한다. 실험 참여 후 참가자 들이 각자 만족도를 평가한 것에 대한 분석이 글의 중심 내용이라 는 점에 유의한다.

03 실험의 내용과 일치하지 않는 것은?

① 실험 참가자들은 두 그룹으로 나뉘었다.
② 실험 참가자들은 공원에서 쓰레기를 주웠다.
③ 연구원이 참가자들의 만족도를 한 명씩 측정했다.
④ 보수를 많이 받은 참가자들의 평균 만족도는 2점이었다.
⑤ 보수를 적게 받은 참가자들의 평균 만족도는 8.5점이었다.

WORDS

☐ cash 현금 ☐ rate 평가하다 ☐ result 결과 ☐ average 평균의 ☐ dislike 싫어하다, 혐오하다 ☐ in contrast 대조적으로
☐ receive 받다 ☐ excessive 지나친, 과도한 ☐ negative 부정적인 ☐ attitude 태도

[04~06] 다음 글을 읽고 물음에 답하시오.

(A)

가게를 함께 운영하던 쌍둥이 형제에게 무슨 일이 생겼는가?

→ 형제 중 한 명이 계산대 위에 놓아둔 [   ]가 사라졌다.
(20달러) 지폐

In a small town twin brothers were running a store together. One day, one of the brothers had left a twenty-dollar bill on the counter and walked outside with a friend. When he returned, the money was gone. (a)He asked his older brother, "Did you see that twenty-dollar bill on the counter?"

(B)

가게에 찾아온 손님이 어떤 이야기를 들려주었는가?

→ [   ] 년 전에 자신이 가게 계산대에서 [   ]를 훔쳤고, 그것을 돌려주러 왔다고 했다.
20, (20달러) 지폐

Then one day a man stopped by the store. The customer said to the younger brother, "Twenty years ago I came into this store and saw a twenty-dollar bill on the counter. I hadn't eaten for three days. I put it in my pocket and walked out. All these years I haven't been able to forgive myself. So I had to come back to return it."

(C)

쌍둥이 형제는 왜 함께 일하지 않게 되었는가?

→ [   ] 가 사라진 일로 인해 서로 의심하고 미워하게 되었다.
(20달러) 지폐

His older brother replied that he had not. But (b)the young man kept questioning him. "Twenty-dollar bills just don't walk away! Surely you must have seen it!" There was subtle accusation in (c)his voice. Before long, bitterness divided the twins. They finally decided they could no longer work together. A dividing wall was built down the center of the store, and twenty years passed.

(D)

The customer was amazed to see tears well up in the eyes of (d) the man. "Would you please go next door and tell that same story to (e) the man in the store?" the younger brother said. Soon, two brothers hugged each other and wept together. After twenty years, the wall of anger that divided them came down.

쌍둥이 형제 중 동생은 손님에게 어떤 부탁을 했는가?

→ 자신에게 들려준 이야기를 옆 가게의 ☐ 에게 들려 달라고 부탁했다.

형

해결 전략

Q 이 글의 전개 방식은?

A 쌍둥이 형제 사이에 있었던 일이 ☐ 순서대로 서술되어 있다.

답ㅣ 시간

04 주어진 글 (A)에 이어질 내용을 순서에 맞게 배열한 것으로 가장 적절한 것은?

① (B) - (D) - (C) ② (C) - (B) - (D)

③ (C) - (D) - (B) ④ (D) - (B) - (C)

⑤ (D) - (C) - (B)

해결 전략

밑줄 친 부분이 쌍둥이 형제 중 누구를 가리키는지 유의하며 읽는다.

05 밑줄 친 (a)~(e) 중에서 가리키는 대상이 나머지 넷과 다른 것은?

① (a) ② (b) ③ (c) ④ (d) ⑤ (e)

해결 전략

Q 진실을 안 두 형제의 반응을 나타내는 동사 두 개를 찾으면?

A ❶ ☐ , ❷ ☐

답ㅣ ❶ hugged ❷ wept

06 형제에 관한 내용으로 적절하지 <u>않은</u> 것은?

① 쌍둥이 형제는 가게를 함께 운영하고 있었다.

② 카운터 위에 놓여진 20달러 지폐가 없어졌다.

③ 손님은 20년 만에 가게에 다시 방문했다.

④ 쌍둥이 형제의 가게 중앙에 벽이 세워졌다.

⑤ 쌍둥이 형제는 끝까지 화해하지 못했다.

WORDS

☐ run 운영하다 ☐ bill 지폐 ☐ counter 계산대, 판매대 ☐ subtle 미묘한 ☐ accusation 비난 ☐ bitterness 쓰라림, 응어리
☐ divide 나누다 ☐ amazed 놀란 ☐ well up (눈물 등이) 넘쳐 흐르다 ☐ weep 흐느끼다 ☐ come down 무너져 내리다

memo

memo

18 다음 글에서 전체 흐름과 관계 <u>없는</u> 문장은?

Studying history can make you more knowledgeable or interesting to talk to or can lead to all sorts of brilliant vocations, explorations, and careers. ① But even more importantly, studying history helps us ask and answer humanity's Big Questions. ② If you want to know why something is happening in the present, you might ask a sociologist or an economist. ③ But if you want to know deep background, you ask historians. ④ A career as a historian is a rare job, which is probably why you have never met one. ⑤ That's because they are the people who know and understand the past and can explain its complex interrelationships with the present.

① (A) – (C) – (B) ② (B) – (A) – (C)
③ (B) – (C) – (A) ④ (C) – (A) – (B)
⑤ (C) – (B) – (A)

22

The stage director must gain the audience's attention and direct their eyes to a particular spot or actor.

Achieving focus in a movie is easy. Directors can simply point the camera at whatever they want the audience to look at. (①) Close-ups and slow camera shots can emphasize a killer's hand or a character's brief glance of guilt. (②) On stage, focus is much more difficult because the audience is free to look wherever they like. (③) This can be done through lighting, costumes, scenery, voice, and movements. (④) Focus can be gained by simply putting a spotlight on one actor, by having one actor in red and everyone else in gray, or by having one actor move while the others remain still. (⑤) All these techniques will quickly draw the audience's attention to the actor whom the director wants to be in focus.

(A)   (B)

① difficult ······ close

② valuable ······ new

③ difficult ······ smart

④ valuable ······ patient

⑤ exciting ······ strong

© Duet PandG/shutterstock

[24~25] 다음 글을 읽고, 물음에 답하시오.

We can start to help our babies learn to love great foods even before they are born. The latest science is uncovering fascinating connections between what moms eat while pregnant and what foods their babies enjoy after birth. Remarkable, but true. Babies in the womb taste, remember, and form preferences for what Mom has been eating. Consider a fascinating study involving carrot juice. As part of the study, one group of pregnant women drank ten ounces of carrot juice four times a week for three weeks in a row. Another group of women in the study drank water. When their babies were old enough to start eating cereal, it was time to look for a difference between the groups. An observer who didn't know to which group each baby belonged studied the babies as they ate cereal mixed with carrot juice. The babies who _____ this earlier experience of tasting carrot juice in the womb made unhappy faces when they first tasted the juice, whereas the others enjoyed the carrot juice in the cereal. There was a dramatic difference between those who had sampled carrot juice in the womb and those who had not.

24 윗글의 제목으로 가장 적절한 것은?

① Change Your Diet for Your Health
② Learn about the Recipes Using Carrots
③ The Critical Period for a Baby's Growth
④ What Mom Eats Influences the Baby's Taste
⑤ Various Ways to Promote Eating Great Foods

25 윗글의 빈칸에 들어갈 말로 가장 적절한 것은?

① used   ② forgot   ③ lacked

into a good friend." Having heard the judge's solution, the farmer agreed. As soon as the farmer reached home, (d)he immediately selected three of the cutest lambs from his farm. He then presented them to his neighbor's three small sons. The children began to play with them happily.

(D)

The farmer had had enough by this point. He went to the nearest city to consult a judge. After listening carefully to his story, the judge said, "I could punish the hunter and instruct (e)him to keep his dogs chained or lock them up. But you would lose a friend and gain an enemy. Which would you rather have for a neighbor, a friend or an enemy?" The farmer replied that he preferred a friend.

28 윗글의 농부에 관한 내용으로 적절하지 않은 것은?

① 그의 양이 사냥개의 공격을 받았다.
② 사냥꾼에게 양고기와 치즈를 받았다.
③ 재판관의 해결책에 동의했다.
④ 세 명의 아들을 둔 이웃이 있었다.
⑤ 도시로 조언을 구하러 갔다.

수고하셨습니다.

[26~28] 다음 글을 읽고, 물음에 답하시오.

(A)

A long time ago, a farmer in a small town had a neighbor who was a hunter. The hunter owned a few fierce hunting dogs. They frequently and chased the farmer's lambs. The farmer asked his neighbor to keep (a) his dogs in check, but his words fell on deaf ears. One day when the dogs jumped the fence, they attacked and severely injured several of the lambs.

(B)

To protect his sons' newly acquired playmates, the hunter built a strong doghouse for (b) his dogs. The dogs never bothered the farmer's lambs again. The hunter felt gratitude for the farmer's generosity, so he often invited the farmer for feasts. In turn, the farmer offered him lamb meat and cheese. The farmer quickly developed a strong friendship with (c) him.

(C)

26 주어진 글 (A)에 이어질 내용을 순서에 맞게 배열한 것으로 가장 적절한 것은?

① (B) – (D) – (C)　　② (C) – (B) – (D)

③ (C) – (D) – (B)　　④ (D) – (B) – (C)

⑤ (D) – (C) – (B)

27 밑줄 친 (a)~(e) 중에서 가리키는 대상이 나머지 넷과 다른 것은?

① (a)　② (b)　③ (c)　④ (d)　⑤ (e)

21

But as soon as he puts skis on his feet, it is as though he had to learn to walk all over again.

Reading is like skiing. When done well, when done by an expert, both reading and skiing are graceful, harmonious activities. When done by a beginner, both are awkward, frustrating, and slow. (①) Learning to ski is one of the most embarrassing experiences an adult can undergo. (②) After all, an adult has been walking for a long time; he knows where his feet are; he knows how to put one foot in front of the other in order to get somewhere. (③) He slips and slides, falls down, has trouble getting up, and generally looks — and feels — like a fool. (④) It is the same with reading. (⑤) Probably you have been reading for a long time, too, and starting to learn all over again would be humiliating.

23 다음 글의 내용을 한 문장으로 요약하고자 한다. 빈칸 (A), (B)에 들어갈 말로 가장 적절한 것은?

Social psychologists at the University of Virginia asked college students to stand at the base of a hill while carrying a weighted backpack and estimate the steepness of the hill. Some participants stood next to close friends whom they had known a long time, some stood next to friends they had not known for long, some stood next to strangers, and the others stood alone during the exercise. The participants who stood with close friends gave significantly lower estimates of the steepness of the hill than those who stood alone, next to strangers, or next to newly formed friends. Furthermore, the longer the close friends had known each other, the less steep the hill appeared to the participants involved in the study.

→

According to the study, a task is perceived as less ___(A)___ when standing next to a

19

> Mom and Dad went to dinner at a nice restaurant. On that first night to myself, Dad entrusted me with his movie projector and all the reels of film.

(A) Then I can play the film backward and watch the cat fly down to the floor and see all the splashes of ice cream slurp themselves back into the dish. I made Simon jump in and out several times before I watched the rest of the film.

(B) He said I could do everything myself that night. So I set up the screen at one end of the living room. I turned on the projector, turned off the light, put the bowl of popcorn in my lap, and settled in to watch the film labeled HATTIE-1951.

(C) It's one of my favorites because my third birthday party is on it and I can watch our old cat Simon jump up on the dining room table and land in a dish of ice cream.

*slurp 후루룩 소리를 내다

> plays together, stays together. The wisdom in this phrase is that social play builds ties between people that are lasting and consequential.

(A) In crying out, the danger-spotting squirrel draws attention to itself, which may well attract the predator. Scientists used to think that animals would risk their lives like this only for kin with whom they shared common genes.

(B) This wisdom holds outside the human family circle as well. For example, when one ground squirrel sees a predator in the distance, it will sound an alarm call that alerts other squirrels to run for cover. It's a risky move.

(C) New evidence suggests, however, that squirrels also sound alarm calls for former playmates, not genetically related. These squirrels developed a social resource while playing — and these buddies will put their lives on the line to save their playmates.

① (A) – (C) – (B)   ② (B) – (A) – (C)
③ (B) – (C) – (A)   ④ (C) – (A) – (B)
⑤ (C) – (B) – (A)

[24~25] 다음 글을 읽고 물음에 답하시오.

With thousands of websites, television channels, text messages, and phone calls, it is easy to become drowned in a flood of media. We often try to absorb too much in too many ways, to enjoy music while at the same time e-mailing someone on our laptops and being interrupted by constant messages on our mobile phones. Is there any one thing I have learned to help me survive? Yes. Try to stick to one type of media at a time.

To a large extent we have a very limited ability to focus. If we try to absorb too many things at once, they often conflict. Just the action of talking takes up much of our working memory. Trying to talk about complex subjects and drive well at the same time pushes our abilities to their limits. This is one of the reasons why people still go to cinemas for good films; it is a(n) _____ experience because all mobile phones are switched off. Many forms of communication are only really enjoyed one at a time.

24 윗글의 제목으로 가장 적절한 것은?

① Don't Judge a Book by Its Cover
② Two Heads Are Better Than One
③ The Early Bird Catches the Worm
④ A Friend in Need Is a Friend Indeed
⑤ Don't Bite off More Than You Can Chew

25 윗글의 빈칸에 들어갈 말로 가장 적절한 것은?

① full
② wrong
③ indirect
④ moral
⑤ painful

(C)

It was as difficult as the first challenge, too. He found SOS (Supporters of Sub-Saharan Africa). The organization agreed to transport the T-shirts on their next trip to Africa. "I think we can all make a difference," said Toby. "I wonder if that little boy I met will get one of the ten thousand shirts, and I don't know the answer. But I can pray that (c)he does or that someone who receives one will give it to him."

(D)

When Toby returned to camp that evening (d)he couldn't stop thinking about the little boy with the big sad eyes. Hunger wasn't the only problem in this area where poverty was everywhere. Most people had only one or two ragged pieces of clothing. Thinking of the boy and his own refusal to give him his shirt, Toby cried about the decision (e)he'd made. But not for long, Toby vowed not to forget the boy he had refused to give his shirt to.

28 윗글의 Toby에 관한 내용으로 적절하지 <u>않은</u> 것은?

① 자원봉사를 하기 위해 국제 자선 단체와 함께 아프리카에 갔다.

② 아프리카에서 본 사람들의 삶에 변화를 주고 싶었다.

③ 만 장이 넘는 티셔츠를 기부 받았다.

④ 티셔츠를 아프리카로 수송해 줄 단체를 찾지 못했다.

⑤ 소년에게 자신의 셔츠를 주지 않은 것을 후회했다.

수고하셨습니다.

수능 기초 예상 문제 2회

DAY 10

1 다음 글의 목적으로 가장 적절한 것은?

Dear Friends,

Season's greetings. As some of you already know, we are starting the campus food drive. This is how you participate. You can bring your items for donation to our booths. Our donation booths are located in the lobbies of the campus libraries. Just drop off the items there during usual library hours from December 4 to 23. The donated food should be non-perishable like canned meats and canned fruits. Packaged goods such as jam and peanut butter are also good. We will distribute the food to our neighbors on Christmas Eve. We truly appreciate your help.

Many blessings,

Joanna at Campus Food Bank

① 음식 기부에 참여하는 방법을 안내하려고
② 음식 배달 자원봉사 참여에 감사하려고
③ 누가 음식 기부 벼좋으 그마치려고

① excited → disappointed
② furious → regretful
③ irritated → satisfied
④ nervous → relaxed
⑤ pleased → jealous

drugs. Storing medication in the refrigerator is also not a good idea because of the moisture inside the unit. Light and air can also affect drugs, but dark bottles and air-tight caps can keep these effects to a minimum. A closet is probably your best bet for storage of your medications, as long as you keep them out of the reach of children.

① various purposes of refrigeration
② proper ways of storing medication
③ the importance of timely treatment
④ benefits of air-tight storage of foods
⑤ the difficulty of developing new medication

© EM Karuna/shutterstock

③ share survival skills with the next generation
④ support the leader's decisions for the best results
⑤ follow another's action only when it is proven safe

5 다음 글의 요지로 가장 적절한 것은?

Problems can appear to be unsolvable. We are social animals who need to discuss our problems with others. When we are alone, problems become more serious. By sharing, we can get opinions and find solutions. An experiment was conducted with a group of women who had low satisfaction in life. Some of the women were introduced to others who were in similar situations, and some of the women were left on their own to deal with their concerns. Those who interacted with others reduced their concerns by 55 percent over time, but those who were left on their own showed no improvement.

7 다음 글의 제목으로 가장 적절한 것은?

We have all had the experience of suddenly noticing that a source of constant background noise, such as a distant jackhammer or music from a store, has just ceased — yet we hadn't noticed the sound while it was ongoing. Your auditory areas were predicting its continuation, moment after moment, and as long as the noise didn't change you paid it no attention. By ceasing, it violated your prediction and attracted your attention. Here's a historical example. Right after New York City stopped running elevated trains, people called the police in the middle of the night claiming that something woke them up. They tended to call around the time the trains used to run past their apartments.

① When a Noise Stops, You Notice It
② Noises: The Main Cause of Our Stress
③ Why Are Our Predictions Often Wrong?
④ Various Noises We Can Perceive Easily
⑤ Human Emotions: Deeper than You Think

The graph above shows the results of a survey on invention interests in young adults aged 16 to 25 in 2011. ① Among the five invention categories, the highest percentage of male respondents showed interest in inventing consumer products. ② For health science invention, the percentage of female respondents was twice as high as that of male respondents. ③ The percentage point gap between males and females was the smallest in environmental invention. ④ For web-based invention, the percentage of female respondents was less than half that of male respondents. ⑤ In the category of other invention, the percentage of respondents from each gender group was less than 10 percent.

www.starnews.com

① 참가 연령 제한이 없다.

② 아래 프로그램은 운영되지 않는다.

③ 할인된 가격은 100달러이다.

④ 가상 조건에 관계없이 프로그램이 진행될 것이다.

⑤ 이메일을 통해 등록을 할 수 없다.

② 처음 50년간 구조이다.

③ 자전거의 QR 코드를 스캔해서 이용한다.

④ 헬멧이 제공된다.

⑤ 자전거의 OK 버튼을 눌러서 반납을 완료한다.

12 다음 글의 밑줄 친 부분 중, 어법상 틀린 것은?

When I was young, my dad constantly nagged me to take care of chores like mowing the lawn and cutting the hedges, ① which I hated. He was a responsible man ② dealing with an irresponsible kid. Memories of how we interacted ③ seems funny to me today. For example, one time he told me to cut the grass and I decided ④ to do just the front yard and postpone doing the back, but then it rained for a couple days and the backyard grass became so high I had to cut it with a sickle. That took so long ⑤ that by the time I was finished, the front yard was too high to mow, and so on.

---

13 (A), (B), (C)의 각 네모 안에서 문맥에 맞는 낱말로 가장 적절한 것은?

Social connections are so essential for our

[14~17] 다음 빈칸에 들어갈 말로 가장 적절한 것을 고르시오.

14

Judgements about flavor are often influenced by predictions based on the _____ of the food. For example, strawberry-flavored foods would be expected to be red. However, if colored green, because of the association of green foods with flavors such as lime, it would be difficult to identify the flavor as strawberry unless it was very strong. Color intensity also affects flavor perception. A stronger color may cause perception of a stronger flavor in a product, even if the stronger color is simply due to the addition of more food coloring. Texture also can be misleading. A thicker product may be perceived as tasting richer or stronger simply because it is thicker, and not because the thickening agent affects the flavor of the food.

① origin ② recipe ③ nutrition
④ appearance ⑤ arrangement

18

It is important to understand how vision works, because from the first time you start looking at a situation, you are also making use of _____. If you are at a baseball game, how do you know where to look? If you have never been to a game before, then the whole thing is probably a complex mess. You may miss a lot of the action, because you can't predict what is going to happen next. As you learn more about baseball, you learn where to look and what objects are important to find. At first you might focus on the pitcher and hitter. Later still, you might notice whether the infielder is playing in or back, or you might check out where the outfielders have chosen to stand for a particular hitter. The more you know about baseball, the more that knowledge informs how you see a game.

*infielder (야구의) 내야수

① athletic talent

② your existing knowledge

③ advanced technology

④ the physical environment

⑤ your sense of hearing

© Steve Broer / shutterstock

15

You can actually become your own cheerleader by talking to yourself positively and then acting as if you were already the person that you wanted to be. Act as though you were trying out for the role of a positive, cheerful, happy, and likable person. Walk, talk, and act as if you were already that person. Treat everyone you meet as though you had just won an award for being the very best person in your industry or as though you had just won the lottery. You will be amazed at how much better you feel about yourself after just a few minutes of _____.

① pretending   ② competing

③ purchasing   ④ complaining

⑤ apologizing

17

We like to make a show of how much our decisions are based on rational considerations. The truth is, however, that we are largely governed by our emotions, which continually influence our perceptions. What this means is that the people around you change their ideas by the day or by the hour, depending on their mood. You must never assume that what people say or do in a particular moment is a statement of their permanent desires. Yesterday they were in love with your idea; today they seem cold. This will confuse you and if you are not careful, you will waste valuable mental space trying to figure out why they change their minds. It is best to _____ from their shifting emotions so that you are not caught up in the process.

① cultivate both distance and a degree of detachment

② find out some clues or hints to their occupation

③ learn to be more empathetic for them

④ discover honesty in their character

cooperate with others to build relationships, we also compete with others for friends. And often we do both at the same time. Take gossip. Through gossip, we bond with our friends, sharing interesting details. But at the same time, we are (A) ┃creating / forgiving┃ potential enemies in the targets of our gossip. Or consider rival holiday parties where people compete to see who will attend *their* party. We can even see this (B) ┃harmony / tension┃ in social media as people compete for the most friends and followers. At the same time, competitive exclusion can also (C) ┃generate / prevent┃ cooperation. High school social clubs and country clubs use this formula to great effect: It is through selective inclusion and *exclusion* that they produce loyalty and lasting social bonds.

	(A)	(B)	(C)
①	creating	harmony	prevent
②	creating	tension	generate
③	creating	tension	prevent
④	forgiving	tension	prevent
⑤	forgiving	harmony	generate

City of Sittka Public Bike Sharing Service

Are you planning to explore the city? This is the eco-friendly way to do it!

Rent

- Register anywhere via our easy app.
- Payment can be made only by credit card.

Fee

- Free for the first 30 minutes
- One dollar per additional 30 minutes

Use

- Choose a bike and scan the QR code on the bike.
- Helmets are not provided.

Return

- Return the bike to the Green Zone shown on the app.
- Complete the return by pressing the OK button on the bike.

Summer Camp 2019

This is a great opportunity for developing social skills and creativity!

Period & Participation

- July 1-5 (Monday-Friday)
- 8-12 year olds (maximum 20 students per class)

Programs

- Cooking
- Outdoor Activities (hiking, rafting, and camping)

Cost

- Regular: $100 per person
- Discounted: $90 (if you register by June 15)

Notice

- The programs will run regardless of weather conditions.
- To sign up, email us at summercamp@standrews.com.

9 James Van Der Zee에 관한 다음 글의 내용과 일치하지 <u>않는</u> 것은?

James Van Der Zee was born on June 29, 1886, in Lenox, Massachusetts. At the age of fourteen he received his first camera and took hundreds of photographs of his family and town. By 1906, he had moved to New York, married, and was taking jobs to support his growing family. In 1907, he moved to Phoetus, Virginia, where he worked in the dining room of the Hotel Chamberlin. During this time he also worked as a photographer on a part-time basis. He opened his own studio in 1916. World War I had begun and many young soldiers came to the studio to have their pictures taken. In 1969, the exhibition, Harlem On My Mind, brought him international recognition. He died in 1983.

① 열네 살에 그의 첫 번째 카메라를 받았다.
② Chamberlin 호텔의 식당에서 일을 했다.
③ 시간제로 사진사로 일한 경험이 있다.
④ 자신의 스튜디오를 1916년에 열었다.
⑤ 1969년에 전시회로 인해 국제적인 비난을 받았다.

---

8 다음 도표의 내용과 일치하지 <u>않는</u> 것은?

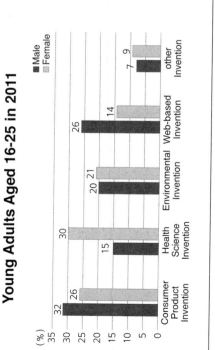

Invention Interests of
Young Adults Aged 16-25 in 2011

---

4 밑줄 친 "learn and live"가 다음 글에서 의미하는 바로 가장 적절한 것은?

There is a critical factor that determines whether your choice will influence that of others: the visible consequences of the choice. Take the case of the Adélie penguins. They are often found strolling in large groups toward the edge of the water in search of food. There is danger awaits in the icy-cold water. There is the leopard seal, for one, which likes to have penguins for a meal. What is an Adélie to do? The penguins' solution is to play the waiting game. They wait and wait and wait by the edge of the water until one of them gives up and jumps in. The moment that occurs, the rest of the penguins watch with anticipation to see what happens next. If the pioneer survives, everyone else will follow suit. If it perishes, they'll turn away. One penguin's destiny alters the fate of all the others. Their strategy, you could say, is "learn and live."

*perish 죽다

① 상대방의 의견을 존중하는 자세가 필요하다.
② 대부분의 걱정거리는 시간이 지나면 해결된다.
③ 사람들과 함께 있어도 외로움을 느낄 수 있다.
④ 해결할 수 없는 문제는 빨리 단념하는 것이 좋다.
⑤ 다른 사람들과 문제를 공유하면 해결에 도움이 된다.

6 다음 글의 주제로 가장 적절한 것은?

Storing medications correctly is very important because many drugs will become ineffective if they are not stored properly. The bathroom medicine cabinet is not a good place to keep medicine because the room's moisture

Have you ever heard anyone say, "I had to carry the ball"? The expression "to carry the ball" means to take responsibility for getting something done. We use clichés like this every day in our speech. These expressions are colorful and often effective in conveying an emotion or situation. Someone may be "cold as ice" or "busy as a bee." A story may be "too funny for words." These expressions in speech do little harm. In writing, however, clichés suffer the fate of the familiar becoming boring. Your reader has heard and read these expressions so often that they tend to lose their appeal. Therefore, if you want your writing to be stronger and more effective, try not to use clichés. Clichés in writing ultimately diminish the strength and effectiveness of your message.

① 형식보다 내용에 초점을 두어 글을 써라.
② 글을 쓸 때 상투적 문구 사용을 자제하라.
③ 독자의 연령층에 적합한 소재를 활용하라.
④ 글의 목적에 맞는 적절한 어휘를 선택하라.
⑤ 발표할 때 가급적 간결한 표현을 사용하라.

2 다음 글에 드러난 Ryan의 심경 변화로 가장 적절한 것은?

Ryan, an eleven-year-old boy, ran home as fast as he could. Finally, summer break had started! When he entered the house, his mom was standing in front of the refrigerator, waiting for him. She told him to pack his bags. Ryan's heart soared like a balloon. Pack for what? Are we going to Disneyland? He couldn't remember the last time his parents had taken him on a vacation. His eyes beamed. "You're spending the summer with uncle Tim and aunt Gina." Ryan groaned. "The whole summer?" "Yes, the whole summer." The anticipation he had felt disappeared in a flash. For three whole miserable weeks, he would be on his aunt and uncle's farm. He sighed.

19

[26~28] 다음 글을 읽고 물음에 답하시오.

(A)

Feeling a tap on his shoulder while giving away food and supplies to people, eighteen-year-old Toby Long turned around to find an Ethiopian boy standing behind (a) him. The young boy looked first at his own worn shirt, then at Toby's clothes. Next, he asked if he could have Toby's shirt. Toby had traveled to Africa to volunteer for two-and-a-half weeks with an international charity. Toby didn't know what to say to the little boy other than, "I need it, too."

(B)

When Toby returned home to Michigan, he tried to keep his promise to make a difference in the lives of the people he had seen: (b) He organized a T-shirt drive in his community! Called "Give the Shirt Off Your Back," Toby's campaign soon collected over ten thousand T-shirts. His next challenge was as great or even greater than the T-shirts. It was to find an organization to pay the shipping costs for

26 주어진 글 (A)에 이어질 내용을 순서에 맞게 배열한 것으로 가장 적절한 것은?

① (B) – (D) – (C)   ② (C) – (B) – (D)
③ (C) – (D) – (B)   ④ (D) – (B) – (C)
⑤ (D) – (C) – (B)

27 밑줄 친 (a)~(e) 중에서 가리키는 대상이 나머지 넷과 <u>다른</u> 것은?

① (a)   ② (b)   ③ (c)   ④ (d)   ⑤ (e)

© Getty Images Bank

수능 기초 예상 문제 1회

DAY 9

1 다음 글의 목적으로 가장 적절한 것은?

Dear Mr. Anderson

On behalf of Jeperson High School, I am writing this letter to request permission to conduct an industrial field trip in your factory. We hope to give some practical education to our students in regard to industrial procedures. We believe your firm is ideal to carry out such a project. But of course, we need your blessing and support. We would just need a day for the trip. I would really appreciate your cooperation.

Sincerely,

Mr. Ray Feynman

① 공장 견학 허가를 요청하려고
② 단체 연수 계획을 공지하려고
③ 임사 방법을 문의하려고
④ 출장 신청 절차를 확인하려고
⑤ 공장 안전 점검 계획을 통지하려고

① discouraged and sorrowful
② overjoyed and thrilled
③ bored and indifferent
④ jealous and furious
⑤ calm and peaceful

3 다음 글에서 필자가 주장하는 바로 가장 적절한 것은?

Twenty-three percent of people admit to having shared a fake news story on a popular social networking site, either accidentally or on purpose, according to a 2016 Pew times, helping involves some real sacrifice. A bone to the dog is not charity," Jack London observed. "Charity is the bone shared with the dog, when you are just as hungry as the dog." If we practice taking the many small opportunities to help others, we'll be in shape to act when those times requiring real, hard sacrifice come along.

① means for helping people in trouble
② difficulties with forming new habits
③ importance of practice to help others
④ effects of practice in speaking kindly
⑤ benefits of living with others in harmony

© Getty Images Bank

5 다음 글의 요지로 가장 적절한 것은?

It might seem that praising your child's intelligence or talent would boost his self-esteem and motivate him. But it turns out that this sort of praise backfires. Carol Dweck and her colleagues have demonstrated the effect in a series of experimental studies: "When we praise kids for their ability, kids become more cautious. They avoid challenges." It's as if they are afraid to do anything that might make them fail and lose your high appraisal. Kids might also feel helpless when they make mistakes. What's the point of trying to improve if your mistakes indicate that you lack intelligence?

7 다음 글의 제목으로 가장 적절한 것은?

In life, they say that too much of anything is not good for you. In fact, too much of certain things in life can kill you. For example, they say that water has no enemy, because water is essential to all life. But if you take in too much water, like one who is drowning, it could kill you. Education is the exception to this rule. You can never have too much education or knowledge. I am yet to find that one person who has been hurt in life by too much education. Rather, we see lots of casualties every day, worldwide, resulting from the lack of education. You must keep in mind that education is a long-term investment of time, money, and effort into humans.

*casualty 피해자

① Two Heads Are Worse than One
② Don't Think Twice Before You Act
③ Too Much Education Won't Hurt You
④ Learn from the Future, Not from the Past
⑤ All Play and No Work Makes Jack a Smart Boy

8 다음 도표의 내용과 일치하지 <u>않는</u> 것은?

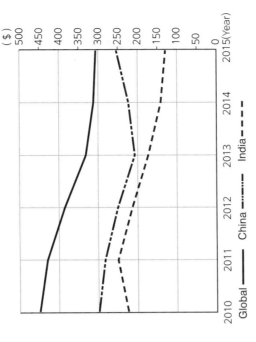

Smartphone Average Prices

Global —— China —·—·— India – – –

The above graph shows the smartphone average prices in China and India between 2010 and 2015, compared with the global smartphone average price during the same period. ① The global smartphone average price decreased from 2010 to 2015, but still stayed the highest among the three. ② The smartphone average price in China dropped between 2010 and 2013. ③ The smartphone average price in India reached its peak in

Time & Price

- Full-Day Program:
  9 a.m. – 5 p.m.
  ($40 per person including lunch)
- Half-Day Program: 1 p.m. – 5 p.m.
  ($20 per person)

* Children under 14 can enjoy at half-price.

Special Offer

- We will give you a ride to and from your place.
- We will provide as much drinking water as you want.
- We will prepare boards in a wide range of sizes for rent.

Reservation Information

- Reservations are required and must be made on our website (www.victoriasandboarding.com).

① 바다 풍경을 즐길 수 있다.
② 종일 프로그램에는 점심 식사가 포함된다.
③ 원하는 만큼 식수가 제공된다.
④ 다양한 크기의 보드가 준비되어 있다.
⑤ 예약 없이도 참가할 수 있다.

10 Toy & Gift Warehouse Sale에 관한 다음 안내문의 내용과 일치하는 것은?

Toy & Gift Warehouse Sale
at Wilson Square
from April 3 to April 16

We carry items that are in stock at bigger retailers for a cheaper price. You can expect to find toys for children from birth to teens. Ten toy companies will participate in the sale.

Wednesday – Friday:
  10 a.m. – 6 p.m.
Saturday & Sunday:
  11 a.m. – 5 p.m.

Closed on Monday & Tuesday

Returns must be made within one week of purchase.

For more information, please visit us at www.poptoy.com.

12 다음 글의 밑줄 친 부분 중, 어법상 틀린 것은?

Are you honest with yourself about your strengths and weaknesses? Get to really know ① yourself and learn what your weaknesses are. Accepting your role in your problems ② mean that you understand the solution lies within you. If you have a weakness in a certain area, get educated and do ③ what you have to do to improve things for yourself. If your social image is terrible, look within yourself and take the necessary steps to improve ④ it, TODAY. You have the ability to choose how to respond to life. Decide today to end all the excuses, and stop ⑤ lying to yourself about what is going on. The beginning of growth comes when you begin to personally accept responsibility for your choices.

	(A)	(B)	(C)
①	connectedness	allowed	disliking
②	connectedness	forbade	disliking
③	connectedness	allowed	favoring
④	isolation	forbade	favoring
⑤	isolation	allowed	disliking

[14~16] 다음 빈칸에 들어갈 말로 가장 적절한 것을 고르시오.

14

Since a great deal of day-to-day academic work is boring and repetitive, you need to be well motivated to keep doing it. A mathematician works on a proof, tries a few

고르시오.

17

Ideas about how much disclosure is appropriate vary among cultures.

(A) On the other hand, Japanese tend to do little disclosing about themselves to others except to the few people with whom they are very close. In general, Asians do not reach out to strangers.

(B) Those born in the United States tend to be high disclosers, even showing a willingness to disclose information about themselves to strangers. This may explain why Americans seem particularly easy to meet and are good at cocktail-party conversation.

(C) They do, however, show great care for each other, since they view harmony as essential to relationship improvement. They work hard to prevent those they view as outsiders from getting information they believe to be unfavorable.   *disclosure (정보의) 공개

① (A) – (C) – (B)   ② (B) – (A) – (C)
③ (B) – (C) – (A)   ④ (C) – (A) – (B)
⑤ (C) – (B) – (A)

16

What do rural Africans think as they pass fields of cashcrops such as sunflowers, roses, or coffee, while walking five kilometers a day to collect water? Some African countries find it difficult to feed their own people or provide safe drinking water, yet precious water is used to produce export crops for European markets. But, African farmers cannot help but grow those crops because they are one of only a few sources of income for them. In a sense, African countries are exporting their water in the very crops they grow. They need water, but they also need to export water through the crops they produce. Environmental pressure groups argue that European customers who buy African coffee or flowers are _____ in Africa.

18

Collaboration is the basis for most of the foundational arts and sciences.

(A) For example, his sketches of human anatomy were a collaboration with Marcantonio della Torre, an anatomist from the University of Pavia. Their collaboration is important because it marries the artist with the scientist.

(B) It is often believed that Shakespeare, like most playwrights of his period, did not always write alone, and many of his plays are considered collaborative or were rewritten after their original composition. Leonardo Da Vinci made his sketches individually, but he collaborated with other people to add the finer details.

(C) Similarly, Marie Curie's husband stopped his original research and joined Marie in hers. They went on to collaboratively discover radium, which overturned old ideas in physics and chemistry.

*anatomy 해부학적 구조

① (A) – (C) – (B) 　② (B) – (A) – (C)

③ (B) – (C) – (A) 　④ (C) – (A) – (B)

[19~20] 글의 흐름으로 보아, 주어진 문장이 들어가기에 가장 적절한 곳을 고르시오.

19

Dinosaurs, however, did once live.

When I was very young, I had a difficulty telling the difference between dinosaurs and dragons. (①) But there is a significant difference between them. (②) Dragons appear in Greek myths, legends about England's King Arthur, Chinese New Year parades, and in many tales throughout human history. (③) But even if they feature in stories created today, they have always been the products of the human imagination and never existed. (④) They walked the earth for a very long time, even if human beings never saw them. (⑤) They existed around 200 million years ago, and we know about them because their bones have been preserved as fossils.

People tend to form an opinion based on
__(A)__ data, and when evidence against
the opinion is presented, it is likely to be
__(B)__ .

	(A)	(B)
①	more	…… accepted
②	more	…… tested
③	earlier	…… ignored
④	earlier	…… accepted
⑤	easier	…… ignored

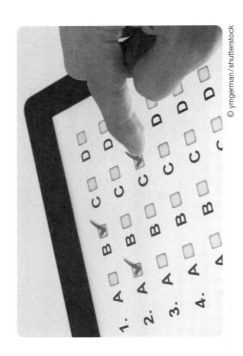

© yngerman / shutterstock

22

Paying attention to some people and not others doesn't mean you're being dismissive or arrogant. ① It just reflects a hard fact: there are limits on the number of people we can possibly pay attention to or develop a relationship with. ② Some scientists even believe that the number of people with whom we can continue stable social relationships might be limited naturally by our brains. ③ The more people you know of different backgrounds, the more colorful your life becomes. ④ Professor Robin Dunbar has explained that our minds are only really capable of forming meaningful relationships with a maximum of about a hundred and fifty people. ⑤ Whether that's true or not, it's safe to assume that we can't be real friends with everyone.

*dismissive 무시하는 *arrogant 거만한

21

Given the widespread use of emoticons, an important question is whether they help Internet users to understand emotions in online communication. ① Emoticons, particularly character-based ones, may be interpreted very differently by different users. ② Nonetheless, research indicates that they are useful tools in online text-based communication. ③ One study revealed that emoticons allowed users to correctly understand the level and direction of emotion, attitude, and attention expression and that emoticons were a definite advantage in non-verbal communication. ④ In fact, there have been few studies on the relationships between verbal and non-verbal communication. ⑤ Similarly, another study showed that emoticons were useful in strengthening the intensity of a verbal message.

*verbal 언어적인

---

23 다음 글의 내용을 한 문장으로 요약하고자 한다. 빈칸 (A), (B)에 들어갈 말로 가장 적절한 것은?

In one experiment, subjects observed a person solve 30 multiple-choice problems. In all cases, 15 of the problems were solved correctly. One group of subjects saw the person solve more problems correctly in the first half and another group saw the person solve more problems correctly in the second half. The group that saw the person perform better on the initial examples rated the person as more intelligent and recalled that he had solved more problems correctly. The explanation for the difference is that one group formed the opinion that the person was intelligent on the initial set of data, while the other group formed the opposite opinion. Once this opinion is formed, when opposing evidence is presented it can be discounted by attributing later performance to some other cause such as chance or problem difficulty.

*subject 실험 대상자 *attribute ~ to … ~을 …의 탓으로 돌리다

20

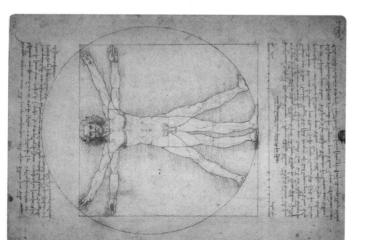

> This may have worked in the past, but today, with interconnected team processes, we don't want all people who are the same.

Most of us have hired many people based on human resources criteria along with some technical information that the boss thought was important. (①) I have found that most people like to hire people just like themselves. (②) In a team, some need to be leaders, some need to be doers, some need to provide creative strengths, some need to provide imagination, and so on. (③) In other words, we are looking for a diversified team where members complement one another. (④) When hiring team members, we need to look at each individual and how he or she fits into the whole of our team objective. (⑤) The bigger the team, the more possibilities exist for diversity.

*criteria 기준

① lowering the prices of crops
② making water shortages worse
③ making farmers' incomes lower
④ producing goods with more profit
⑤ criticizing the unfair trade of water

© Dennis Diatel/shutterstock

15

Most of us are suspicious of rapid cognition. We believe that the quality of the decision is directly related to the time and effort that went into making it. That's what we tell our children: "Haste makes waste." "Look before you leap." "Stop and think." We believe that we are always better off gathering as much information as possible and spending as much time as possible in careful consideration. But there are moments, particularly in time-driven, critical situations, when _____, when our snap judgments and first impressions can offer better means of making sense of the world. Survivors have somehow learned this lesson and have developed and sharpened their skill of rapid cognition.

*cognition 인식

① haste does not make waste
② it is never too late to learn
③ many hands make light work
④ slow and steady wins the race
⑤ you don't judge by appearances

the day. A writer produces a few hundred words, decides they are no good, throws them in the bin, and hopes for better inspiration tomorrow. To produce something worthwhile may require years of such _____ labor. The Nobel Prize-winning biologist Peter Medawar said that about four-fifths of his time in science was wasted, adding sadly that "nearly all scientific research leads nowhere." What kept all of these people going when things were going badly was their passion. Without such passion, they would have achieved nothing.

① cooperative ② productive ③ fruitless
④ dangerous ⑤ irregular

13 (A), (B), (C)의 각 네모 안에서 문맥에 맞는 낱말로 가장 적절한 것은?

Social television systems now enable social interaction among TV viewers in different locations. These systems are known to build a greater sense of (A) connectedness / isolation among TV-using friends. One study focused on how five friends between the ages of 30— 36 communicated while watching TV at their homes. The technology (B) allowed / forbade them to see which of the friends were watching TV and what they were watching. They chose how to communicate — whether through voice chat or text chat. The study showed a strong preference for text over voice. Users offered two key reasons for (C) disliking / favoring text chat. First, text chat required less effort and attention, and was more enjoyable than voice chat. Second, study participants viewed text chat as more polite.

9 Tomas Luis de Victoria에 관한 다음 글의 내용과 일치하지 않는 것은?

Tomas Luis de Victoria, the greatest Spanish composer of the sixteenth century, was born in Avila and as a boy sang in the church choir. When his voice broke, he went to Rome to study and he remained in that city for about 20 years, holding appointments at various churches and religious institutions. In Rome, he met Palestrina, a famous Italian composer, and may even have been his pupil. In the 1580s, after becoming a priest, he returned to Spain and spent the rest of his life peacefully in Madrid as a composer and organist to members of the royal household. He died in 1611, but his tomb has yet to be identified.

① 소년 시절 교회 합창단에서 노래했다.
② 로마에서 약 20년 동안 머물렀다.
③ 이탈리아 작곡가인 Palestrina를 만났다.
④ 스페인에서 돌아온 후 사제가 되었다.
⑤ 무덤은 아직 확인되지 않았다.

① 4월 16일부터 시작된다.
② 심 대를 위한 장난감은 판매하지 않는다.
③ 스무 개의 장난감 회사가 참여한다.
④ 월요일과 화요일에는 운영되지 않는다.
⑤ 반품은 구입 후 2주간 가능하다.

11 Victoria Sandboarding Tour에 관한 다음 안내문의 내용과 일치하지 않는 것은?

Victoria Sandboarding Tour

Enjoy sandboarding on the sand hills near Victoria city! The sand hills are located near the ocean, so you can enjoy sandboarding and opposite paths, with China's smartphone average price going down and India's going up. ⑤ The gap between the global smartphone average price and the smartphone average price in China was the smallest in 2015.

© Getty Images Bank

11

4 밑줄 친 at the "sweet spot"이 다음 글에서 의미하는 바로 가장 적절한 것은?

For almost all things in life, there can be too much of a good thing. Even the best things in life aren't so great in excess. Aristotle argued that being virtuous means finding a balance. For example, people should be brave, but if someone is too brave they become reckless. It is best to avoid both deficiency and excess. The best way is to live at the "sweet spot" that maximizes well-being. Aristotle's suggestion is that virtue is the midpoint, where someone is neither too afraid nor recklessly brave.

*excess 과잉

① away from social pressure
② in the middle of two extremes
③ at the time of a biased decision
④ in the area of material richness
⑤ at the moment of instant pleasure

① 놀이 시간의 부족은 아이의 인지 발달을 지연시킨다.
② 구체적인 칭찬은 아이의 자존감 발달에 도움이 된다.
③ 아이의 능력에 맞는 도전 과제를 제시할 필요가 있다.
④ 자신의 잘못을 인정하는 태도는 꾸준한 대화를 통해 길러진다.
⑤ 아이의 지능과 재능에 대한 칭찬은 아이에게 부정적 영향을 끼진다.

6 다음 글의 주제로 가장 적절한 것은?

Like anything else involving effort, compassion takes practice. We have to work at getting into the habit of standing with others in their time of need. Sometimes offering help is a simple matter — remembering to speak a kind word to someone who is down, or spending an occasional Saturday morning that I can understand why navigating it is challenging. When in doubt, we need to cross-check story lines ourselves. The simple act of fact-checking prevents misinformation from shaping our thoughts. We can consult websites such as FactCheck.org to gain a better understanding of what's true or false.

① 뉴스 내용의 사실 여부를 확인할 필요가 있다.
② 가짜 뉴스 생산에 대한 규제를 강화해야 한다.
③ 기사 작성 시 주관적인 의견을 배제해야 한다.
④ 시민들의 뉴스 제보 참여가 활성화되어야 한다.
⑤ 언론사는 뉴스 보도에 대한 윤리의식을 가져야 한다.

2 다음 글에 드러난 'I'의 심경으로 가장 적절한 것은?

When the vote was announced, my brain just would not work out the right percentages to discover whether we had the necessary two-thirds majority. Then one of the technicians turned to me with a big smile on his face and said, "You've got it!" At that moment, the cameras outside took over and out there in the yard there was a scene of joy. I managed to overcome my urge to burst into tears, and expressed my joy and delight that after all these years this had happened and my thanks to my daughters and my family who had shared in the struggle so long.

선율 따라 장단서 실전처럼 테스트하세요.

누구나 100점 테스트 1회

DAY 8

1 다음 글의 목적으로 가장 적절한 것은?

Dear Ms. Cross,

We are excited to announce the opening of the newest Sunshine Stationery Store in Raleigh, North Carolina! As you know, the Sunshine Stationery Store has long been the industry standard for quality creative paper products of all kinds. We are thrilled to welcome you to the Grand Opening of the Raleigh store on March 15, 2018. The opening celebration will be from 9 a.m. to 9 p.m. We would love to show you all the Raleigh store has to offer and hope to see you there on the 15th!

Sincerely,

Donna Deacon

① 신상품의 출시를 홍보하려고
② 회사 창립 기념일에 초대하려고
③ 이전한 매장의 위치를 안내하려고
④ 신설 매장의 개업식에 초대하려고

---

2 (없음)

① 행복은 노력을 통해 길러가야 한다.
② 정기 시작 전 규칙을 정확히 숙지해야 한다.
③ 글씨를 예쁘게 쓰려면 연습을 반복해야 한다.
④ 자기 계발에 도움이 되는 취미를 가져야 한다.
⑤ 취미 생활에 알맞은 도구를 미리 정비해야 한다.

---

3 다음 글의 요지로 가장 적절한 것은?

FOBO, or Fear of a Better Option, is the anxiety that something better will come

For more information, please call 413-367-1391.

Thank you for your participation.

① 수익금은 아프리카에 병원을 짓는 데 쓰인다.
② 운동화와 샌들만 기부할 수 있다.
③ 신발 수거함은 본관 2층에 있다.
④ 매주 화요일에 신발을 수거한다.
⑤ 기증하는 신발은 비닐봉지에 담겨 있어야 한다.

5 Dorothy Hodgkin에 관한 다음 글의 내용과 일치하지 <u>않는</u> 것은?

Dorothy Hodgkin was born in Cairo in 1910, where her father worked in the Egyptian Education Service. Her interest in chemistry started when she was just ten years old. In 1949, she worked on the structure of penicillin with her colleagues. Her work on vitamin B12 was published in 1954, which led to her being awarded the Nobel Prize in Chemistry in 1964. She also became the first woman to receive the Copley Medal. Hodgkin showed great concern for social inequalities and resolving conflicts.

① 10세 때 화학에 대한 흥미가 생겼다.
② 동료와 함께 페니실린의 구조를 연구했다.
③ 1954년에 노벨 화학상을 받았다.
④ Copley 메달을 수상한 최초의 여성이다.
⑤ 사회 불평등과 갈등 해소에 큰 관심을 보였다.

7 (A), (B), (C)의 각 네모 안에서 어법에 맞는 표현으로 가장 적절한 것은?

The first underwater photographs were taken by William Thompson. In 1856, he waterproofed a simple box camera and (A) lowered / lowering it beneath the waves off the coast of southern England. During the 10-minute exposure, the camera slowly flooded with seawater, but the picture survived. Underwater photography was born. Near the surface, (B) where / which the water is clear, it is quite possible to take great shots with an underwater camera. At greater depths photography is the principal way of exploring a mysterious deep-sea world, 95 percent of which has never (C) seen / been seen before.

	(A)	(B)	(C)
①	lowered	where	seen
②	lowered	where	been seen
③	lowered	which	seen
④	lowering	where	seen

① trading space
② getting funded
③ sharing reviews
④ renting factory facilities
⑤ increasing TV commercials

9 다음 글에서 전체 흐름과 관계 <u>없는</u> 문장은?

수고하셨습니다.

누구나 100점 테스트 2회

DAY 8

① causes of major space mission failures

② inaccuracy of information recalled over time

③ importance of protecting witnesses from threats

④ factors that improve people's longterm memories

⑤ ways to collect DNA evidence in crime investigations

© 3Dsculptor / shutterstock

---

1 다음 글에 드러난 Alice의 심경 변화로 가장 적절한 것은?

Alice looked up from her speech for the first time since she began talking. She hadn't dared to break eye contact with the words on the pages until she finished, for fear of losing her place. Actually, she'd just hoped for one simple thing — to finish the talk without making a fool of herself. Now the entire ballroom was standing, clapping. It was more than she had hoped for. Smiling brightly, she looked at the familiar faces in the front row. Tom was clapping and cheering. He looked like he could barely keep himself from running up to hug and congratulate her. She couldn't wait to hug him, too.

① nervous → delighted

② embarrassed → scared

③ amazed → annoyed

④ hopeful → disappointed

132-03/1.

① 오전 9시에 개장한다.
② 시장에서 차로 20분 걸린다.
③ 2세 이하는 입장이 무료이다.
④ 애완동물을 데려갈 수 있다.
⑤ 가이드 투어 예약을 받고 있다.

다음 글의 밑줄 친 부분 중, 문맥상 낱말의 쓰임이 적절하지 <u>않은</u> 것은?

An Egyptian executive offered his Canadian guest joint partnership in a new business venture. The Canadian, delighted with the offer, suggested that they meet again the next morning with their ① respective lawyers to finalize the details. The Egyptian never showed up. The disappointed Canadian tried to understand what had gone wrong: Did Egyptians ② lack punctuality? Was the Egyptian expecting a counter-offer? In fact, the problem was ③ caused by the different meaning Canadians and Egyptians attach to inviting lawyers. The Canadian regarded the lawyers' ④ absence as facilitating the successful completion of the negotiation; the Egyptian interpreted it as signaling the Canadian's mistrust of his ⑤ verbal commitment.

8

It is not always easy to eat well when you have a newborn baby. It can seem like you do not have time to prepare tasty nutritious meals or even to eat them. You will need to learn the following trick. Try not to wait until _____. When you have a newborn baby, preparing food will probably take longer than usual. If you start when you are already hungry, you will be absolutely starving before the food is ready. When you are starving and tired, eating healthy is difficult. You may want to eat fatty fast food, chocolates, cookies or chips. This type of food is okay sometimes, but not every day.

① your baby cries to be fed at night
② you find a new recipe for your meal
③ you are really hungry to think about eating
④ your kids finish all the food on their plates
⑤ you feel like taking a nap after a heavy meal

a sense of _____ **(B)** .

(A)		(B)
① willing	......	shame
② willing	......	direction
③ normal	......	achievement
④ unwilling	......	belonging
⑤ unwilling	......	equality

9 주어진 글 다음에 이어질 글의 순서로 가장 적절한 것은?

> Lemonade is the perfect refreshment on a sunny day, and it also contains a lot of vitamin C. Here's a quick and easy way to make lemonade.

(A) Wash the lemons you've prepared and cut them in half. Then, squeeze out as much juice as you can into a bowl. You can squeeze the lemons by hand, but it's easier if you use a lemon squeezer.

(B) Then simply mix together the lemon juice, sugar, and water in a jug, and stir. Pour it into a glass, add some ice, and enjoy your lemonade!

(C) Prepare four lemons, 100g of sugar, one liter of water, and some ice. You also need a bowl, a jug, and a spoon. Don't forget to prepare a cutting board and a knife.

① (A) – (C) – (B)　　② (B) – (A) – (C)
③ (B) – (C) – (A)　　④ (C) – (A) – (B)
⑤ (C) – (B) – (A)

10 다음 글의 내용을 한 문장으로 요약하고자 한다. 빈칸 (A)와 (B)에 들어갈 말로 가장 적절한 것은?

> Do animals have a sense of fairness? Researchers decided to test this by paying dogs for "giving their paw." Dogs were asked repeatedly to give their paw. Researchers measured how fast and how many times dogs would give their paw if they were not rewarded. Once this baseline level of paw giving was established, the researchers had two dogs sit next to each other and asked each dog in turn to give a paw. Then one of the dogs was given a better reward than the other. In response, the dog that was being "paid" less began giving its paw more reluctantly and stopped giving its paw sooner. This finding suggests that dogs may have a basic sense of fairness, or at least a hatred of inequality.
>
> *paw 동물의 발

> The dog that was rewarded less than the other for the same act showed ＿＿＿ (A)

[7~8] 다음 빈칸에 들어갈 말로 가장 적절한 것을 고르시오.

7

It's hard enough to stick with goals you want to accomplish, but sometimes we make goals we're not even thrilled about in the first place. We set resolutions based on what we're supposed to do rather than what really matters to us. This makes it nearly impossible to stick to the goal. For example, reading more is a good habit, but if you're doing it when you don't actually want to learn more, you're going to have a hard time reaching the goal. Instead, make goals based on _____. Now, this isn't to say you should read less. The idea is to first consider what matters to you, then figure out what you need to do to get there.

① your moral duty   ② a strict deadline

③ your own values   ④ parental guidance

⑤ job market trends

5 다음 글의 밑줄 친 부분 중, 어법상 틀린 것은?

There are many methods for finding answers to the mysteries of the universe, and science is only one of these. However, science is unique. Instead of making guesses, scientists follow a system ① designed to prove if their ideas are true or false. They examine and test their theories and conclusions again and again. Old ideas are replaced when scientists find new information ② that they cannot explain. Once somebody makes a discovery, others review it carefully before ③ using the information in their own research. This way of building new knowledge on older discoveries ④ ensure that scientists correct their mistakes. Armed with scientific knowledge, people build tools and machines that transform the way we live, making our lives ⑤ much easier and better.

---

4 Grand Park Zoo에 관한 다음 안내문의 내용과 일치하지 않는 것은?

Welcome to Grand Park Zoo

Grand Park Zoo offers you a chance to explore the amazing animal kingdom!

Hours
- Opens at 9 a.m., 365 days a year
- Closes at 6 p.m.

Location
- Madison Valley
- It takes 20 minutes by car from City Hall.

Admission
- Adults, $12 and ages 3-15, $4
- Ages 2 and under, free

At the Zoo
- No pets are allowed.
- You'll find wheelchair rentals.

◆ We are currently accepting bookings for

Natural Disasters by Region, 2014

Oceania 29.1(2%) ── Africa 19.8(1%)

Americas 532.6 (35%)

Europe 238.6(15%)

Amount of damage

Asia 721.1(47%)

(billions of US dollars)

Oceania 522(6%)

Europe 1,264(14%)

Africa 1,898(21%)

Americas 2,126 (23%)

Number of natural disasters

Asia 3,432(36%)

The two pie charts above show the number of natural disasters and the amount of damage by region in 2014. ① The number of natural disasters in Asia was the largest of all five regions and accounted for 36 percent, which was more than twice the percentage of Europe. ② Americas had the second largest number of natural disasters, taking up 23 percent. ③ The number of natural disasters in Oceania was the smallest and less than a third of that in Africa. ④ The amount of damage in Asia was the largest and more than the combined amount of Americas and Europe. ⑤ Africa had the least amount of damage even though it ranked third in the number of natural disasters.

5

2 다음 글의 주제로 가장 적절한 것은?

One day after the space shuttle Challenger exploded, Ulric Neisser asked a group of students to write down exactly where they were when they heard the news. Two and a half years later, he asked them the same question. In that second interview, 25 percent of the students gave completely different accounts of where they were. Half had significant errors in their answers and less than 10 percent remembered with any real accuracy. Similarly, people make mistakes on the witness stand when they are asked months later to describe a crime they witnessed. Between 1989 and 2007, 201 prisoners in the United States were proven innocent on the basis of DNA evidence. Seventy-five percent of those prisoners had been declared guilty on the basis of mistaken eyewitness accounts.

10 글의 흐름으로 보아, 주어진 문장이 들어가기에 가장 적절한 곳은?

Because of these obstacles, most research missions in space are accomplished through the use of spacecraft without crews aboard.

Currently, we cannot send humans to other planets. One obstacle is that such a trip would take years. (①) A spacecraft would need to carry enough air, water, and other supplies needed for survival on the long journey. (②) Another obstacle is the harsh conditions on other planets, such as extreme heat and cold. (③) Some planets do not even have surfaces to land on. (④) These explorations pose no risk to human life and are less expensive than ones involving astronauts. (⑤) The spacecraft carry instruments that test the compositions and characteristics of planets.

*composition 구성 성분

said that they considered online customer ratings and reviews important when planning a purchase. ① Many people depend on online recommendations. ② And young people are very likely to be influenced by the Internet when deciding what to purchase. ③ These individuals often have wide-reaching social networks with the potential to reach thousands. ④ Experts suggest that young people stop wasting their money on unnecessary things and start saving it. ⑤ It has been reported that young people aged six to 24 influence about 50% of all spending in the US.

8 다음 빈칸에 들어갈 말로 가장 적절한 것은?

Although many small businesses have excellent websites, they typically can't afford aggressive online campaigns. One way to get the word out is through an advertising exchange, in which advertisers place banners on each other's websites for free. For example, a company selling beauty products could place its banner on a site that sells women's shoes, and in turn, the shoe company could put a banner on the beauty product site. Neither company charges the other; they simply exchange ad space. By _____, advertisers find new outlets that reach their target audiences that they would not otherwise be able to afford.

*aggressive 매우 적극적인 *outlet 출구

4 다음 글의 제목으로 가장 적절한 것은?

Benjamin Franklin once suggested that a newcomer to a neighborhood ask a new neighbor to do him or her a favor. In Franklin's opinion, asking someone for something was the most useful and immediate invitation to social interaction. Such asking on the part of the newcomer provided the neighbor with an opportunity to show himself or herself as a good person, at first encounter. It also meant that the latter could now ask the former for a favor, in return, increasing the familiarity and trust. In that manner, both parties could overcome their natural hesitancy and mutual fear of the stranger.

① Polite Ways of Inviting Our Neighbors
② What You Ask for Shows Who You Are
③ Why Do We Hesitate to Help Strangers?
④ How to Present Your Strengths to Others
⑤ A Relationship Opener: Asking for a Favor

6 Shoes For Schools에 관한 다음 안내문의 내용과 일치하는 것은?

SHOES FOR SCHOOLS

Your used shoes can go a long way!

Brooks High School students! Do you have old or unwanted shoes? Donate them for children in Africa. The profits from reselling the shoes will be used to build schools in Africa.

WHAT
* You can give away all types of shoes such as sneakers, sandals, boots, etc.

WHERE
* You can drop shoes off in the collection box on the first floor of the main building.

WHEN
* Between 8:00 a.m. and 4:00 p.m. throughout this semester
* Shoes will be picked up on Tuesdays every two weeks.

HOW
* The shoes you donate need to be in a l

It's an affliction of abundance that drives you to keep all of your options open and to avoid risks. Rather than choosing one, you delay the inevitable. It's not unlike hitting the snooze button on your alarm clock and fall back asleep. If you hit snooze enough times, you'll end up being late and it'll ruin your day. While pressing snooze feels so good at the moment, it ultimately demands a price.

*affliction 고통

① 다양한 선택지는 위험을 피하는 데 도움이 된다.
② 반복되는 실수를 줄이기 위해서는 신중함이 요구된다.
③ 미래에 대한 과도한 불안감은 신체 장애를 불러일으킨다.
④ 규칙적인 생활 습관은 직장에서의 성공 가능성을 높인다.
⑤ 더 나은 선택을 위해 결정을 미루는 것은 결국 해가 되다.

---

2 다음 글에서 필자가 주장하는 바로 가장 적절한 것은?

You can buy conditions for happiness, but you can't buy happiness. It's like playing tennis. You can buy the ball and the racket, but you can't buy the joy of playing at a store. To experience the joy of tennis, you have to learn, to train yourself to play. It's the same with writing calligraphy. You can buy the ink, the rice paper, and the brush, but if you don't cultivate the art of calligraphy, you can't really do calligraphy. So calligraphy requires practice, and you have to train yourself. Happiness is also like that. You have to cultivate happiness; you cannot buy it at a store.

*calligraphy 서예

굽은 허리를 꼿꼿하게!
허리 스트레칭

바르지 못한 자세로 오래 앉아 있게 되면, 허리 근육에 무리가 오고 통증으로 이어지게 됩니다. 내 몸의 중심인 허리 건강을 위해 꾸준한 스트레칭과 바른 자세가 무엇보다 중요하다는 것! 잊지 마세요.

① 의자에 앉아 무릎과 발 사이를 어깨너비 정도로 벌리고, 발은 11자 모양으로 반듯하게 놓습니다.

② 숨을 뱉으며 상체를 서서히 숙입니다. 허리를 편 상태에서, 가능한 만큼 숙여 주세요. 고개를 숙인 채로 30초간 이 자세를 유지합니다.

③ 천천히 일어나 어깨를 펴고 두 손에 깍지를 낀 다음, 팔을 올려 오른쪽으로 당겨줍니다 왼쪽도 똑같이 반복합니다.

※ 스트레칭도 좋지만, 자세가 바르지 못하면 허리에 지속해서 무리가 가니, 의식적으로 바른 자세로 앉는 것이 제일 중요합니다.

내신 기초,
7일이면 끝! ◡

✦중등

국어: 중2~3 (학기별, 박영목/노미숙)
수학: 중1~3 (학기별)
영어: 영문법1~3 (내신 기반 다지기)

사회: 중1~3 (사회 ①, ②/역사 ①, ②)
과학: 중1~3 (학기별)

✦고등

국어: 고1~3 / 저자별 총 6권(고등국어[상], [하], 문학, 독서, 화법과 작문, 언어와 매체)
수학: 고1~2 / 총 4권(수학(상), 수학(하), 수학Ⅰ, 수학Ⅱ)
영어: 어법·구문 / 총 2권(내신 기반 다지기)

사회: 고1~3 / 총 5권(통합사회, 한국사, 사회·문화, 한국 지리, 생활과 윤리)
  ※한국사: 고1~2/2022년부터 고3 동일 적용
과학: 고1~3 / 총 5권(통합과학, 물리학Ⅰ, 화학Ⅰ, 생명과학Ⅰ, 지구과학Ⅰ)

수능 Final 기초 COURSE

10

수능 기초 10일 격파 독해 영어 영역

정답과 해설

천재교육

10일 격파

출제유형 핵심 체크 ❶　　　　pp. 8~9

Answers　01 ③　　　02 ③

친애하는 Reese 씨께,

며칠 전에 저는 제 2회 연간 DC Metro 요리 경연 대회에 지원서와 요리법을 제출했습니다. 그러나, 가능하다면 저는 제 요리법을 바꾸고 싶습니다. 제가 이제 막 멋진 새 요리법을 만들었거든요. 저는 사람들이 이전 것보다 이것을 더 좋아할 거라고 생각합니다. 제가 제출한 요리법을 바꿀 수 있는지 알려 주시기 바랍니다. 답신 기다리겠습니다.

안부를 전하며, Sophia Walker

Grammar로 끊어 읽기

3행
그러나　　저는 ~을 원합니다　제 요리법을 바꾸는 것을
However, / I would like / to change my recipe
　　　　　　　would like: ~을 원하다

만약 그것이 가능하다면
/ if it is possible.
　　요리법을 바꾸는 일

나는 생각한다 / 사람들이 좋아할 것이라고　이것을　더
5행 I think / people will love / this / more
　　→ 명사절을 이끄는 접속사 that이 생략됨
　　　　　　　　　this = a great new recipe
이전 것보다
/ than the old one.
　= recipe

---

01 [유형] 글의 목적 추측하기

해설 _ 글쓴이는 요리 경연 대회에 이미 요리법을 제출했지만, 더 좋은 요리법을 만들었기 때문에 제출한 요리법을 바꾸고 싶어 한다.

02 [유형] 내용 불일치 가려내기

해설 _ ③ 매년 열리는(annual) 요리 대회가 두 번째 열린다는 것을 'the 2nd Annual DC Metro Cooking Contest(제 2회 연간 DC Metro 요리 경연 대회)'에서 알 수 있다.

출제유형 핵심 체크 ❷　　　　pp. 10~11

Answers　01 ②　　　02 ④

다시 한 번, 나는 피아노 경연 대회에서 내 친구에게 졌다. 나는 Linda가 우승했다는 것을 알았을 때, 너무나 속상했고 불행했다. 내 몸은 불쾌함으로 떨렸다. 나는 진정하기 위해 콘서트 장 밖으로 뛰어나가야 했다. 계단에 혼자 앉아 나는 선생님이 하신 말씀을 떠올렸다. "인생이란 승리에 관한 것이지만, 반드시 다른 사람들에게 맞서 이기는 것이 아니라 자기 자신이 되는 것에서의 승리에 관한 것이란다. 그리고 승리하는 방법은 자신이 누구인지를 알아내고 최선을 다하는 것이란다." 선생님이 옳았다. 나는 내 친구를 적대할 이유가 없었다. 대신, 나는 나 자신과 나 자신의 발전에 중점을 두어야 한다. 나는 천천히 숨을 내쉬었다. 마침내 내 마음이 편안해졌다.

Grammar로 끊어 읽기

계단 위에 앉아서　　　　홀로　　　나는 떠올렸다
4행 Sitting on the stairs / alone, / I recalled
　　동시에 일어나는 일을 나타내는 분사구문
나의 선생님이 말씀하셨던 것을
/ what my teacher had said.
　선행사를 포함하는 관계대명사　주절의 recalled보다 앞서 일어난
　　　　　　　　　　　　　　일이므로 과거완료로 씀

인생은 승리에 관한 것이다
5행 Life is about winning,

반드시 이기는 것에 관해서가 아니라　　　　다른 사람들에게 맞서
/ not necessarily about winning / against others
not A but B: A가 아니라 B

이기는 것이다　　　네가 되는 것에서
/ but winning / at being you.
　　앞의 about winning과 병렬 구조를 이루며
　　winning 앞에 about이 생략되었다고 볼 수 있음

---

01 [유형] 심경 변화 파악하기

해석 _ ① 감사하는 → 슬픈　② 속상한 → 차분한　③ 부러워하는 → 의심스러운　④ 놀란 → 실망한　⑤ 지루해하는 → 안도하는

해설 _ '나'는 피아노 경연 대회에서 친구에게 지자 속상해서(upset) 콘서트 장 밖으로 뛰어나갔다. 그러나 진정으로 이기는 것은 자기 자신을 알고 최선을 다하는 것이라는 선생님의 말씀을 떠올리며 마음을 가라앉혔다(calm).

02 [유형] 어법 정확성 판단하기

해설 _ ④ doing은 앞의 to figure와 접속사 and로 연결되어 병렬 구조를 이룬다. 따라서 (to) do로 고쳐 써야 한다. ① 주절의 과거 시제 learned보다 앞선 상황이고 주어와 동사의 관계가 능동이므로 과거완료 시제에 과거분사 won이 바르게 쓰였다. ② 목적을 나타내는 to부정사로 to settle이 바르게 쓰였다. ③ 앞에 선행사가 없고 뒤의 절에 목적어가 없으므로, 선행사를 포함하는 관계대명사 what이 쓰였다. ⑤ 주어와의 관계로 보아 능동의 to부정사가 바르게 쓰였다.

심경을 나타내는 어휘

· 긍정적인 심경

calm 차분한 confident 자신 있는 delighted 즐거운 encouraged 고무된 excited 신이 난 grateful 감사하는 hopeful 희망에 찬 joyful 아주 기뻐하는 pleased 기쁜 proud 자랑스러운 relaxed 편안한, 여유 있는 relieved 안도하는 satisfied 만족하는 thankful 감사하는 thrilled 아주 신이 난 touched 감동한

· 부정적인 심경

alarmed 놀란, 두려운 annoyed 짜증이 난 ashamed 부끄러운 bored 지루해하는 depressed 우울한 desperate 절박한, 절실한 disappointed 실망한 discouraged 낙담한 doubtful 의심스러운 embarrassed 당황한 frightened 겁먹은 frustrated 좌절감을 느끼는 furious 아주 화가 난 guilty 죄책감을 느끼는 irritated 짜증[화]이 난 scared 무서워하는 sorrowful 슬픈 upset 화가 난

● 출제유형 핵심 체크 ❸　　　pp. 12~13

Answers　01 ②　　　02 ②

글을 쓸 때에는 몸짓을 사용하거나, 독자들에게 사물을 제시할 수 없으므로 말하기와 보여 주기를 모두 어휘에 의존해야 한다.

독자들이 읽을(→ 볼) 수 있도록 해 주기 위해 어휘를 사용하라. 예를 들어, 독자가 Laura의 아름다운 머리카락에 대해 추측하게 두지 마라. 그녀의 비단 같은 갈색 머리카락 끝을 부드러운 바람이 어떻게 어루만지는지 보여 줘라. 행복한 기분이었다고 그저 말하지 마라. 여러분 자신이 계단을 한 번에 네 칸씩 뛰어 내려가고, 바람을 맞으며 "만세, 내가 해냈어!"라고 외치는 모습을 보여 줘라.

Grammar로 끊어 읽기

1행
~ 때문에　너는 몸짓을 사용할 수 없다
Since / you can't use gestures
이유를 나타내는 부사절 접속사
또는 사물을 제시할 수 없다　독자들에게　글쓰기에 있어서
/ or present an object / to readers / in writing,

너는 어휘에 의존해야 한다　하기 위해
/ you must rely on words / to do

말하기와 보여 주기 둘 다
/ both the telling and the showing.
└ both A and B: A와 B 둘 다 ┘

4행
독자들을 그대로 두지 마라
don't leave the reader
leave+목적어+현재분사/to부정사: ~가 …하게 두다
Laura의 아름다운 머리카락에 대해 추측하게
/ guessing about Laura's beautiful hair

6행
보여 주어라　네 자신이　계단을 뛰어 내려가는 것을
Show / yourself / leaping down the steps
yourself의 목적격 보어 역할 1
한 번에 네 개씩　그리고 바람을 맞으며 소리치는 것을　만세
/ four at a time / and shouting in the wind, / "Hurray,
yourself의 목적격 보어 역할 2
내가 해냈어!
/ I did it!"

---

01 [유형] 필자의 주장 파악하기

해설 _ 글을 쓸 때에는 독자에게 시각적 정보를 직접 줄 수 없으므로, 독자가 눈으로 보는 것처럼 느낄 수 있도록 생생하게 묘사해야 한다고 강조하는 글이다.

02 [유형] 어휘 적합성 판단하기

해설 _ ② 독자들이 눈으로 보는 것처럼 느끼도록 글을 써야 한다고 강조하고 있으므로, 어휘를 사용해서 독자가 '읽는(read)' 것이 아니라 '볼(see)' 수 있게 하라고 하는 것이 자연스럽다.

Answers 01 ③ 02 ④ 03 ① 04 ④
05 ⑤ 06 ④

[01~02]

Wildwood 지역 주민들께,

Wildwood Academy는 장애를 가진 아이들을 돕고자 하는 지역 학교입니다. 올해 저희는 학생들이 음악적 능력을 발전시킬 수 있도록 음악 수업을 추가하려 합니다. 수업을 시작하기 위해, 저희는 지금 저희가 가지고 있는 것보다 더 많은 악기가 필요합니다. 저희는 여러분이 더 이상 사용하지 않을 것 같은 악기를 기부해 주시길 요청합니다. 전화만 주시면 기꺼이 저희가 방문하여 악기를 가져가겠습니다.

교장 Karen Hansen 드림

Grammar로 끊어 읽기

올해   우리는 ~하고 싶다 / 음악 수업을 추가하는 것을
3행 This year / we'd like / to add a music class

우리 학생들이   개발하기 위해
/ for our students / to develop
　　to부정사의 의미상 주어   부사적 용법(목적)의 to부정사
그들의 음악적 능력을
/ their musical abilities.

수업이 시작되게 하기 위해   우리는 필요로 한다
4행 To get the class started, / we need
　　get A+과거분사: A가 ~되게 하다, 과거분사가 목적격 보어 역할을 함
더 많은 악기를   우리가 지금 가진 것보다
/ more instruments / than we have now.

01 유형 글의 목적 추측하기
해설 _ 장애 학생을 위한 지역 학교 Wildwood Academy의 교장이 지역 주민들에게 음악 수업 개설을 위해 악기를 기부해 달라고 요청하는 편지글이다.

02 유형 내용 불일치 가려내기
해설 _ ④ 'Simply call us and we will be happy to drop by and pick up the instrument.'로 보아 악기를 기부하기 위해 학교 측으로 전화를 하면, 학교 측에서 직접 방문해 악기를 가져간다는 것을 알 수 있다.

[03~04]

나의 일곱 번째 생일에, 엄마는 목줄에 매여 기다리고 있는 강아지로 나를 놀라게 해 주셨다. 그것은 아름다운 황금빛 털과 사랑스러운 꼬리를 가지고 있었다. 그 강아지는 바로 내가 항상 꿈꿨던 것이었다. 나는 그 강아지를 어디든지 데리고 다녔고 매일 밤 같이 잤다. 몇 달 후, 그 강아지는 뒷마당을 빠져나가 사라졌다. 엄마가 내 방 문간에서 조용히 나를 바라보는 동안 나는 침대에 앉아 몇 시간 동안이나 울었다. 슬픔에 지쳐 나는 마침내 잠들었다. 엄마는 나의 상실에 대해 내게 한 마디도 하지 않았지만, 나는 엄마도 나와 똑같이 느낀다는 것을 알았다.

Grammar로 끊어 읽기

나의 일곱 번째 생일에   나의 엄마는
1행 On my seventh birthday, / my mom

나를 놀라게 했다   강아지로   기다리고 있는
surprised me / with a puppy / waiting
　　　　　　　　　　　　　　현재분사 waiting은 a puppy를 꾸밈

목줄에 매인 채
/ on a leash.

그것은 정확히 ~이었다   내가 항상 꿈꿔왔던 것
3행 It was exactly / what I had always
= a puppy   선행사를 포함하는 관계대명사이자
　　　　　　　　　관계사절에서 of의 목적어

dreamed of.

03 유형 심경 변화 파악하기
해설 _ ① 기쁜 → 슬픈 ② 편안한 → 짜증이 난 ③ 당황한 → 걱정하는 ④ 기쁜, 흥분된 → 겁에 질린 ⑤ 실망한 → 만족하는
해설 _ 글의 초반부에는 꿈꾸던 강아지를 생일 선물로 받아 기쁜(delighted) 마음이, 후반부에는 강아지를 잃어버리고 슬퍼하는(sorrowful) 모습이 나타나 있다.

04 유형 어법 정확성 판단하기
해설 _ ④ 동사를 꾸미는 부사가 와야 하는 위치이다. 엄마가 '나'를 '말없이' 바라본 것이므로 형용사 silent를 부사 silently로 고쳐 써야 한다. ① 주어가 동사 surprise의 주체이므로 바르게 쓰였다. surprise: ~을 놀라게 하다 ② 앞에 선행사가 없고 뒤의 절에 목적어 자리가 비어 있으므로 선행사를 포함하는 관계대명사 what이 알맞다. ③ was의 주어는 the dog로 수가 일

치한다. ⑤ being이 생략된 분사구문이며, 주어가 '지친' 것이므로 '~을 지치게 하다'라는 뜻의 exhaust는 수동의 의미가 있는 과거분사 형태로 써야 한다.

[05~06]

당신이 처음 먹는 요리가 식사 전체에 닻을 내리는 음식의 역할을 한다. 실험은 사람들이 처음 먹는 음식을 거의 50% 더 많이 먹는다는 것을 보여 준다. 만약 당신이 디너 롤로 시작하면, 당신은 더 많은 녹말과 더 적은 단백질, 그리고 더 적은 채소를 먹을 것이다. 접시에 있는 것 중 가장 건강에 좋은 음식을 먼저 먹어라. 오래된 지혜가 알려주듯이, 이것은 대개 채소나 샐러드로 시작한다는 것을 의미한다. 만약 당신이 건강에 좋지 않은 음식을 먹을 것이라면, 적어도 그것을 마지막 순서로 남겨 둬라. 이것은 여러분이 녹말이나 설탕이 든 디저트로 옮겨가기 전에 당신의 몸에게 더 나은 선택 사항들로 가득 채울 기회를 줄 것이다.

Grammar로 끊어 읽기

1행
음식은 / 당신이 (식사를) 시작하는 / 역할을 한다
The dish / you start with / serves
→ 목적격 관계대명사 which[that]가 생략됨

닻과 같은 음식으로서 / 당신의 식사 전체에 있어
/ as an anchor food / for your entire meal.

2행
실험들은 보여 준다 / 사람들은 먹는다는 것을
Experiments show / that people eat

거의 50% 더 많은 양을 / 음식의
/ nearly 50 percent greater quantity / of the food

그들이 처음으로 먹는
/ they eat first.
→ 목적격 관계대명사 which[that]가 생략됨

7행
이것은 너의 몸에 줄 것이다 / 기회를
This will give your body / the opportunity

더 나은 선택지로 가득 채울 / 네가 옮겨가기 전에
/ to fill up on better options / before you move on
the opportunity를 꾸미는 형용사적 용법의 to부정사

녹말이나 설탕이 든 디저트로
/ to starches or sugary desserts.

---

05 유형 필자의 주장 파악하기
해설 _ 식사를 할 때 처음 먹는 음식이 중요하므로, 건강에 좋은 음식으로 식사를 시작하라는 요지의 글이다.

06 유형 주어진 문장의 위치 파악하기
해설 _ 주어진 문장의 대명사 this가 가리키는 내용을 구체적으로 설명한 것이 '채소나 샐러드로 식사를 시작하는 것'이며 오래된 지혜가 이것을 알려주고 있다고 했다. 주어진 문장에서 언급된 식사 방법이 이 글에서 권할 만한, 건강에 좋은 식사 방법이 되므로, this가 가리키는 것이 'Eat the healthiest food on your plate first.'임을 알 수 있다. 따라서 주어진 문장은 이 문장 바로 뒤인 ④에 와야 한다.

02 DAY 글을 깊이 있게 보자

● 출제유형 핵심 체크 ❶　　　　　　　pp. 22~23

Answers 01 ③　　　02 ③

많은 논쟁에서 첫 번째로 저지르는 일 중 하나가 화내는 것이라는 점을 우리 모두 안다. 침착함을 유지해야 한다고 말하는 것은 쉽지만, 어떻게 침착함을 유지하는가? 기억해야 할 점은 때로는 논쟁에서 상대방이 여러분을 화나게 하려고 한다는 것이다. 그들은 만약 자신들이 여러분의 침착함을 잃게 한다면 여러분이 어리석게 들리는 말을 할 것임을 안다. 그러니 속아 넘어가지 마라. 제기된 문제에 초점을 맞추고 짜증나는 발언에도 침착한 답변으로 대응하라. 그것이 가장 효과적일 것이다. 확실히, 주의 깊은 청자라면 누구든 여러분이 '미끼를 물지' 않았다는 사실에 감탄할 것이다.

Grammar로 끊어 읽기

3행
기억할 점은 ~이다 / ~라는 것
The point to remember / is / that
　　형용사적 용법의 to부정사가 The point를 꾸밈

때로 　　논쟁에서 　　상대방이
/ sometimes / in arguments / the other person

애쓴다 　　너를 ~하게 하려고 　화나게
is trying / to get you / to be angry.
　try+to부정사: ~하려고 애쓰다　　you의 목적격 보어

5행
그들은 안다 　　　~라는 것을 / 만약 그들이 너를 ~하게 한다면
They know / that / if they get you

침착함을 잃다 　　　너는 말할 것이다 　무언가를
/ to lose your cool / you'll say / something
you의 목적격 보어

어리석게 들리는
/ that sounds foolish.
선행사가 something인 주격 관계대명사

01 유형 밑줄 친 부분의 의미 파악하기

해석 _ ① 침착함을 유지하다 ② 자신을 탓하다 ③ 화를 내다 ④ 청중의 말을 듣다 ⑤ 여러분의 행동에 대해 사과하다
해설 _ 논쟁을 할 때 일부러 자신을 화나게 하려는 상대방의 말

에 화내지 않고 침착함을 유지하면 논쟁을 듣는 청자가 감탄할 것이라고 했다. 따라서 '미끼를 물지' 않았다는 표현은 '화를 내지' 않았다는 의미이다. 부정어 not이 앞에 있으므로 주의해야 한다.

02 유형 글의 제목 추론하기

해석 _ ① 주의 깊은 청자가 되는 법 ② 왜 우리는 솔직하게 대화해야 하는가? ③ 논쟁에서 이기려면 침착함을 유지해라 ④ 논쟁에서 다른 사람들을 짜증나게 하지 마라 ⑤ 좋은 토론 주제의 중요성
해설 _ 논쟁할 때 일부러 화를 내게 만들어서 지게 하려는 상대방에게 휘말리지 말고 침착함을 유지해야 한다고 충고하는 글이다. 따라서 ③이 가장 알맞다.

● 출제유형 핵심 체크 ❷　　　　　　　pp. 24~25

Answers 01 ②　　　02 ④

수력 발전은 깨끗하고 재생 가능한 에너지원이다. 하지만 댐에 관해 알아 두어야 할 중요한 몇 가지 사항이 있다. 수력 발전 댐을 건설하기 위해서, 댐 뒤의 넓은 지역이 반드시 물에 잠기게 된다. 때때로 마을들 전체가 사라질 수 있다. 댐에서 방류된 물은 일반적인 것보다 더 차가울 수 있다. 이것이 강 하류의 생태계에 영향을 미칠 수 있다. 댐의 가장 나쁜 영향은 연어에서 관찰되어 왔다. 연어는 알을 낳기 위해 상류로 이동해야 한다. 만약 댐으로 가로막히면, 연어의 수명 주기는 완결될 수 없다.

Grammar로 끊어 읽기

2행
　　그러나 　　　몇 가지 사항이 있다
However, / there are a few things

댐에 관한 　　　중요한 　　　　　　알아 두어야 할
/ about dams / that are important / to know.
　　　　선행사가 a few things인　　형용사 important를
　　　　주격 관계대명사　　　　　꾸미는 부사적 용법의 to부정사

5행
　　　물은 　　　　댐으로부터 방류된
The water / released from the dam
　　　　　명사를 뒤에서 꾸미는 과거분사

더 차가울 수 있다 　일반적인 것보다
/ can be colder / than usual.

9행 만약 가로막히면 댐에 의해
If blocked / by a dam,
→ 수동태 분사구문에서 being을 생략하고 접속사를 남긴 형태
연어의 수명 주기는 완성될 수 없다
/ the salmon life cycle / cannot be completed.

---

01 [유형] 글의 주제 파악하기

해석 _ ① 에너지 절약의 필요성 ② 수력 발전 댐의 어두운 면 ③ 수력 발전소의 유형 ④ 재생 가능한 에너지원의 인기 ⑤ 환경 보호의 중요성

해설 _ 수력 발전을 위해 건설하는 댐이 가져올 수 있는 피해를 설명하는 글이다.

02 [유형] 어법 정확성 판단하기

해설 _ ④ 주어는 단수 The worst effect이므로 have를 has로 고쳐 써야 한다. of dams는 The worst effect를 꾸미는 수식어구이다. ① 넓은 지역이 물에 '잠기게' 되는 것이므로 수동태로 쓰는 것이 알맞다. ② vanish는 '사라지다'라는 의미의 자동사로, 주어 Whole towns와 능동 관계이다. ③ 앞에 비교급 colder가 나오는 것으로 보아 than의 쓰임이 알맞다. ⑤ being이 생략되고 「접속사＋과거분사」만 남은 수동태 분사구문이다. 생략된 주어는 the salmon life cycle로, 댐에 의해 '가로막히는' 것이 자연스러우므로 수동의 의미를 갖는 과거분사가 쓰인 것이 적절하다.

● 출제유형 핵심 체크 ③ pp. 26~27

Answers 01 ④　　　02 ④

많은 연구들이 환자 배우자의 체중과 태도가 체중 감소량과 체중 유지 성공에 주요한 영향을 미칠 수 있다는 것을 보여 주었다. 한 연구는 정상 체중의 배우자를 가진 과체중 환자들이 과체중인 배우자를 가진 이들보다 확연히 더 많은 체중 감량을 했음을 발견했다. 또한 권장된 변화가 <u>배우자들에 의해 적극적으로 지지를 받고 있었을</u> 때 그 환자들에게서 더 큰 성공이 있었다는 점도 발견되었다. 마찬가지로, 환자의 배우자가 체중 조절 프로그램에 들어가 있을 때 프로그램 중도 탈락률이 감소했다.

Grammar로 끊어 읽기

1행 많은 연구가 보여 주었다 ~라는 것을
A number of studies have shown / that
a number of+명사: '많은 ~'의 의미로 복수 취급
체중과 태도가
/ the body weight and attitudes
환자 배우자의 주요한 영향을 미칠 수 있다
/ of a patient's spouse / can have a major impact
have an impact on: ~에 영향을 미치다
체중 감소의 양에 그리고 체중 유지 성공에
/ on the amount of weight lost / and / on success
on ~ lost와 on ~ maintenance가 접속사 and로 연결된 병렬 구조
in weight maintenance.

4행 한 연구는 발견했다 ~라는 것을 / 과체중 환자들이
A study found / that / overweight patients
정상 체중인 배우자가 있는 줄였다
/ with normal-weight partners / lost
확연히 더 많은 몸무게를 ~보다 환자들
/ significantly more weight / than / those
those = overweight patients
과체중인 배우자가 있는
/ with overweight partners.

6행 또한 발견되었다 ~라는 것이 / 성공이 더 컸다
It was also found / that / success was greater
It은 가주어, 진주어는 뒤의 that절
그러한 환자들에게서 ~할 때 권장되는 변화가
/ in those patients / when / recommended changes
적극적으로 지지를 받고 있었다 배우자에 의해
were being actively supported / by the spouse.
과거진행 수동태

---

01 [유형] 글의 요지 파악하기

해설 _ 과체중 환자가 체중 감량을 하고 이를 유지할 때, 배우자의 체중과 환자의 치료에 대한 태도가 큰 영향을 미친다는 연구 결과를 설명하는 글이다.

02 [유형] 빈칸 어구 추론하기

해석 _ ① 조사자들에 의해 금지되었다 ② 그들의 배우자에 의해 실행되지 않았다 ③ 그들의 태도에도 불구하고 효과를 발휘하지 않았다 ④ 배우자에 의해 적극적으로 지지를 받고 있었다 ⑤ 그들의 식단에서 특정 성분을 배제했다

해설 _ 글의 요지로 보아 환자에 대한 배우자의 태도가 치료에 큰 영향을 미친다는 것을 알 수 있고, 바로 다음 문장에서 배우

자가 함께 참여할 때 체중 조절 프로그램 탈락률이 감소했다고 했으므로 ④ '배우자의 적극적인 지지를 받을' 때 더 큰 성공을 거둔다고 하는 것이 자연스럽다.

● **기초력 집중드릴**   pp. 28~33

Answers 01 ①   02 ③   03 ⑤   04 ③
05 ①   06 ①

[01~02]

여기 흥미로운 발상이 있다. 빙하가 지구상의 물을 끌어들여 다시 형성되기 시작한다면, 우리는 정확히 무엇을 하게 될까? TNT나 어쩌면 핵미사일로 그것들을 폭파시킬까? 의심할 여지없이 그렇게 하겠지만, 이것을 생각해 보라. 1964년에, 북미에서 기록된 중 가장 큰 지진이 20만 메가톤의 응축된 힘, 즉 핵폭탄 2천 개와 맞먹는 힘으로 알래스카를 흔들었다. (지진 후에는 여진이 몇 주 또는 몇 달 간 계속될 수 있다.) 거의 3천 마일 떨어진 텍사스에서도 수영장 밖으로 물이 넘쳤다. 지진은 황무지 2만 4천 평방마일을 황폐화시켰다. 그리고 이러한 힘이 알래스카의 빙하에는 어떤 영향을 미쳤을까? <u>전혀 아니었다.</u>

Grammar로 끊어 읽기

만약 빙하가 시작한다면   끌어들이기를
1행 If glaciers started / to draw on

지구상의 물을   그리고 다시 형성되기를
/ water on Earth / and advance again,
　　　　　　　　　　to draw ~ and (to) advance ...의 병렬 구조

무엇을   정확히 우리가 할까?
/ what / exactly would we do?

1964년에   가장 큰 지진이
4행 In 1964, / the largest earthquake

여태까지 기록된   북미 대륙에서
/ ever recorded / in North America
ever recorded in North America가 앞의 the largest earthquake을 꾸밈

알래스카를 흔들었다   20만 메가톤의 응축된 힘으로
/ rocked Alaska / with 200,000 megatons of
문장 전체의 동사

　　　　　　　　　　2천 개의 핵폭탄에 상당하는 것
concentrated might, / the equivalent of
　　　　　　　　　　(핵폭탄 2천 개 = 20만 메가톤의 응축된 힘)

2,000 nuclear bombs.

01 [유형] 밑줄 친 부분의 의미 파악하기
해석 _ ① 빙하를 파괴하려는 노력은 아무 소용이 없을 것이다. ② 녹고 있는 빙하는 해수면 상승을 일으킬 것이다. ③ 알래스카의 황무지는 빙하에 의해 훼손되지 않을 것이다. ④ 재형성되는 빙하는 북미를 뒤덮지 않을 것이다. ⑤ 빙하 재형성의 원인에는 지진이 포함되지 않는다.
해설 _ 밑줄 친 'None.'은 바로 앞 문장인 질문 '이러한 힘이 알래스카의 빙하에는 어떤 영향을 미쳤을까?'에 대한 답이다. 즉, 2천 개의 핵폭탄과 맞먹는 지진의 파괴력이 알래스카의 빙하에는 아무런 영향을 끼치지 못했다는 의미이므로, 지구상에서 빙하가 다시 형성되기 시작할 때 폭탄 등으로 빙하를 파괴하려고 노력해도 소용이 없을 것임을 암시한다.

02 [유형] 흐름에서 벗어난 문장 찾기
해설 _ 이 글의 요지는 매우 강력한 파괴력의 지진으로도 손상되지 않을 만큼 빙하가 단단하다는 것이므로, 지진에 대한 일반적인 설명은 글의 흐름에 어긋난다.

[03~04]

최근 연구들은 습관 형성에 관한 몇몇 흥미로운 결과를 보여 준다. 이 연구들에서, 긍정적인 습관 하나를 성공적으로 갖게 된 학생들은 더 적은 스트레스, 더 적은 충동적 소비, 더 나은 식습관, 카페인 소비 감소, 그리고 심지어 더 적은 더러운(= 설거지 안 된) 접시를 (갖고 있음을) 보고했다. 하나의 습관을 들이려는 노력을 충분히 오래 계속해라. 그러면 그것이 더 쉬워질 뿐만 아니라 다른 일들 또한 더 쉬워진다. 그것이 좋은 습관을 가진 사람들이 다른 사람들보다 더 뛰어난 것 같은 이유이다. 그들은 가장 중요한 일을 규칙적으로 하고 있고, 결과적으로 그 밖의 모든 일이 더 쉬워진다.

이 연구들에서　　　　　학생들은
2행 **In these studies, / students**

성공적으로 획득한　　　　　　　하나의 긍정적인 습관을
/ who successfully acquired / one positive habit
주격 관계대명사, 선행사는 students
더 적은 스트레스를 보고했다
/ reported less stress ...
문장 전체의 동사, 주어는 students

계속하라　하나의 습관을 들이는 것을　　　충분히 오래
5행 **Keep / working on one habit / long enough,**
keep+동명사: ~하기를 계속하다
그러면　　그것이 더 쉬워질 뿐만 아니라
/ and / not only does it become easier,
not only가 앞에 와서 주어와 동사가 도치됨
다른 것도 그렇다(= 쉬워진다)　　　또한
/ but so do other things / as well.
not only A but also B 구조에서 also가 생략된 형태,
so가 앞에 와서 주어와 동사가 도치됨

그것이 ~이다 / 바른 습관을 지닌 사람들이 더 잘하는 것 같은 이유
7행 **It's / why those with the right habits**
It: 앞 문장의 내용　　　　　　앞의 those를 꾸밈
다른 사람들보다
seem to do better / than others.
seem +to부정사: ~인 것 같다, ~인 모양이다

03 유형 글의 요지 파악하기

해설 _ 좋은 습관 하나를 성공적으로 들이고 나면 그로 인해 나쁜 습관은 개선되고, 다른 일도 쉬워진다고 했다. 따라서 좋은 습관이 생활에 전반적으로 긍정적인 영향을 미친다는 것이 글의 요지이다.

04 유형 어휘 적합성 판단하기

해설 _ 좋은 습관이 생활에 긍정적인 영향을 미친다는 것이 이 글의 요지임을 기억하며 어휘가 적합한지 확인한다. 좋은 습관을 갖게 되면 '충동적인' 소비를 덜 하게 되는 것이 자연스럽다. 또한 좋은 습관을 오랫동안 유지하면 그것이 더 '쉬워지고', '중요한' 일을 규칙적으로 해서 모든 것이 더 쉬워진다는 흐름이 자연스럽다.

[05~06]

> 패스트 패션은 빠르게 만들어지고, 매우 낮은 가격에 소비자에게 팔리는 유행 의류를 의미한다. 패스트 패션 상품은 계산대에서 당신에게 많은 비용을 들게 하지 않을지는 모르지만, 그것들은

심각한 대가를 수반한다. 개발도상국의 많은 사람들이, 일부는 아직 어린아이들인데, 종종 그것들을 만들기 위해 오랜 시간 동안 위험한 환경에서 일한다. 그들 중 대부분은 간신히 생존할 정도의 임금을 받는다. 패스트 패션은 또한 환경을 훼손한다. 의류는 유해한 화학물질을 이용해 제작된 다음 전 세계로 운반된다. 그리고 의류 수백만 톤이 매년 쓰레기 매립지에 쌓인다.

패스트 패션은 ~을 일컫는다　　　유행 의류
1행 **Fast fashion refers to / trendy clothes**

빠르게 만들어지는　　　그리고　소비자에게 팔리는
/ quickly created / and / sold to consumers
→ which are가　└ 과거분사 created와 sold가 접속사 and로 연결된 병렬 구조
생략됨
매우 낮은 가격에
/ at extremely low prices.

의류는 생산된다
7행 **Garments are manufactured**

유해한 화학물질을 사용하여　　　　　그리고　그 다음에
/ using toxic chemicals / and / then
동시에 일어나는 일을 나타내는 분사구문
전 세계로 운반된다
/ transported around the globe.
과거분사 manufactured와 transported가 접속사 and로 연결된 병렬 구조
= Garments are manufactured ~ and (are) transported ...

05 유형 글의 주제 파악하기

해석 _ ① 패스트 패션 산업 뒤의 문제들 ② 생활방식에 미치는 패스트 패션의 긍정적인 영향 ③ 패션 산업이 성장하는 이유 ④ 노동 환경 개선의 필요성 ⑤ 개발도상국 대기 오염의 심각성
해설 _ 패스트 패션 산업이 생산과 유통에 있어서 여러 가지 문제점을 갖고 있다고 주장하는 글이다.

06 유형 빈칸 어구 추론하기

해석 _ ① 심각한 대가 ② 다양한 선택권 ③ 충성스러운 고객들 ④ 멋진 스타일 ⑤ 지속가능한 발전
해설 _ 빈칸이 있는 문장 뒤에서 패스트 패션 산업의 여러 가지 문제점이 설명되고 있다. 따라서 패스트 패션이 소비자에게는 많은 비용을 치르게 하지 않아도, 다른 면에서 '심각한 대가'를 치르게 한다고 할 수 있다.

대학 캠퍼스에서 몇몇 동물들이 도움이 필요한 학생들을 도와주고 있다. 학교 관계자들은 특히 시험 기간 동안에 우울한 학생들을 위해 애완동물 치료 행사를 마련한다. 동물들 대부분은 사람들을 돕도록 훈련된 동물이 아니라 자원봉사자들의 애완동물이다. 동물들의 방문은 분명히 도움이 된다. 연구에 따르면 애완동물과의 접촉이 혈압과 스트레스 호르몬 수치를 낮추고 소위 행복 호르몬을 증가시킬 수 있다. 대학 캠퍼스 내 애완동물의 방문은 학생들이 성공할 수 있도록 돕는 훌륭한 방법이라고 여겨진다.

Grammar로 끊어 읽기

5행
조사는 보여 준다　～라는 것을
Research shows / that

애완동물과의 접촉이　감소시킬 수 있다
/ contact with pets / can decrease

혈압과 스트레스 호르몬 수치를
/ blood pressure and stress-hormone levels

그리고 증가시킨다　소위 행복 호르몬을
/ and increase / so-called happiness hormones.
→ 앞에 can이 생략되었다고 볼 수 있음.
can decrease ~ and (can) increase …의 병렬 구조

7행
애완동물의 캠퍼스 방문은　생각된다
Pet visits on campus / are considered
복수 주어 Pet visits를　복수 동사
전치사구 on campus가 꾸밈

훌륭한 방법으로　학생들을 뒷받침하는
/ as a great way / to support students
a great way를 꾸미는 형용사적 용법의 to부정사

그들의 길에　성공으로 가는
/ on their path / to success.

01 [유형] 글의 제목 추론하기

해석 _ ① 봉사 동물은 무엇인가? ② 호르몬이 당신의 기분에 어떻게 영향을 미치는가 ③ 애완동물: 스트레스를 받는 학생들을 위한 해결책 ④ 일단 당신이 자원봉사를 하면, 다른 사람들이 동참할 것이다 ⑤ 감정을 다스리는 것이 학교 성적을 개선시킨다

해설 _ 대학 캠퍼스 내에서 정서적 문제를 겪는 학생들을 위해 애완동물 치료 행사를 마련하고 있고, 애완동물들이 학생들의 정신 건강에 분명히 도움이 될 것이라는 내용의 글이다. 이를 함축적으로 나타내는 제목을 고른다.

02 [유형] 글의 요지 파악하기

해설 _ 우울한 학생들을 위해 애완동물 치료 행사를 마련하는 대학들이 있으며, 이 방법이 도움이 된다는 근거로 애완동물과의 접촉이 정서적인 문제에 도움이 된다는 연구 결과를 제시하고 있다. 따라서 이 글의 요지는 동물이 정서적인 문제가 있는 학생들에게 도움이 된다는 것이다.

2014년 세계 최상위 국제 관광 소비 국가

위 도표는 2014년의 세계 최상위 국제 관광 소비 국가를 보여 준다. 중국은 총 1,650억 달러로 목록의 맨 위에 있었다. 미국은 국제 관광에 러시아의 두 배가 넘는 돈을 소비했다. 독일은 미국보다 200억 달러 더 적게 소비했고 3위를 차지했다. 영국은 580억 달러를 소비했는데, 그것은 미국이 소비한 금액의 절반보다 더 적었다(→ 많았다). 다섯 국가 중에서, 러시아가 국제 관광에 가장 적은 금액의 돈을 소비했다.

Grammar로 끊어 읽기

3행
미국은 소비했다
The United States of America (USA) spent

더 많이　러시아의 두 배보다
/ more / than twice as much as Russia
비교급 비교　　배수 표현+원급 비교: ~배만큼 …한

국제 관광에
/ on international tourism.

6행 영국은 소비했다
The United Kingdom (UK) spent

580억 달러를   이것은 더 많았다
/ 58 billion dollars, / which was more
계속적 용법의 관계대명사 (선행사: 58 billion dollars)

총액의 절반보다   미국에 의해 소비된
/ than half of the amount / spent by the USA.
the amount를 꾸미는 과거분사

---

01 [유형] 도표 내용 파악하기

해설 _ ④ 국제 관광에 미국은 1,120억 달러를 소비했고 영국은 580억 달러를 소비했으므로, 영국이 소비한 금액은 미국이 소비한 금액의 절반(560억 달러)보다 많다. 따라서 ④의 less than을 more than으로 고쳐야 한다.

02 [유형] 도표 내용 파악하기

해설 _ ④ 미국의 2014년 국제 관광 소비액은 1,120억 달러로 영국(580억 달러)과 러시아(500억 달러)를 합친 것(1,080억 달러)보다 많다. ① 전 세계 국가가 아닌, 최상위 5개국의 소비액만 보여 준다. ② 중국은 1,650억 달러를 썼고 미국은 1,120억 달러를 썼으므로 중국이 미국의 두 배를 쓴 것은 아니다. ③ 독일의 소비액은 920억 달러로 미국의 소비액 1,120억 달러보다 200억 달러 적다. ⑤ 러시아의 소비액은 전 세계가 아닌 최상위 5개국 중 가장 적다.

● 출제유형 핵심 체크 ❸   pp. 40~41

Answers   **01** ⑤   **02** ④

Nuer 족은 남수단의 가장 큰 민족 집단 중 하나로 그들 중 대부분은 Nile River Valley에 거주한다. Nuer 족은 소를 기르는 민족이기에 소와 관련된 다양한 용어를 가지고 있다. 그들은 자신들이 기르는 소의 이름으로 불리는 것을 선호한다. Nuer 족에게 가장 일반적인 일상 식품은 유제품이다. (소는 다른 민족 집단에게도 중요한 식량 공급원이다.) 그리고 야생 과일과 견과류는 Nuer 족이 가장 좋아하는 간식이다. Nuer 족은 또한 가족 중 나이가 많은 구성원의 수만 세는 문화가 있다. 그들은 어떤 사람의 아이들 수를 세는 것이 불운을 야기할 수 있다고 믿는다.

Grammar로 끊어 읽기

4행 그들은 선호한다   불리는 것을   이름으로
They prefer / to be called / by the names
수동태 to부정사: to be+과거분사

소의   그들이 키우는
/ of the cattle / they raise.
→ 목적격 관계대명사 which[that]가 생략된 형태

9행 그들은 믿는다   ~라는 것을 / 아이들의 숫자를 세는 것이
They believe / that / counting the number

어떤 사람이 가진 / 야기할 수 있다
of children / one has / could result in
선행사 children을 꾸미는 관계대명사절,
앞에 목적격 관계대명사가 생략된 형태

불운을
/ misfortune.

---

01 [유형] 내용 불일치 가려내기

해설 _ ⑤ 마지막 부분에서 어린 아이의 숫자를 세는 것이 불운을 가져온다고 믿어 가족 구성원의 수를 셀 때 어른의 수만 센다고 했다.

02 [유형] 흐름에서 벗어난 문장 찾기

해설 _ Nuer 족에 대해 설명하는 글이므로 소와 다른 집단의 관계를 설명하는 ④번 문장은 글의 흐름에서 벗어난다.

● 기초력 집중드릴   pp. 42~47

Answers   **01** ⑤   **02** ④   **03** ②   **04** ③
05 ③   **06** ④

[01~02]

아이들에게 선택권을 주고 그들이 얼마나 먹을지와 무엇을 먹을지에 대해 자신이 결정하게 허락하라. 예를 들어 "Lisa, 미트볼을 먹고 싶니 아니면 닭고기를 먹고 싶니?"라고 저녁 식사 준비에 대한 의사 결정 과정에 그들을 포함시켜라. 그들이 저녁 식사 동안 얼마나 먹어야 하는지를 의논할 때, 그들에게 적당량의 음식을 차려 줘라. 만약 그들이 (식사를) 끝낸 후에도 여전히 '배고프다'고 주장하면, 그들에게 5분에서 10분 동안 기다리라고 요청해라. 만약 그들이 계속 배고픔을 느끼면, 그때 그들은 한 그릇의 음식을 더 먹을 수 있다. 제대로 학습될 때, 이것들은 훌륭한 자신감과 자제력을 가르쳐 주는 멋진 행동이다.

아이들에게 선택지를 주어라 그리고 그들을 허락해라
1행 Give children options / and allow them
Give와 allow가 접속사 and로 병렬 구조를 이룸 = children

그들 자신의 결정을 하도록
/ to make their own decisions
= children's

얼마나 먹을지에 대해 그리고 무엇을 먹을지
/ on how much to eat / and what to eat.
앞에 on이 생략됨

논의할 때 그들이 얼마나 먹어야 하는지
5행 When discussing / how much they should eat
접속사가 있는 분사구문 간접의문문 = children

저녁 식사 동안 그들에게 차려 주어라
/ during dinner, / serve them
= children

적당한 양을
/ a reasonable amount.

만약 그들이 주장한다면 그들이 여전히 '배고프다'고
6행 If they claim / they are still "hungry"
명사절 접속사 that이 생략됨

그들이 (식사를) 마친 후에도 그들에게 요청해라 / 기다리라고
/ after they are through, / ask them / to wait
be through: (어떤 일을 하는 것을) 마치다

5~10분 동안
/ five to ten minutes.

이것들은 멋진 행동이다
8행 These are fantastic behaviors / that,
주격 관계대명사, 선행사는 fantastic behaviors

제대로 가르쳐질 때 가르치는
/ when taught properly, / teach
삽입 구문, taught 앞에 they are가 생략됨 └ 관계대명사절의 동사

훌륭한 자신감과 자제력을
/ brilliant self-confidence and self-control.

---

01 유형 글의 제목 추론하기
해석 _ ① 자녀들에게 역할 모델이 되어라 ② 허기: 아이들에게 최고의 반찬 ③ 식사 예절: 그것이 중요한가? ④ 충분한 영양 섭취: 아이들의 지적 능력 ⑤ 아이들에게 음식에 대한 자립심을 가르쳐라
해설 _ 아이들에게 먹을 것에 대한 선택권을 주고 스스로 결정하게 하면 자신감과 자제력을 길러줄 수 있다는 내용의 글이다. 따라서 아이들, 음식, 자기 결정, 자립 등의 키워드를 포함하는 제목이 알맞다.

02 유형 주어진 문장의 위치 파악하기
해설 _ 주어진 문장에서 아이들이 계속해서 배고픔을 느낄 때 한 그릇 더 먹을 수 있게 하라고 했으므로, 앞에 아이가 이미 한 그릇을 먹고도 배가 고픈 상황이 제시될 것이다.

[03~04]

2013, 2014, 2015년 10월 한국인 방문객의 뉴질랜드 여행 목적

이 도표는 2013, 2014, 2015년 10월에 뉴질랜드를 방문한 한국인들의 수를 그들의 여행 목적에 따라 보여 준다. 해당 기간 동안 뉴질랜드를 방문한 가장 흔한 목적은 친구와 친척 방문이었다. 교육 목적으로 방문한 사람들은 2013년부터 2015년(→ 2014년)까지 줄어들었다. 2014년의 사업차 방문객 수는 이전 해의 수와 비교하여 감소했다. 그 숫자는 2015년에는 그대로 유지되었다. 2015년에 교육 목적으로 방문한 사람들 수는 사업 목적으로 방문한 사람들 수의 두 배보다 많았다.

숫자는 방문객의
6행 The number / of visitors

사업의 이해관계가 있는 2014년에 감소했다
/ with business interests / in 2014 / dropped
문장 전체의 동사

~와 비교해서 이전 해의 그것
/ compared with / that in the previous year.
= the number of visitors with business interests

2015년에 숫자는 사람들의
8행 In 2015 / the number / of people

교육 목적을 위해 방문하는 더 많았다
/ visiting for education purposes / was more
people을 꾸미는 현재분사

사람들 수의 두 배보다
/ than double the number of those
= people

사업 목적을 위해 방문하는
/ visiting for business purposes.
those를 꾸미는 현재분사

---

03 유형 도표 내용 파악하기
해설 _ 교육 목적으로 방문한 사람들 수는 2014년에 감소했지만 2015년에는 증가했으므로, 2013년부터 2015년까지 감소했다고 설명하는 ②번 문장은 도표와 일치하지 않는다.

04 (유형) 도표 내용 파악하기

해설 _ ③ 교육 목적으로 방문한 사람들은 2015년 10월에 가장 많았다. ① 사업차 뉴질랜드를 방문한 한국인 수는 2014년과 2015년이 동일하므로 3년간 계속 감소했다고 볼 수 없다. ② 2014년 10월에 방문한 한국인 수는 총 590명(446명+80명+64명)으로 2013년 10월의 672명(398명+130명+144명)보다 적다. ④ 2013년 10월에 뉴질랜드를 방문한 한국인은 672명이다. ⑤ 2015년 10월에 친구와 친척을 방문한 한국인은 660명으로, 2013년 10월의 398명의 두 배(796명)를 넘지 않는다.

[05~06]

> Jessie Redmon Fauset은 1884년 New Jersey의 Snow Hill에서 태어났다. 그녀는 Cornell University를 졸업한 최초의 흑인 여성이었다. Fauset은 소설과 시를 썼고, 공립학교에서 프랑스어를 가르쳤고, 저널 편집자로서 일했다. 편집자로 일하는 동안, 그녀는 Harlem Renaissance(흑인 예술 문화 부흥 운동)의 많은 유명한 작가들을 격려했다. 비록 그녀는 편집자로 유명하지만, 많은 비평가들은 그녀의 소설 〈Plum Bun〉을 Fauset의 가장 뛰어난 작품으로 간주한다. 그 소설에서는 백인으로 여겨질 수 있는 한 흑인 소녀가 결국에는 자신의 인종적 정체성과 자부심을 주장한다. Fauset은 1961년 4월 30일에 Philadelphia에서 심장병으로 사망했다.

Grammar로 끊어 읽기

6행　　그녀가 유명함에도 불구하고　　　　편집자로서
Though she is famous / as an editor,

많은 평론가들은 여긴다　　　　그녀의 소설 〈Plum Bun〉을
/ many critics consider / her novel *Plum Bun*
　　　　　　　consider A B: A를 B로 여기다　　└ A

Fauset의 가장 뛰어난 작품으로
/ Fauset's strongest work.
　　　　└ B

8행　그 속에서 / 한 흑인 소녀는　　백인으로 여겨질 수 있는
In it, / a black girl / who could pass for white
= her novel *Plum Bun*　　　　　　pass for: ~으로 통하다
결국에는 주장한다　　　　그녀의 인종적 정체성과 자부심을
/ ultimately claims / her racial identity and pride.
　　　　시간의 영향을 받지 않는 책 속의 내용이므로 현재 시제로 씀

05 (유형) 내용 불일치 가려내기

해설 _ ③ Jessie Redmon Fauset은 Harlem Renaissance의 작가들을 격려했다고 했으므로, Harlem Renaissance에 대해 긍정적인 시각을 갖고 있었음을 알 수 있다.

06 (유형) 어법 정확성 판단하기

해설 _ ④ claiming의 주어는 a black girl로 문장 전체의 주어이다. 따라서 claiming도 문장 전체의 동사 역할을 해야 하므로 현재분사로 쓸 수 없다. claiming → claims ① graduate는 '졸업하다'라는 뜻으로 주어와 능동 관계이므로 능동태 to부정사로 쓰이는 것이 알맞다. ② 분사구문으로, 주어를 생략하고 동사를 현재분사 형태로 썼다. 의미를 명확히 할 때 접속사를 생략하지 않기도 한다. 또한 생략된 주어(she)와의 관계로 볼 때 능동이므로 working의 쓰임이 자연스럽다. ③ 흐름상 소설은 Jessie Redmon Fauset이 썼고 평론가들이 그것을 평한 것이므로 novel 앞에 소유격 her(= Jessie Redmon Fauset's)가 알맞다. ⑤ die of: ~으로 죽다

2017 Happy Voice 합창단 오디션

노래 부르기를 좋아하세요? 가장 유명한 학교 동아리 중 하나인 Happy Voice가 여러분을 위해 오디션을 개최합니다. 아주 신나는 공연을 위해 와서 우리와 함께하세요!

· 대상: 신입생 누구나

· 일시: 3월 24일 금요일 오후 3시

· 장소: 강당

모든 지원자는 두 곡을 불러야 합니다.

– 첫 번째 노래: 'Oh Happy Day!'

– 두 번째 노래: 여러분이 자신의 곡을 선택합니다.

오디션에 참가하려면, hvaudition@gmail.com으로 우리에게 이메일을 보내 주세요. 정보를 더 얻으려면 학교 웹사이트를 방문하세요.

Grammar로 끊어 읽기

2행   Happy Voice는   하나
Happy Voice, / one
Happy Voice = one of the most famous school clubs (동격)

가장 유명한 학교 동아리 중   오디션을 개최합니다
/ of the most famous school clubs, / is holding
계획된 미래를 나타내는
현재진행 시제

여러분을 위해
an audition / for you.

---

01 [유형] 실용문 내용 파악하기

해설 _ ④ 지원자는 지정곡 한 곡(Oh Happy Day!)과 자신이 선택한 한 곡을 불러야 한다고 했다.

02 [유형] 어법 정확성 판단하기

해설 _ ① be동사 are의 주어는 앞의 Happy Voice로 단수이다. 따라서 are가 아닌 is로 고쳐야 한다. ② 감정을 나타내

는 분사형용사를 쓸 때, 꾸미는 대상이 감정을 불러일으키는 것이면 현재분사를, 감정을 느끼는 것이면 과거분사를 쓴다. performances는 감정을 불러일으키는 것이므로 현재분사 exciting을 쓰는 것이 알맞다. ③ 앞에 all이 있으므로 셀 수 있는 명사인 applicant는 복수로 쓴다. ④ own은 '~ 자신의 것'이라는 의미로 대명사처럼 쓰일 수 있다. ⑤ enter라는 행위의 주체는 명령문에서 생략된 you이므로 to부정사의 능동태가 바르게 쓰였다.

저는 3개월 전에 설치된 제 세탁기가 더 이상 작동하지 않는다고 말하게 되어 유감입니다. 가능한 한 빨리 서비스 기사를 보내 주시기 바랍니다. 제품 보증서에는 귀사에서 재료는 무상으로 제공하지만, 기사의 노동에 대해서는 비용을 부과한다고 되어 있습니다. 이것은 부당한 것 같습니다. 저는 기계의 고장이 생산 결함에서 비롯된 것이라고 믿습니다. 처음부터 그것은 많은 소음을 냈으며, 나중에 완전히 작동을 멈추었습니다. 결함을 고치는 것은 전적으로 회사의 책임이므로, 수리 노동에 대해서 그 비용을 우리에게 지불하게 하지 마시기를 바랍니다.

Grammar로 끊어 읽기

나는 ~을 말하게 되어 유감스럽다 / 내 세탁기가
1행   **I regret to say / my washing machine**
→ 명사절을 이끄는 that이 생략된 구조

석 달 전에 설치된
/ supplied three months ago
앞의 my washing machine을 꾸미는 과거분사

더 이상 작동하지 않는다
/ is no longer working.
no longer: 더 이상 ~ 않는

제품 보증서에 쓰여 있다   ~라고
3행   **The product warranty says / that**

당신이 재료를 제공한다   무료로
/ you provide materials / for free,
세탁기 제조사를 가리킴

그러나 기사의 노동에 대해 비용을 부과한다
/ but charge for the engineer's labor.
주어는 you (you provide ~ but (you) charge ...)

전적으로 회사의 책임이므로
7행 As it is wholly the company's responsibility
가주어 it
결함을 고치는 것은
/ to correct the defect,
진주어 to부정사
나는 바란다   당신이 우리에게 ~하게 하지 않기를
/ I hope / you will not make us
→ 명사절을 이끄는 that이 생략된 구조
수리 노동에 요금을 지불하다
/ pay for the repair labor.
사역동사 make+목적어 us+목적격 보어 원형부정사 pay

---

01 [유형] 어법 정확성 판단하기

해설 _ ④ 흐름상 '작동을 멈추다'라는 의미가 되어야 하므로 to operate를 동명사 operating으로 바꾸어야 한다. 동사 stop은 목적어로 동명사가 온다. stopped to operate는 '작동하기 위해 멈췄다'라는 의미로 이때 to operate는 목적을 나타내는 부사적 용법이다. ① 주어는 my washing machine이므로 3인칭 단수 be동사 is가 바르게 쓰였다. ② that은 동사 says의 목적어인 명사절을 이끄는 접속사이다. 뒤에 완전한 형태의 절이 나온 것에 유의한다. ③ 감각동사 sound는 형용사 주격 보어를 필요로 하므로 unfair는 적절하다. ⑤ 이 문장에서 make는 사역동사이므로 목적격 보어로 원형부정사를 쓴다. 따라서 pay가 적절하게 쓰였다.

02 [유형] 글의 목적 추측하기

해설 _ 제조상의 결함으로 고장이 난 세탁기를 수리할 때 수리 기사의 인건비를 소비자가 부담하는 것은 부당하다고 지적하면서 가능한 한 빨리 수리 기사를 보내 달라고 했다. 즉, 이 글을 쓴 목적은 세탁기 수리를 요청하기 위해서이다.

● 출제유형 핵심 체크 ③   pp. 54~55

Answers 01 ⑤   02 ②

기술 발전은 흔히 변화를 강요하는데, 변화는 불편하다. 기술은 종종 거부당하고 어떤 사람들은 그것을 위협으로 여긴다. 우리가 기술이 삶에 미치는 영향을 고려할 때 불편함에 대한 우리의 본능적인 혐오를 이해하는 것은 중요하다. 사실, 우리 대부분은 저항이 가장 적은 길을 선호한다. 이러한 경향은 신기술의 진짜 잠재력이 인식되지 못한 채로 남아 있을 수도 있음을 의미한다.

왜냐하면 많은 이들에게 새로운 무언가를 시작하는 것은 그저 너무나 힘든 일이기 때문이다. 신기술이 우리의 삶을 얼마나 개선할 수 있을지에 대한 우리의 생각조차 편안함에 대한 이 본능적인 욕구에 의해 장려될(→ 제한될, 거부될) 수 있다.

Grammar로 끊어 읽기

중요하다   우리의 본능적인 혐오를 이해하는 것은
3행 It is important / to understand our natural hate
가주어 it   진주어 to부정사
불편함에 대한   우리가 고려할 때
/ of being uncomfortable / when we consider
전치사의 목적어가 되는 동명사
기술의 영향을   우리 삶에 대한
/ the impact of technology / on our lives.

이 경향은 의미한다   ~라는 것을
6행 This tendency means / that

새로운 기술의 진짜 잠재력은
/ the true potential of new technologies

인식되지 않은 채로 남아 있을 수 있다   왜냐하면   많은 이들에게
/ may remain unrealized / because, / for many,
remain+형용사: ~한 채로 남아 있다
새로운 무언가를 시작한다는 것은
/ starting something new
동명사 주어
그저 너무 힘든 일이다
/ is just too much of a struggle.

~에 관한 우리의 생각조차
9행 Even our ideas about

새로운 기술이 우리의 삶을 얼마나 개선할 수 있을지
/ how new technology can improve our lives
전치사 about의 목적어 역할을 하는 간접의문문
제한될 수도 있다   이러한 본능적인 욕구에 의해
/ may be restricted / by this natural desire
문장 전체의 동사
편안함에 대한
/ for comfort.

---

01 [유형] 어휘 적합성 판단하기

해설 _ ⑤ 사람들이 변화를 불편하게 여기기 때문에 기술의 발전이 저해될 수 있다는 것이 글의 주제이므로, 편안함을 추구하는 인간의 본능에 의해 신기술로 인한 발전이 '장려되는(encouraged)' 것이 아니라 '제한되거나(restricted)' '거부당할(resisted)' 수 있다고 하는 것이 자연스럽다.

02 [유형] 글의 요지 파악하기

해설 _ 사람들이 변화를 불편하게 여겨 거부하기 때문에, 필연적으로 변화를 가져올 수 밖에 없는 기술 발전이 저해될 수 있다고 지적하는 글이다.

● 기초력 집중드릴　　　　　　　　pp. 56~61

Answers　01 ⑤　　02 ⑤　　03 ②　　04 ①
05 ③　　06 ④

[01~02]

> **Crystal Castle 불꽃놀이**
>
> 영국 남서부에서 가장 큰 불꽃놀이에 와서 즐기세요!
>
> 날짜: 12월 5일과 6일
>
> 장소: Crystal Castle, Oak가 132번지
>
> 시간: 15:00 ~ 16:00 라이브 음악 쇼
> 　　　16:30 ~ 17:30 보물찾기
> 　　　18:00 ~ 18:30 불꽃놀이
>
> 주차: 무료 주차장이 13시에 개방됩니다.
>
> 주의 사항: 12세 이하의 모든 아동은 성인과 동행해야 합니다.
> 모든 입장권은 저희 웹사이트 www.crystalcastle.com에서 미리 예매해야 합니다.

Grammar로 끊어 읽기

11행
　어떤 어린이든　12세거나 그 아래의
Any child / aged 12 or under
　　　　　→ 주격 관계대명사와 be동사가 생략된 구조
동반되어야 한다　　　　성인에 의해
/ must be accompanied / by an adult.
　　조동사 수동태

---

01 [유형] 실용문 내용 파악하기

해설 _ ⑤ 'Any child aged 12 or under must be accompanied by an adult. (12세 이하의 아동은 누구든 성인에 의해 동반되어야 한다.)'라고 했다. ① 영국 남서부에서 가장 큰 불꽃놀이 행사라고 했다. ② 라이브 음악 쇼는 오후 3시부터 4시 사이에, 불꽃놀이는 오후 6시부터 6시 반 사이에 진행된다. ③ 불꽃놀이는 30분간 진행된다. ④ 주차장은 오후 1시부터 무료로 개방된다.

---

02 [유형] 실용문 내용 파악하기

해설 _ ⑤ 입장권은 전부 웹사이트에서 예매해야 한다고 했다.

[03~04]

> '당신이 먹는 것이 곧 당신이다.' 그 구절은 종종 당신이 먹는 음식과 당신의 신체 건강 사이의 관계를 보여 주기 위해 사용된다. 하지만 여러분은 가공식품이나 통조림 식품을 살 때 여러분이 무엇을 먹고 있는 것인지 정말 아는가? 오늘날 만들어진 제조 식품 중 다수가 너무 많은 인공 성분을 함유하고 있어서 때로는 정확히 그 안에 무엇이 들어 있는지 알기가 어렵다. 다행히, 이제는 식품 라벨이 있다. 식품 라벨은 식품에 관한 정보를 알아내는 좋은 방법이다. 식품 위의 라벨은 책에서 볼 수 있는 목차와 같다. 식품 라벨의 주된 목적은 여러분이 구입하려는 식품 안에 무엇이 들어 있는지 여러분에게 알려 주는 것이다.

Grammar로 끊어 읽기

1행
　　그 구절은 종종 사용된다　　　　관계를 보여 주기 위해
That phrase is often used / to show
　　　　　　　　목적을 나타내는 부사적 용법의 to부정사
　여러분이 먹는 음식과 여러분의 신체 건강 사이의
the relationship / between the foods you eat
　　　　　　　선행사 the foods를 꾸미는 관계대명사절,
　　　　　　　목적격 관계대명사 which[that] 생략
and your physical health.

4행
　제조된 상품 중의 다수는　　　　　오늘날 만들어지는
Many of the manufactured products / made
　　　　　　　　　관계대명사와 be동사
　　　　　　　　　가 생략된 구조
매우 많은 인공 성분을 포함한다
today / contain so many artificial ingredients
　　　　　　　　so ~ that: 매우 ~해서 ···하다
그래서 때로는 어렵다　　　　　정확히 아는 것이
/ that it is sometimes difficult / to know exactly
　　　　　　　가주어 it　　　　　진주어 to부정사
무엇이 그것들 안에 있는지
/ what is inside them.
　　　간접의문문

10행
　　주된 목적은　　　식품 라벨의　　~이다
The main purpose / of food labels / is
　　　　단수 주어　　　　　　　　단수 동사
여러분에게 알려 주는 것　식품 안에 무엇이 있는지
/ to inform you / what is inside the food
명사적 용법의 to부정사 (보어)　　간접의문문
당신이 구입하려고 하는
/ you are purchasing.
선행사 the food를 꾸미는 관계대명사절, 목적격 관계대명사 which[that] 생략

---

03 [유형] 어법 정확성 판단하기

해설 _ ② '매우 ~해서 …하다'라는 의미의 so ~ that 구문이 되는 것이 자연스럽다. which는 관계대명사이므로 뒤에 불완전한 절이 와야 하는데, 뒤에 완전한 절이 왔으므로 적절하지 않다. which → that ① be used + to부정사: ~하기 위해 사용되다 ③ to부정사가 앞의 명사구 a good way를 꾸미는 형용사적 용법으로 쓰였다. ④ like는 '~처럼'이라는 의미의 전치사로 쓰여서 명사 앞에 올 수 있다. ⑤ 주어는 The main purpose로 단수이다. 따라서 be동사 is가 알맞다.

04 [유형] 빈칸 어구 추론하기

해석 _ ① 여러분이 무엇을 먹고 있는 것인지 ② 그 구절이 어디에서 유래했는지 ③ 건강에 좋지 않은 음식을 피하는 방법 ④ 여러분이 더 많은 돈을 쓰고 있다는 것 ⑤ 여러분이 신체 활동을 필요로 한다는 것

해설 _ 이 글의 요지는 가공식품이나 통조림 식품에는 식품 라벨이 붙어 있으므로, 그것을 통해 자신이 정말로 무엇을 먹고 있는지 알 수 있다는 것이다. 'the information about the food(식품에 관한 정보),' 'what is inside the food you are purchasing(여러분이 구입하는 식품에 들어 있는 것)' 등의 표현을 통해 빈칸에 들어갈 말을 짐작할 수 있다.

[05~06]

뇌는 우리 몸무게의 2퍼센트를 차지할 뿐이지만 우리 에너지의 20퍼센트를 사용한다. 신생아의 경우, 그 비율은 65퍼센트에 달한다. 그것은 부분적으로 아기들이 항상 잠을 자는 이유이다. 그들의 성장하는 뇌가 그들을 지치게 하기 때문이다. 근육은 전체의 약 4분의 1 정도로 더 많은 에너지를 사용하긴 하지만, 우리는 많은 근육을 가지고 있기도 하다. 실제로, 물질 단위당, 뇌는 우리의 다른 기관보다 훨씬 많은 에너지를 사용한다. 그것은 우리 장기 중 뇌가 가장 (에너지가 많이 드는) 값비싼 것임을 의미한다. 하지만 그것은 또한 놀랍도록 효율적이다. 뇌는 하루에 약 400칼로리의 에너지만 필요로 하는데, 고작 블루베리 머핀 하나에서 얻는 것과 거의 같다. 머핀 한 개로 24시간 동안 노트북을 작동시켜서 얼마나 가는지 보라.

Grammar로 끊어 읽기

6행
사실 / 물질 단위 당 / 뇌는 사용한다
Actually, / per unit of matter, / the brain uses

훨씬 더 많은 에너지를 / 우리의 다른 기관보다
/ by far more energy / than our other organs.
by far: 비교급이나 최상급을 강조하여 '훨씬'이라는 의미를 나타냄

9행
우리의 뇌는 요구한다
Our brains require

약 400칼로리의 에너지만을
/ only about four hundred calories of energy

하루에 / 거의 같다 / 우리가 얻는 것과
/ a day / — about the same / as we get
→ 400칼로리에 대한 추가 설명

고작 블루베리 머핀 하나로부터
/ from just a blueberry muffin.

11행
시도하라 / 당신의 노트북 컴퓨터를 작동시키는 것을
Try / running your laptop
try+동명사: ~하는 것을 시도하다, 해 보다

24시간 동안 / 머핀 하나에 의존해
/ for twenty-four hours / on a muffin

그리고 보라 / 얼마나 갈 수 있는지
/ and see / how far you get.
앞의 Try와 병렬 구조   간접의문문

---

05 [유형] 어휘 적합성 판단하기

해설 _ (A) 아기가 항상 자는 이유를 뇌가 에너지의 65%를 쓰기 때문이라고 했으므로 '성장하는 뇌가 아기를 '지치게' 만든다'고 하는 것이 자연스럽다. (B) 앞선 문장에서 뇌와는 달리 우리 몸에서 차지하는 비중이 높으면서 에너지도 많이 쓰는 근육에 대해 설명하고 있으므로, 뇌는 차지하는 비중이 적으면서도 '많은' 에너지를 소비한다고 비교하는 것이 자연스럽다. (C) 바로 뒤에서 뇌가 약 400칼로리의 에너지만으로도 하루 종일 기능한다고 설명했으므로, 하는 일에 비해 적은 에너지를 쓰는 '효율적' 기관이라고 하는 것이 적절하다.

06 [유형] 주어진 문장의 위치 파악하기

해설 _ 주어진 문장의 That이 가리키는 바를 알아야 한다. 뇌가 물질 단위 당 다른 기관보다 더 많은 에너지를 소비하는 기관이라는 내용(Actually, ~ than our other organs.)의 앞 문장을 주어진 문장의 That이 가리키는 것이 자연스럽다. 또한 이를 반박하면서 뇌의 효율성을 설명하는 문장이 역접의 접속사 But으로 주어진 문장 바로 뒤에 이어지게 되는 것이 적절하다.

05 DAY 글의 흐름을 알면 빈칸도 보인다

● 출제유형 핵심 체크 ❶   pp. 64~65

Answers 01 ①   02 ③

Armand Hammer는 1990년에 92세의 나이로 사망한 훌륭한 사업가였다. 그가 한번은 그의 나이의 사람이 어떻게 세계를 계속 돌아다니며 사업을 할 수 있는 에너지를 가질 수 있는지 질문을 받았다. "나는 내 일을 사랑합니다. 새로운 하루를 시작하는 게 너무나 기다려져요. 잠이 깰 때면 늘 새로운 아이디어가 가득합니다. 모든 것이 도전이죠."라고 그는 말했다. 역대 가장 성공한 작가 중 한 명인 George Bernard Shaw도 약 백 년 전 이와 비슷한 말을 했다. "나는 죽을 때 완전히 소진되기를 원하는데, 그 이유는 내가 열심히 일할수록, 내가 더 사는 것이기 때문이다."라고 그는 썼다. 나는 Hammer와 Shaw가 인생에서 아무것도 열심히 일하는 것을 대신할 수 없다는 데에 내게 동의했을 것이라고 생각한다.

Grammar로 끊어 읽기

2행
그가 한번은 질문을 받았다   어떻게 그의 나이의 사람이
He was once asked / how a man of his age
　　　　　　　　　　　　　　　의문사 ＋주어
　　　　　　　　　　　　간접의문문의 어순: 의문사＋주어＋동사

에너지를 가질 수 있는지   계속 세계를 돌아다니며
/ had the energy / to continually travel the world
＋동사　　　　　　　　　to부정사 형용사적 용법

사업을 하기 위해
/ to do business.

9행
나는 생각한다 / Hammer와 Shaw가 동의했을 것이라고
I think / Hammer and Shaw would have
　　　→ think의 목적어 명사절을 이끄는　　조동사＋have＋과거분사
　　　　접속사 that이 생략됨　　　　　　（가정의 의미）

내게   아무것도 대신할 수 없다
agreed / with me / that nothing can replace
　　　　　　　　　agreed의 목적어 명사절을 이끄는 접속사

열심히 일하는 것을 인생에서
/ hard work / in life.

---

01 유형 빈칸 어구 추론하기

해석 _ ① 열심히 일하는 것   ② 진정한 우정   ③ 좋은 교육

④ 재치 있는 언급   ⑤ 주의 깊은 계획

해설 _ 3행의 the energy to continually travel the world to do business(세계를 계속 돌아다니며 사업을 할 수 있는 에너지)와 9행의 the harder I work, the more I live(내가 열심히 일할수록, 내가 더 산다)라는 말로 보아 nothing can replace hard work in life(인생에서 아무것도 열심히 일하는 것을 대신할 수 없다)가 되어야 자연스럽다.

02 유형 필자의 주장 파악하기

해설 _ 고령에도 전 세계를 다니며 사업을 계속한 Armand Hammer와 열심히 일하고 완전히 소진된 상태로 죽고 싶다고 한 George Bernard Shaw의 예를 들면서 인생에서 가장 중요한 것은 열심히 일하는 것이라는 필자의 주장을 펼치고 있다.

● 출제유형 핵심 체크 ❷   pp. 66~67

Answers 01 ⑤   02 ③

사람들은 상황에 따라 변하는 가치관을 가지고 있다. 예를 들어, 어떤 사람이 물 한 병을 구입했다고 하자. 그러나 플라스틱 병의 위험성에 대한 기사를 읽고 난 후, 똑같은 사람이 다음 날에는 동일한 물병을 멀리할 수도 있다. 같은 사람이 일 년 후 비행기를 타고 반(反)플라스틱 회의에 가다가 사막에 추락한다면 플라스틱 병에 든 물 한 병이 그 사람에게 그때 그곳에서는 갑자기 세상에서 가장 귀중한 것 중 하나가 될 수도 있다. 이 사람은 어느 하나를 다른 것보다 더 선호한다는 것을 보여 주며, 모든 선택과 행동으로 가치의 등위와 순서를 입증해 보인다.

Grammar로 끊어 읽기

1행
예를 들어   어떤 사람이 구입할 수도 있다
For example, / a person might buy

물 한 병을   그러나 기사를 읽고 난 후
/ a bottle of water, / but after reading an article
　　　　　　　　　　접속사를 생략하지 않은 분사구문으로 볼 수 있음

플라스틱 병의 가능한 위험에 대한
/ on possible risks of plastic bottles,

그 똑같은 사람이 멀리할 수도 있다
/ that same person might avoid
↳지시형용사 that

동일한 물병을   다음 날에는
/ an identical bottle of water / the next day.

4행 ~할 때   일 년 후   같은 이 사람이 비행기를 타고 간다
    When / a year later / this same person flies
                                        동사1

반(反)플라스틱 회의에   그리고 추락한다
/ to an anti-plastics conference / and crashes
                                    동사2

사막에   플라스틱 병에 든 물 한 병이
/ in the desert, / a plastic bottle of water

갑자기 될 수도 있다   가장 귀중한 것 중 하나가
/ might suddenly become / one of the most
                        one of+the+형용사 최상급+복수 명사:
                        가장 ~한 것 중 하나

            세상에서
valuable things / in the universe —

그 사람에게   그때   그곳에서는
/ to that person, / at that time, / and in that place.

---

01 유형 빈칸 어구 추론하기
해석 _ ① 선택의 경제적 자유 ② 현명한 소비 전략 ③ 자연 재해에 대한 다양한 반응 ④ 저마다의 환경 보호 방법 ⑤ 상황에 따라 변하는 가치관
해설 _ 주어진 글은 주제문이 맨 앞에 위치하고 뒤에 예시를 들어 그 주제문에 대한 근거를 제시한 두괄식 글이다. 플라스틱 병에 든 물 한 병을 예로 들면서 상황에 따라 가치의 기준이 달라진다는 것을 말하고 있다. 그러므로, 글의 주제문인 첫 문장의 빈칸에 적절한 것은 ⑤ changing values depending on the situation(상황에 따라 변하는 가치관)이다.

02 유형 어법 정확성 판단하기
해설 _ ③ this same person이 주어이며 앞의 동사 flies와 등위접속사 and로 연결되어 병렬 구조를 이루므로 crashing은 crashes로 고쳐 써야 한다. ① 접속사가 쓰인 분사구문의 현재분사로 볼 수 있으며, 주어와의 관계로 보아 능동의 현재분사 쓰임이 알맞다. ② that은 지시형용사로 same person을 꾸민다. ④ 부사 suddenly가 동사 might become을 수식한다. ⑤ ordering은 앞의 ranking과 병렬 구조를 이루며 '순위 정하기, 순서 매기기'라는 의미의 명사로 쓰였다.

● 출제유형 핵심 체크 ③   pp. 68~69

Answers **01** ②   **02** ⑤

미국의 한 하드웨어 생산 회사가 독일의 유통 회사로부터 제품을 소개해 달라고 초청을 받았다. 가능한 한 가장 좋은 인상을 주고 싶어서 그 미국 회사는 독일어를 유창하게 하는 자사의 가장 유망한 젊은 임원 Fred Wagner를 보냈다. Fred가 자기를 초대한 독일인들을 처음 만났을 때 그는 굳게 악수를 했고 모두에게 독일어로 인사를 했다. 그는 편안한 분위기를 만들려고 몇 가지 농담으로 발표를 시작했다. 그러나 그는 발표가 독일의 임원들에게 아주 잘 받아들여지지 않는다고 느꼈다. 사실, 그는 한 가지 특정한 실수를 저질렀다. 그는 농담을 한 것으로는 아무 점수도 얻지 못했다. 독일의 비즈니스 상황에서는 그것이 너무 격식을 차리지 않고 비전문적인 것으로 여겨졌다.

Grammar로 끊어 읽기

        원하며   가능한 한 가장 좋은 인상을 주기를
2행 Wanting / to make the best possible impression,
    분사구문(현재분사형)
그 미국 회사는 보냈다   자사의 가장 유망한
/ the American company sent / its most promising

젊은 임원인   Fred Wagner를
young executive, / Fred Wagner,
        └ 콤마(,)를 이용한 동격임 ┘

독일어를 유창하게 하는
/ who spoke fluent German.
관계대명사 주격

        그러나   그는 느꼈다   ~라고
8행 However, / he felt / that
                                felt의 목적어 명사절을 이끄는 접속사
그의 발표가 아주 잘 받아들여지지 않는다고
/ his presentation was not very well received
                        └ 수동태 과거 부정 ┘
독일의 임원들에게
/ by the German executives.

---

01 유형 글을 한 문장으로 요약하기
해석 _ 이 이야기는 비즈니스 상황에서 유머를 사용하는 것이 독일에서는 부적절하게 여겨질 수 있다는 것을 보여 준다.
① 유머 – 필수적인 ② 유머 – 부적절한 ③ 제스처 – 필수적인 ④ 제스처 – 부적절한 ⑤ 이름 – 쓸모 있는

해설 _ 주어진 글은 문화적 차이에서 오는 비즈니스 상황에 대한 글이다. 농담으로 발표를 시작하였으나 독일의 임원들에게 잘 받아들여지지 않았다고 하였으므로, 빈칸 (A)에 적절한 단어는 humor(유머), (B)에 적절한 단어는 inappropriate(부적절한)이다.

02 (유형) 글의 제목 추론하기

해석 _ ① 독일–미국 무역 관계의 역사 ② 독일 비즈니스 환경에서 농담이 통하지 않는 이유 ③ 새로운 언어를 더 빨리 유창하게 말하는 다양한 방법 ④ 발표를 시작할 때 더 인상적이 되는 방법 ⑤ 문화적 차이가 국제 비즈니스에 미치는 영향

해설 _ 미국과 독일의 문화와 비즈니스 환경이 달라 미국식 유머가 독일에서는 효과가 없었다는 내용이므로, 적절한 제목은 ⑤ The Impact of Cultural Difference on International Business(문화적 차이가 국제 비즈니스에 미치는 영향)이다.

● 기초력 집중드릴 pp. 70~75

Answers	01 ②	02 ③	03 ⑤	04 ⑤
05 ①	06 ①			

[01~02]

인간들은 최고의 장거리 달리기 선수들이다. 사람과 침팬지가 달리기를 시작하자마자 그들은 둘 다 열이 난다. 침팬지는 빠르게 과열된다; 인간들은 그렇지 않은데, 그들은 체온을 떨어뜨리는 것에 훨씬 능숙하기 때문이다. 유력한 한 이론에 따르면, 털이 더 적다는 것은 더 시원하고 장거리 달리기에 더 효과적인 것을 의미하기 때문에 선조들은 연속적으로 여러 세대에 걸쳐 털을 잃었다. 그런 능력은 우리 조상들이 먹잇감을 앞질러 달리게 했다. 덥고 습한 날에 털 코트 두어 벌을 입고 1마일을 뛰어 보라. 이제, 그 코트를 벗고 다시 시도하라. 당신은 털의 부족이 만드는 차이점이 무엇인지 알 것이다.

Grammar로 끊어 읽기

유력한 한 이론에 따르면,
4행 According to one leading theory,
according to: ~에 따르면

선조들은 그들의 털을 잃었다
/ ancestral humans lost their hair

연속적으로 여러 세대에 걸쳐　　　　왜냐하면
/ over successive generations / because

털이 더 적다는 것은 의미한다 / 더 시원하고 더 효과적인 장거리 달리기를
/ less hair meant / cooler, more effective

long-distance running.

그런 능력은 하게 했다　　　우리 조상들이　　　먹잇감을 앞질러 달리게
7행 That ability let / our ancestors / outrun prey.
└ 체온 조절 능력　사역동사 let　　목적어　　　목적격 보어(원형부사)

01 (유형) 빈칸 어구 추론하기

해석 _ ① 더운 날씨 ② 털의 부족 ③ 근력 ④ 과도한 운동 ⑤ 종의 다양성

해설 _ 털로 뒤덮인 침팬지와 털이 점차 퇴화된 인간을 비교하며 털이 없는 것이 주는 이점을 설명하는 글로, '당신은 털의 부족이 만드는 차이점이 무엇인지 알 것이다'의 의미가 되어야 자연스럽다.

02 (유형) 글을 한 문장으로 요약하기

해석 _ 털을 잃는 것이 인간으로 하여금 과열되지 않은 채로 달리고 사냥하는 것을 가능하게 만들어 주었다.

① 털 – 경쟁 ② 먹잇감 – 과열 ③ 털 – 과열 ④ 먹잇감 – 경쟁 ⑤ 체온계 – 발한

해설 _ 침팬지와 인간이 달리기를 한다고 가정할 때 털이 없는 인간이 체온 조절에 더 유리하므로 먹잇감을 사냥하는 데 있어서도 더 유리하다.

[03~04]

우리는 붐비는 식당에서 식사할 가능성이 더 크다. 왜냐하면 우리의 무리 행동이 우리의 의사를 결정하기 때문이다. 당신이 비어 있는 두 군데의 식당 쪽으로 걸어가고 있다고 가정해 보자. 당신은 어느 곳에 들어가야 할지 알지 못한다. 그러나, 갑자기 여섯 사람의 무리가 그 중 한 군데에 들어가는 것을 본다. 당신은 어느 식당에 들어갈 가능성이 클까? 대부분의 사람들은 사람이 안에 있는 식당으로 들어간다. 당신과 친구가 그 식당에 들어간다고 가정하자. 이제, 그 식당 안에는 여덟 명의 사람이 있다. 다른 사람들은 한 식당은 비어 있고 다른 식당에는 여덟 명이 있는 것을 본다. 그러면, 그들은 다른 여덟 명과 동일하게 하기로 결정한다.

3행 **당신은 알지 못한다** / **어느 곳에 들어가야 할지**
You do not know / which one to enter.
의문형용사+부정대명사(= restaurant)

4행 **그러나,** / **당신은 갑자기 본다**
However, / you suddenly see
지각동사+목적어+
목적격 보어(원형부정사)

여섯 사람의 무리가 / **그 중 한 군데에 들어가는 것을**
/ a group of six people / enter one of them.
restaurants를 가리킴

---

03 (유형) 빈칸 어구 추론하기

해석 _ ① 두 식당 다 붐비게 될 것이다 ② 당신과 친구들은 망설이기 시작한다 ③ 당신의 결정은 다른 사람의 결정에 영향을 미치지 않는다 ④ 그들은 많은 다른 사람들이 하는 것을 거부한다 ⑤ 그들은 다른 여덟 명과 동일하게 하기로 결정한다

해설 _ 첫 행에서 '붐비는 식당에서 식사할 가능성이 크다'고 말하였으므로, 여덟 명이 있는 식당과 비어 있는 식당을 보았을 때 다른 사람이 한 것과 똑같이 붐비는 식당을 선택할 것이다.

04 (유형) 밑줄 친 부분의 의미 파악하기

해석 _ ① 우리가 하루에 얼마나 많은 사람들과 연락하는가 ② 레스토랑을 개장할 장소 선택하기 ③ 다른 맛을 구별하는 미각 ④ 우리 주변 사람들에 대해 불리하게 생각하는 것 ⑤ 남이 하는 것을 따라하고 모방하는 경향

해설 _ '무리 행동'이라는 것의 정의가 무엇인지 파악해야 하는데, 이어지는 내용에서 다른 사람들이 선택한 식당에 가게 되는 예시를 보여 주고 있으므로, '남이 하는 것을 따라하고 모방하는 행동'임을 알 수 있다.

[05~06]

내가 8학년이었을 때, 우리는 지리 시간에 경도와 위도를 공부하고 있었다. 일주일 동안 매일 우리는 쪽지시험을 보았는데, 나는 계속해서 경도와 위도를 혼동했다. 너무도 좌절해서 그 말들을 제대로 기억할 수 없었다. 나는 그 단어들을 바라보고 또 바라보다가, 마침내 무엇을 해야 할지를 갑자기 알게 되었다. longitude(경도)에서 'n'을 보면, 그것은 'north(북쪽)'라는 어휘를 떠올리게 할 거야, 라고 나는 혼잣말을 했다. 그래서 경도선은 북에서 남으로 간다고 기억하는 것이 쉬워질 거야. 그것은 효과가 있었고,

나는 다음 쪽지시험에서, 그리고 시험에서도 그것들을 전부 맞혔다.

3행 **나는 너무도 좌절해서** / **기억할 수 없었다**
I was so frustrated / that I couldn't keep
so+형용사/부사+that ~ can't: 너무 ~해서 …할 수 없다

그 말들을 제대로 / **마음 속에**
/ them straight / in my mind.
(= longitude and latitude)

7행 **그래서,** / **쉬워질 것이다** / **기억하는 것이**
Therefore, / it will be easy / to remember
가주어 it / 진주어 to부정사

~라고 / **경도선은 간다고** / **북에서 남으로**
/ that / longitude lines go / from north to south.
remember의 목적어 명사절을 이끄는 접속사 / from A to B: A부터 B까지

---

05 (유형) 글을 한 문장으로 요약하기

해석 _ 위 이야기는 여러분이 배우는 것을 이미 알고 있는 것과 연관시키는 것이 학습 내용을 암기하는 데 도움이 된다는 것을 시사한다.

① 연관시키는 – 암기하다 ② 연관시키는 – 출판하다 ③ 나타내는 – 출판하다 ④ 대신하는 – 평가하다 ⑤ 대신하는 – 암기하다

해설 _ 위도와 경도라는 개념을 외우는 데 어려움이 있었으나, 철자를 이용하여 연상할 수 있는 방법을 터득하게 되어 개념을 외우게 되었다는 내용이다.

06 (유형) 심경 변화 파악하기

해석 _ ① 당황한 → 자신감 있는 ② 흥분한 → 실망한 ③ 질투하는 → 우울한 ④ 외로운 → 기쁜 ⑤ 짜증나는 → 불만족스러운

해설 _ 처음에는 경도와 위도를 혼동해서 좌절하고 당황하다가, 철자를 이용한 암기 방법을 생각해 내어 다음 쪽지시험에서 전부 맞혔다고 했으므로 자신감을 갖게 되었을 것이다.

06 DAY 글의 흐름을 알면 쓰기도 쉽다

● 출제유형 핵심 체크 ❶　　　　　pp. 78~79

Answers 01 ③　　　　02 ④

나는 보수가 훨씬 더 좋았기 때문에 야간 근무 일자리를 얻었다. (B) 불행히도, 야간에 일한다는 것은 내가 더 이상 가족과 저녁을 먹을 수 없다는 것을 의미했다. 차가운 샌드위치는 집에서 먹는 따뜻한 식사와 완전히 같을 수 없다. (C) 어느 날 밤, 아내가 아이들을 데리고 저녁밥을 싸서 일터로 나를 만나러 왔다. 우리는 간이식당 탁자에 둘러앉았고 그것은 내가 오랜만에 먹는 최고의 식사였다. (A) 나는 평소보다 조금 더 오래 휴식 시간을 가졌고 나의 상사는 그것을 마음에 들어 하지 않았다. 그래서 우리는 자주 그렇게 할 수는 없었지만, 나는 그들이 올 때 기뻤다.

Grammar로 끊어 읽기

불행히도　　　　　　밤에 일하는 것은 의미했다
6행 Unfortunately, / working at night meant
　　　　　　　　　　동명사구 주어　　명사절 이끄는 that 생략
내가 더 이상 저녁 식사를 할 수 없다는 것을　　　나의 가족과
/ I could no longer have dinner / with my family.
　　　　　no longer: 더 이상 ~ 않는

어느 날 밤　　　내 아내는 쌌다
9행 One night, / my wife packed up
　　　　　　　　　　　　　　　동사1
아이들과 저녁 식사를　　　그리고 왔다　　나를 만나러
/ the kids and dinner / and came / to see me
둘 다 packed up의 목적어　　병렬 구조 동사2
일터로
/ at work.

01 유형 글의 순서 배열하기

해설 주어진 글은 글쓴이가 보수 때문에 야간 근무를 하게 된 상황을 보여 주며, (B)는 야간 근무로 인해 가족과 함께 저녁 식사를 하지 못하는 아쉬움, (C)는 가족과 일터에서 함께 행복한 저녁 식사를 한 일, (A)는 일터에서 저녁 식사를 한 것에 대한 상사의 반응으로 이어지므로, 알맞은 순서는 (B) – (C) – (A) 이다.

02 유형 어법 정확성 판단하기

해설 ④ come은 앞의 동사 packed up과 접속사 and로 이어지는 병렬 구조로, 동일하게 과거 시제로 써야 한다. → came ① 앞에 비교급 longer가 나오므로 than이 바르게 쓰였다. ② 대명사 it은 아내와 아이들이 찾아와 저녁 식사를 한 일을 가리킨다. ③ 'the same ~ as ...'는 '…와 같은 ~'의 의미이다. ⑤ 앞의 I'd는 I had의 축약형이므로 I had had의 과거완료 시제이다.

● 출제유형 핵심 체크 ❷　　　　　pp. 80~81

Answers 01 ⑤　　　　02 ⑤

대부분의 사전은 유명한 사람들의 이름을 목록에 싣고 있다. 편집자들은 누구를 포함시키고 누구를 제외할지에 대해서 어려운 결정을 해야 한다. 예를 들어 'Webster's New World Dictionary'는 Audrey Hepburn은 포함하지만 Spencer Tracy는 뺀다. 그것은 Bing Crosby는 싣고 Bob Hope는 싣고 있지 않다. 편집국장 Michael Agnes는 이름의 사용 빈도와 독자에 대한 유용성에 근거하여 이름이 선택된다고 설명한다. 하지만 그에 따르면 살아 있는 연예인은 포함되지 않는다. 바로 그 이유로, Elton John은 그 사전에 없지만, 수십 년 전에 사망한 Marilyn Monroe는 사전에 있다.

Grammar로 끊어 읽기

그 남자에 따르면　　　　하지만　　　연예인은
1행 According to him, / however, / entertainers
　　according to: ~에 따르면
살아 있는　　　　포함되지 않는다
/ who are alive / are not included.
　　관계대명사가 이끄는 형용사절

편집자들은 해야 한다　　　어려운 결정을
3행 The editors must make / difficult decisions
누구를 포함시키고　　　　　그리고 누구를 제외할지
/ about whom to include / and whom to exclude.
　　의문사+to부정사 1　　병렬 구조　　의문사+to부정사 2

01 유형 주어진 문장의 위치 파악하기

해설 _ 주어진 문장 속 대명사 him이 executive editor Michael Agnes를 가리킨다는 것과, '살아 있는 연예인은 사전에 등록되지 않는다'와 대비되는 내용이 앞에 온다는 것에 유의한다. 주어진 글의 예시가 뒤에 이어져야 자연스러우므로 알맞은 위치는 ⑤이다.

02 유형 글의 제목 추론하기

해석 _ ① 얼마나 많은 성씨가 사전에 실려 있는가 ② 당신이 사전에서 찾을 수 없는 단어들 ③ 스스로에게 알맞은 사전을 선택하는 법 ④ Audrey Hepburn: 할리우드의 상징적인 스타의 삶 ⑤ 사전은 언제 유명인의 이름을 추가하거나 추가하지 않는가

해설 _ 이 글은 사전 목록에 유명인의 이름을 싣는 기준에 대해 설명하고 있다. 그러므로 적절한 글의 제목은 ⑤ When Dictionaries Add Famous People's Name or Not (사전은 언제 유명인의 이름을 추가하거나 추가하지 않는가)이다.

<table>
<tr><td>8행</td><td>창의적 과정을 서두르는 것은
Rushing the creative process /
<small>동명사 주어</small></td><td>이어질 수 있다
can lead</td></tr>
</table>

결과로   수준을 밑도는
/ to results / that are below the standard
      <small>선행사</small>   <small>관계대명사 주격</small>

탁월함의
/ of excellence.

---

01 유형 흐름에서 벗어난 문장 찾기

해설 _ 회사가 높은 수준의 성취와 창의적인 결과를 얻으려면 서두르기보다는 충분한 시간을 확보해야 한다는 내용의 글이므로, 채용 기준의 경향을 설명한 ④는 흐름과 관계가 없다.

02 유형 필자의 주장 파악하기

해설 _ 위대한 아이디어들은 훌륭한 와인처럼 적절한 숙성을 하는 데 시간이 걸리고, 창의적 과정을 서두르는 것은 수준 이하의 결과를 가져온다고 했으므로, 필자가 주장하는 바는 ④가 적절하다.

● 출제유형 핵심 체크 ❸   pp. 82~83

Answers   01 ④   02 ④

> 나는 많은 회사들이 제품을 시장에 너무 서둘러 출시하는 것을 보아 왔다. 이런 행동을 하는 데는 비용을 만회하거나 제출 마감을 맞추려는 필요를 포함하여 많은 이유들이 있다. 그러나 그것은 창의적 과정에 해로운 영향을 미친다. 위대한 아이디어들은 **훌륭한 와인과 같이 적절한 숙성, 즉 완벽한 풍미와 품질을 만드는 데 걸리는 시간을 필요로 한다.** (그 결과 많은 회사들은 나이와 교육 수준과 상관없이 근로자들을 고용하고 있다.) 창의적 과정을 서두르는 것은 탁월한 수준을 밑도는 결과를 초래할 수 있다.

Grammar로 끊어 읽기

나는 보아 왔다   많은 회사들이   출시하는 것을
1행 I have seen / many companies / rush
      <small>지각동사</small>   <small>목적어</small>   <small>목적격 보어(원형부정사)</small>

그들의 제품을   시장에   너무 서둘러
/ their products / to market / too quickly.

● 기초력 집중드릴   pp. 84~89

Answers   01 ③   02 ②   03 ②   04 ⑤
05 ④   06 ②

[01~02]

> 색의 물리적 특성에 관한 과학적 연구는 Isaac Newton에게로 거슬러 갈 수 있다. (B) 어느 날, 그는 큰 장터에서 프리즘 한 세트를 발견했다. 그는 그것들을 집으로 가져와서 실험하기 시작했다. 그는 암실에서 가느다란 태양광 한 줄기가 삼각 유리 프리즘 위에 떨어지게 하였다. (C) 그 백색광은 프리즘에 부딪히자마자 친숙한 무지개 색으로 분리되었다. 사람들은 태초 이래로 무지개를 관찰해 왔기 때문에, 이 발견은 새로운 것이 아니었다. (A) Newton이 새로운 것을 발견한 것은 스펙트럼의 경로에 두 번째 프리즘을 놓았을 때였다. 합성된 색은 흰 빛줄기를 만들어냈다. 그래서 그는 스펙트럼 색을 혼합함으로써 백색광이 만들어질 수 있다고 결론 내렸다.

바로 ~ 때였다   Newton이 놓았던
3행 It was only when / Newton placed
강조의 it ~ that 구문
두 번째 프리즘을   스펙트럼의 경로에
/ a second prism / in the path of the spectrum

그가 새로운 것을 발견한 것은
/ that he found something new.
-thing으로 끝나는 명사는 형용사가 뒤에서 수식함

그래서   그는 결론 내렸다   ~라고
5행 Thus / he concluded / that
concluded의 목적어 명사절을 이끄는 접속사
백색광이 만들어질 수 있다   혼합함으로써
/ white light can be produced / by combining
조동사+수동태(be+과거분사)   전치사+동명사

스펙트럼 색을
/ the spectral colors.

이 발견은 새롭지 않았다
13행 This finding was not new,

인간은 무지개를 관찰해 왔기 때문에
/ as humans had observed the rainbow
이유를 나타내는 접속사   └ 주절의 과거 시점보다 앞선 시점부터
태초 이래로   계속되어 온 일이므로 과거완료로 씀
/ since the beginning of time.
since: ~ 이후로

01 [유형] 글의 순서 배열하기

해설 _ (B) Isaac Newton이 프리즘을 구입했다. (C) 첫 번째 프리즘으로 백색광이 친숙한 무지개 색으로 분리되는 것을 확인했다. (A) 프리즘을 하나 더 놓아 분리된 색을 혼합하여 백색광을 다시 만들어낼 수 있다는 새로운 사실을 발견하였다.

02 [유형] 어법 정확성 판단하기

해설 _ ② 주어가 white light이고 목적어가 보이지 않고 by가 이어지는 구조이며 의미상 '만들어진' 것이 적절하므로, 수동태가 되도록 producing을 produced로 고쳐 써야 한다. ① It ~ that 강조구문으로, 강조하는 내용은 부사절인 only when Newton placed a second prism in the path of the spectrum이다. ③ 대명사 them은 앞 문장에 나온 a set of prisms를 지칭하므로, 복수 대명사 them이 바르게 쓰였다. ④ 「allow+목적어+to부정사」에서 to부정사는 목적격 보어이다. a thin ray of sunlight와 fall의 관계는 능동이므로 능동태 to부정사가 바르게 쓰였다. ⑤ 과거보다 더 이전부터 지속된 일을 나타내고 있으므로 과거완료 had observed로 쓰였다.

[03~04]

아주 오랫동안 알고 지낸 친구인, 어린 시절의 친구는 정말 특별하다. 그들은 여러분에 관한 모든 것을 알고 있으며, 여러분은 처음 하는 많은 일들을 공유해 왔다. 하지만 사춘기가 되면, 때로는 이런 아주 오래된 우정이 성장통을 겪는다. 여러분은 예전보다 공통점이 더 적다는 것을 알게 된다. 어쩌면 여러분은 랩을 좋아하는데 그 친구는 팝을 좋아한다거나, 서로 다른 학교에 다니게 된다. 변화가 무서울 수도 있지만, 기억하라. 친구들, 심지어 가장 친한 친구도 꼭 같을 필요는 없다. 관심사가 다른 친구들을 갖는 것은 인생을 흥미롭게 해 준다. 그저 서로에게서 배울 수 있는 것에 대해 생각해 보라.

여러분은 안다   ~라는 것을 / 여러분이 더 적게 가지고 있다 / 공통으로
5행 You find / that / you have less / in common
find의 목적어 명사절을 이끄는 접속사
예전에 그랬던 것보다
/ than you used to.
과거의 습관

갖는 것은   관심사가 다른 친구들을   해 준다
9행 Having / friends with other interests / keeps
동명사 주어는 단수 취급함   단수 동사
인생을   흥미롭게
/ life / interesting
목적어   목적격 보어(형용사) → 목적격 보어 자리에 부사는 올 수 없음

03 [유형] 주어진 문장의 위치 파악하기

해설 _ 부사 however로 보아 주어진 문장과 상반되는 내용이 앞에 온다는 것을 짐작할 수 있다. 주어진 문장은 사춘기 때 우정이 성장통을 겪는다는 내용이므로 앞에 사춘기 이전 시기의 우정에 관한 언급이 있을 것이다.

04 [유형] 글의 요지 파악하기

해설 _ 어린 시절의 친구 관계가 시간이 흐름에 따라 변하게 되고 관심사도 달라지지만, 그 변화를 오히려 인생을 흥미롭게 해 주는 것으로 생각하고 자연스럽게 받아들여야 한다는 취지의 글이다.

> 오늘날 차량 공유 운동이 전 세계적으로 나타났다. 북미처럼 차량 소유 문화가 강한 곳에서조차도 차량 공유가 인기를 얻었다. 미국과 캐나다에서는, 많은 도시 지역에서 성인 5명 중 1명이 차량 공유 서비스를 이용한다. 공유된 각 1대의 차량이 약 10대의 개인 차량을 대체함에 따라, 교통 체증과 오염에 미치는 강한 영향을 토론토부터 뉴욕까지 느낄 수 있다. (사람들이 무인 자동차를 조작하는 데에는 면허가 필요하지 않다.) 교통 체증과 주차장 부족에 고심하는 시 정부는 차량 공유를 장려하고 있다.

Grammar로 끊어 읽기

1행
오늘날   차량 공유 운동이
Today / car sharing movements

나타났다   전 세계적으로
have appeared / all over the world.
현재완료(have+과거분사) – 과거에서 현재까지 지속되고 있는 일

5행
강한 영향이   교통 체증과
Strong influence / on traffic jams and
         문장 전체의 주어
오염에 대한   느껴질 수 있다
pollution / can be felt
on traffic jams and   └ 문장 전체의 동사
(on) pollution의 병렬 구조
토론토부터 뉴욕까지   ~ 때문에
/ from Toronto to New York, / as
                      이유를 나타내는 접속사
각각의 공유된 차량이 대체한다   약 10대의 개인 차량을
/ each shared vehicle replaces / around 10
          vehicle을 꾸미는 과거분사

personal cars.

8행
시 정부는   고심하는
City governments / struggling
      복수 주어   ↙ 현재분사구가 앞의 명사를 꾸밈
교통 체증과 주차장 부족으로
/ with traffic jams and lack of parking lots

장려하고 있다   차량 공유를
/ are encouraging / car sharing.
  복수 동사 / 현재진행 시제

05 [유형] 흐름에서 벗어난 문장 찾기

해설 _ 이 글은 전체적으로 차량 공유 운동의 인기와 그 영향에 대한 것이므로, ④ '무인 자동차를 사용하는 데 면허가 필요하지 않다'는 흐름상 필요하지 않다.

06 [유형] 글의 제목 추론하기

해석 _ ① 도시 지역에서의 주요 교통 문제 ② 국제적인 추세로서의 차량 공유의 성장 ③ 공무원들은 시민들이 무엇을 정말로 원하는지 들어야 한다 ④ 차량 공유란 무엇인가?: 차량 공유의 이점 ⑤ 왜 차량 공유 서비스가 북미에서 인기 있는가

해설 _ 전 세계적으로 인기 있는 차량 공유 운동의 확산을 미국과 캐나다의 예로 설명하고 있는 글로, 제목으로 알맞은 것은 ② Car Sharing Growth as An International Trend (국제적인 추세로서 차량 공유의 성장)이다. ④와 ⑤의 경우 각각 글의 세부 내용 중 하나에 대한 것이므로, 글 전체를 아우르는 제목으로는 적합하지 않다.

● 출제유형 핵심 체크 ❶　　pp. 92~93

Answers 01 ②　　02 ②　　03 ①

많은 고등학생은 TV를 보거나 시끄러운 음악을 들으면서 숙제를 하는 것을 고집하기 때문에 비효율적으로 공부한다. 그들은 TV나 라디오를 켜 둔 채로 공부를 '더 잘' 할 수 있다고 주장한다. 일부 전문가는 실제로 그들의 견해에 반대한다(→ 지지한다). 그들은 많은 십 대들이 어린 시절부터 '배경 소음'에 반복적으로 노출되어 왔기 때문에 전혀 이상적이지 않은 상황에서 실제로 생산적으로 공부할 수 있다고 주장한다. 이 교육 전문가들은 아이들이 TV, 비디오 게임, 그리고 시끄러운 음악 소리에 익숙해졌다고 주장한다. 그들은 또한 숙제를 할 때 학생들이 TV나 라디오를 꺼야 한다고 주장하는 것이 반드시 그들의 학업 성과를 개선하는 것은 아니라고 주장한다. 그러나, 이 견해는 분명히 일반적으로 공유되지는 않는다. 많은 교사와 학습 전문가는 시끄러운 환경에서 공부하는 학생들이 흔히 비효율적으로 학습한다는 것을 그들 자신의 경험으로 확신한다.

Grammar로 끊어 읽기

10행 그들은 또한 주장한다 ~라고 주장하는 것이 학생들이
They also argue / that / insisting / students
동명사 주어 insist의 목적어인 명사절을 이끄는 that이 생략된 형태

TV나 라디오를 꺼야 한다고 숙제를 할 때
turn off the TV or radio / when doing homework
접속사를 생략하지 않은 분사구문

반드시 개선하는 것은 아니라고
/ will not necessarily improve
동사

그들의 학업 성과를
/ their academic performance.
(= students')

13행 많은 교사와 학습 전문가는
Many teachers and learning experts

확신한다 그들 자신의 경험에 의해
/ are convinced / by their own experiences
수동태

~라는 것을 / 학생들이 시끄러운 환경에서 공부하는
/ that / students / who study in a noisy
목적어 명사절을 └ 주어 관계대명사 주격
이끄는 접속사
　　　　　　흔히 비효율적으로 학습한다
environment / often learn inefficiently.
동사

---

01 유형 글의 제목 추론하기
해석 _ ① 성공한 학생들은 미리 계획한다 ② 산만하게 공부하기: 괜찮은가? ③ 좋은 학습 도구로서의 스마트 기기 ④ 학부모와 교사: 교육 파트너 ⑤ 좋은 습관: 형성하기 어렵고 깨지기 쉽다
해설 _ 이 글은 시끄러운 환경에서 공부하는 것에 대한 전문가의 상반된 주장을 소개하며, 그들이 각각 그렇게 생각하는 근거를 설명하고 있다.

02 유형 어휘 적합성 판단하기
해설 _ 시끄러운 환경에서 공부를 '더 잘' 할 수 있다는 학생들의 견해를 지지하는 전문가들의 주장이 이어지므로, (b)는 oppose(반대하다)가 아니라 support(지지하다)가 적절하다.

03 유형 밑줄 친 부분의 의미 파악하기
해석 _ ① 산만함에 둘러싸여 ② 건강에 해로운 생활 방식을 따르며 ③ 학교 교실이 아닌 곳에서 ④ 가장 좋아하는 음악을 들으며 ⑤ 원치 않는 배경 소음을 제거하며
해설 _ under less-than-ideal conditions(전혀 이상적이지 않은 상황에서)는 앞에 나온 'TV나 라디오를 켜 둔 채 공부하는 상황'을 의미하므로, 적절한 것은 ① surrounded by distractions(산만함에 둘러싸여)이다.

● 출제유형 핵심 체크 ❷　　pp. 94~97

Answers 01 ③　02 ②　03 ⑤　04 ①　05 ④

(A) 부모가 소중한 시간을 가정을 위해 투자하지 않으면 가정은 강해지지 않는다. 야구 선수 Tim Burke는 자신의 가정에 관해 어려운 결정을 내렸다. 어린 시절부터 그의 꿈은 프로 야구 선수가 되는 것이었다. 여러 해를 노력한 끝에 그는 그 목표를 달성했다. (C) 그가 Montreal Expos 팀에서 성공한 투수로 활동하는 동안 그와 그의 아내는 아이를 가질 수 없다는 것을 알게 되었다. 심사숙고 끝에 그들은 특수 장애가 있는 네 명의 아이를 입양하

기로 했다. 이것으로 인해 Tim은 인생에서 가장 힘든 결정 중 하나에 이르게 되었다. (D) 그는 야구 선수로서의 삶이 훌륭한 남편과 아버지가 되는 능력과 상충된다는 것을 깨달았다. 더 많이 생각한 후에 그는 믿을 수 없는 결정을 내렸다. 즉 그는 프로 야구를 포기하기로 결정했다. (B) Tim이 마지막으로 경기장을 떠날 때 한 기자가 그를 멈춰 세웠다. 그러고 나서 그는 그가 왜 은퇴하려고 하는지 물었다. "야구는 제가 없어도 그저 잘 돌아갈 겁니다."라고 그는 그 기자에게 말했다. "하지만 내 가족은 그렇지 않아요. 그들은 야구가 저를 필요로 하는 것보다 저를 훨씬 더 필요로 합니다."

Grammar로 끊어 읽기

2행
야구 선수 Tim Burke는
Baseball player Tim Burke

어려운 결정을 했다   자신의 가정에 관해
/ made a difficult decision / concerning his family.
make a decision: 결정하다(= decide)   전치사: ~에 관한

13행
심사숙고 끝에   그들은 입양하기로 결정했다
After much thought, / they decided to adopt
after는 전치사로, thought는 명사로 쓰임   decide+to부정사
특수 장애가 있는 네 명의 아이를
/ four special-needs children.

---

01 유형 글의 순서 배열하기

해설 _ (A) 야구 선수 Tim에 대한 이야기의 도입부 – (C) Tim과 아내가 네 명의 장애 아동을 입양하기로 결심한 일 – (D) 야구 선수와 남편이자 아버지로서의 역할을 동시에 하기 힘들다는 것을 깨닫고 은퇴를 결심한 일 – (B) 선수로서의 마지막 날, 은퇴 이유에 관한 인터뷰 상황으로 배열하는 것이 알맞다.

02 유형 지칭 대상 추론하기

해설 _ Tim에게 질문한 기자를 가리키는 (b)를 제외한 나머지는 모두 Tim을 가리킨다.

03 유형 내용 불일치 가려내기

해설 _ ⑤ 마지막 문장에서 give up professional baseball이라고 한 것으로 보아, 가정을 위해 프로 야구를 포기하기로 결정했다.

---

04 유형 빈칸 어구 추론하기

해석 _ ① 상충[갈등]하다 ② 따르다 ③ 둘러싸다 ④ 납득시키다 ⑤ 연결하다

해설 _ 야구 선수로서의 삶과 좋은 남편이자 아버지가 되는 능력이 '상충'하므로 야구를 그만두고 가족을 선택하기로 했을 것이다.

05 유형 어휘 적합성 판단하기

해설 _ ⓓ adapt는 '적응시키다'라는 의미의 동사로, 내용과 어울리지 않는다. '입양하다'라는 의미의 adopt로 고쳐 쓰는 것이 알맞다.

기초력 집중드릴   pp. 98~101

Answers   01 ①   02 ①   03 ③   04 ②
05 ⑤   06 ⑤

[01~03]

한 연구원이 두 그룹의 사람들에게 오후 시간을 공원에서 쓰레기를 주우며 보내 달라고 요청했다. 한 그룹에는 그들이 보낸 시간에 대해 후하게 보수가 지급되었지만, 다른 그룹에는 단지 적은 액수의 현금이 지급되었다. 1시간 후에 모두가 자신들이 오후를 얼마나 즐겼는지 등급을 매겼다. 결과는 놀라웠다. 후하게 보수를 받은 그룹에서의 평균적 기쁨은 10점 만점에 2점밖에 안 되었지만, 매우 적게 보수를 받은 그룹의 평균 등급은 놀랍게도 8.5점이었다. 후하게 보수를 받은 사람들은 "사람들은 대체로 내가 싫어하는 일을 시키기 위해 돈을 주지. 내가 많은 돈을 받았으니, 나는 공원 청소를 틀림없이 싫어하는 거야."라고 생각한 것 같았다. 대조적으로 더 적은 돈을 받은 사람들은 "내가 즐겁게 하는 일을 하기 위해 많은 보수를 받을 필요는 없어. 나는 아주 적은 돈을 받고 일을 했으니, 내가 공원을 청소하는 것을 즐겼음이 틀림없어."라고 생각했다. 이 연구 결과에 따르면 지나친 보상을 주는 것이 그 일을 하는 사람의 태도에 부정적 영향을 줄 수도 있다.

Grammar로 끊어 읽기

1행
한 연구원이 요청했다   두 그룹의 사람들에게
A researcher asked / two groups of people
              ask   +목적어

오후 시간을 보낼 것을　　　　쓰레기를 주우며
/ to spend an afternoon / picking up trash
+목적격 보어(to부정사)　　spend+시간+동명사: ~하는 데 시간을 보내다
공원에서
/ in a park.

　　　　　1시간 후에　　　　모두가 등급을 매겼다　　　얼마나
4행 **After an hour / everyone rated / how much**
　　　　　　　　　　　　　　　　　　　　　　　의문사
자신들이 오후를 즐겼는지　　　　　　　간접의문문의 어순은
/ they enjoyed the afternoon.　　　「의문사+주어+동사」임
　　　주어　　　　동사

---

01 (유형) 글의 제목 추론하기

해석 _ ① 더 많은 돈이 우리를 더 행복하게 일하도록 만들까? ② 다른 사람들이 슬퍼할 때 행복할 수 있을까? ③ 마음 가는 대로 하는 것이 언제나 옳을까? ④ 너의 일을 즐겨라, 그러면 너는 부유해질 것이다 ⑤ 더 많은 돈을 주어라, 그러면 당신의 직원은 더 열심히 일할 것이다

해설 _ 보수의 차이에 따른 일의 만족도를 조사했을 때 보수가 적은 쪽이 많은 쪽보다 오히려 만족도가 더 높았다는 연구 결과를 다루고 있으므로, 일반적인 생각에 의문을 던지는 ①과 같은 제목이 어울린다. ⑤는 실험 결과와 반대되는 제목이다.

02 (유형) 빈칸 어구 추론하기

해석 _ ① 보상 ② 비판, 비난 ③ 스트레스 ④ 주의, 관심 ⑤ 기대

해설 _ 실험 결과에 따르면 많은 보수를 받았을 경우 오히려 일에 대한 만족도가 낮았다. 따라서 일하는 태도에 부정적인 영향을 미칠 수 있는 것은 지나치게 많은 보수나 대가라고 할 수 있다.

03 (유형) 내용 불일치 가려내기

해설 _ ③ 참가자들이 스스로 자신의 만족도를 평가했다.

[04~06]

(A) 한 작은 마을에 쌍둥이 형제가 한 가게를 함께 운영하고 있었다. 어느 날, 형제 중 한 명이 계산대 위에 20달러짜리 지폐를 두고 친구와 밖에 나갔다. 그가 돌아왔을 때, 지폐는 사라지고 없었다. 그는 형에게 "계산대 위의 20달러 지폐를 봤어?"라고 물었다. (C) 형은 보지 못했다고 대답했다. 그러나 동생은 형에게 계속 물었다. "20달러 지폐가 그냥 걸어 나갈 리 없잖아! 분명히 형

은 그걸 봤을 거야." 그의 목소리에는 미묘한 비난이 들어 있었다. 오래지 않아 앙금이 쌍둥이를 갈라놓았다. 그들은 결국 더 이상 같이 일할 수 없다고 결정을 내렸다. 분리벽이 가게 중앙에 세워졌고, 20년이 흘렀다. (B) 그런데 어느 날 한 남자가 가게에 들렀다. 손님은 쌍둥이 동생에게 "20년 전에 제가 이 가게에 들어왔다가 계산대에서 20달러 지폐를 보았습니다. 저는 그 때 사흘 동안 굶고 있었어요. 저는 지폐를 주머니에 넣고 걸어 나갔습니다. 지금껏 내내 저는 제 자신을 용서할 수가 없었어요. 그래서 그것을 돌려드리러 돌아왔습니다."라고 말했다. (D) 그 손님은 남자의 눈에 눈물이 고이는 것을 보고 놀랐다. "옆집에 가서 그 가게에 있는 사람에게 똑같은 이야기를 들려주시겠어요?"라고 동생은 말했다. 곧, 두 형제는 서로 포옹하고 함께 눈물을 흘렸다. 20년이 지난 후, 그들을 갈라놓은 분노의 벽이 무너져 내렸다.

Grammar로 끊어 읽기

　　　지금껏 수 년 내내　　　　나는 용서할 수가 없었다
11행 **All these years / I haven't been able to forgive**
　　　　　　　　　　　　　　현재완료 부정 / be able to = can
나 자신을
/ myself.
재귀대명사 재귀 용법: 주어와 목적어가 같을 때

　　　분리벽이 세워졌다
18행 **A dividing wall was built down**
　　　　　목적, 용도를 나타내는 동명사
가게 중앙에　　　　　　　　그리고 20년이 흘렀다
/ the center of the store, / and twenty years passed.

---

04 (유형) 글의 순서 배열하기

해설 _ (A) 지폐가 사라진 일 – (C) 동생이 형을 의심한 일 – (B) 20년이 지나 동생이 진실을 알게 된 일 – (D) 형도 진실을 알고 서로 화해한 일 순으로 배열하는 것이 알맞다.

05 (유형) 지칭 추론하기

해설 _ (e)는 쌍둥이 형을, 나머지는 모두 동생을 가리킨다.

06 (유형) 내용 불일치 가려내기

해설 _ ⑤ 쌍둥이 형제는 지폐가 분실되었던 일의 진실을 알고 포옹하며 눈물을 흘렸다고 했으므로 20년 만에 화해를 한 것이다.

01 유형 | 글의 목적 추측하기

Cross 씨께,

North Carolina 주 Raleigh에 최신 Sunshine Stationery Store의 개점을 알리게 되어 기쁩니다! 아시다시피, Sunshine Stationery Store는 오랫동안 모든 종류의 양질의 창의적인 종이 제품에 있어서 업계의 표준이었습니다. 2018년 3월 15일 Raleigh 매장의 개업식에 귀하를 모시게 되어 매우 기쁩니다. 개업 행사는 오전 9시부터 오후 9시까지입니다. Raleigh 매장에서 제공하는 모든 상품을 보여 드리고 싶고 15일에 귀하를 그곳에서 뵙기를 바랍니다!

Donna Deacon 드림

어휘

announce 알리다, 고지하다   industry 산업   standard 표준, 기준   quality 양질의   creative 생산적인, 창의적인 thrilled 아주 흥분한, 신난   opening celebration 개업식 offer 제공하다   sincerely 충심으로, 진정으로

Grammar로 끊어 읽기

우리는 매우 기쁩니다   귀하를 모시게 되어
7행 We are thrilled / to welcome you
     감정을 나타내는 과거분사   to부정사의 부사적 용법(감정의 원인임)
개업식에   Raleigh 매장의
/ to the Grand Opening / of the Raleigh store

2018년 3월 15일
/ on March 15, 2018.

우리는 보여 드리고 싶습니다   귀하에게
10행 We would love to show / you
                            동사 1

Raleigh 매장에서 제공하는 모든 상품을   그리고 바랍니다
/ all / the Raleigh store has to offer / and hope
  → 목적격 관계대명사 that이 생략됨   병렬 구조 동사2
그곳에서 귀하를 뵙기를   15일에
/ to see you there / on the 15th!
  hope는 목적어로 to부정사를 씀

해설 _ 주어진 글은 Donna Deacon 씨가 Cross 씨에게 보내는 서한으로, North Carolina 주 Raleigh에 새로 여는 매장의 개업식 일정을 안내하며 초대하고 있다.

02 유형 | 필자의 주장 파악하기

당신은 행복의 조건을 살 수 있지만, 행복은 살 수 없다. 그것은 테니스를 치는 것과 같다. 당신은 공과 라켓을 살 수 있지만, 가게에서 경기를 하는 즐거움을 살 수는 없다. 테니스의 즐거움을 경험하기 위해, 당신은 (테니스를) 치는 것을 배우고, 스스로 연습해야만 한다. 서예 쓰기도 마찬가지이다. 당신은 먹, 화선지, 붓을 살 수 있지만, 만약 당신이 서예 기술을 함양하지 않는다면 서예를 진정으로 할 수 없다. 그래서 서예는 연습을 필요로 하고, 당신은 스스로 연습해야만 한다. 행복도 역시 그러하다. 당신은 행복을 길러가야만 한다; 당신은 그것을 가게에서 살 수 없다.

어휘

condition 조건   like ~와 같은   experience 경험하다 train 연마하다, 훈련하다   rice paper 닥종이, 화선지 cultivate 계발하다, 수련하다   require 필요로 하다

Grammar로 끊어 읽기

테니스의 즐거움을 경험하기 위해
5행 To experience the joy of tennis,
    to부정사 부사적 용법(목적)
당신은 배워야만 하고   (테니스를) 치도록 스스로를 훈련해야 한다
/ you have to learn, / to train yourself to play.
                (have)   재귀대명사의 재귀 용법으로 쓰임

당신은 길러가야만 한다   행복을
12행 You have to cultivate / happiness;
     have to(= must)+동사원형
당신은 그것을 살 수 없다   가게에서
/ you cannot buy it / at a store.
              (= happiness)

해설 _ 첫 문장에서 글의 주제를 제시하고, 주제에 대한 뒷받침

으로 테니스와 서예를 예시로 든 다음, 마지막 문장에서 다시 한 번 주제를 반복하여 강조하고 있다. You have to cultivate happiness에서 보듯이 조동사 have to(~해야 한다)를 사용하여 필자의 주장을 강조하였다.

03 유형 | 글의 요지 파악하기

> FOBO, 혹은 더 나은 선택에 대한 공포는, 더 나은 어떤 것이 생길 것이라는 불안감으로, 결정을 내릴 때 기존의 선택지에 전념하는 것을 탐탁지 않게 한다. 그것은 여러분이 모든 선택지를 열어 두고 위험을 피하도록 만드는 풍족함의 고통이다. 여러분은 하나를 선택하기보다는, 꼭 해야 할 것을 미룬다. 그것은 알람시계의 일시 정지 버튼을 누르고 다시 잠들어 버리는 것과 다르지 않다. 일시 정지 버튼을 많이 누르게 되면, 결국 늦게 되고 여러분의 하루를 망치게 된다. 일시 정지 버튼을 누르는 것이 그때는 기분이 아주 좋겠지만, 그것은 결국 대가를 요구한다.

[어휘]

fear 두려움 option 선택지, 선택권 anxiety 불안감 come along 생기다, 나타나다 undesirable 바람직하지 않은, 탐탁지 않은 commit 위임하다, 맡기다 existing 존재하는 choice 선택 abundance 풍부, 많음 avoid 피하다 risk 위험 inevitable 불가피한, 필연적인 snooze button 알람 일시 정지 버튼 ruin 망치다 ultimately 결국, 궁극적으로 demand 요구하다 price 대가

[Grammar로 끊어 읽기]

1행
FOBO,   혹은 더 나은 선택에 대한 공포는   ~이다
FOBO, / or Fear of a Better Option, / is

불안감   ~라는   더 나은 어떤 것이 생길 것이다
/ the anxiety / that / something better will
                동격의 that: the anxiety = that절의 내용

                      그것은 만든다
come along, / which makes / it
              관계대명사의 계속적 용법 가목적어 it

탐탁지 않게   기존의 선택지에 전념하는 것을
/ undesirable / to commit to existing choices
                     진목적어 to부정사

결정을 내릴 때
/ when making a decision.
접속사+분사구문 [의미 강조]

만약   당신이 일시 정지 버튼을 누르면 / 많이
10행 If / you hit snooze / enough times,
            조건의 부사절에서 현재 시제가 미래 시제를 대신함

당신은 결국 늦게 되고   그리고 그것이 당신의 하루를 망칠 것이다
/ you'll end up being late / and it'll ruin your day.
     주절: 미래 시제   end up+-ing: 결국 ~하다

해설 _ 더 나은 선택이 있을 것 같은 두려움에 결정을 유보하는 것이 실제로는 도움이 되지 않고 오히려 대가를 요구한다는 것이 글의 요지이다. 알람시계의 일시 정지 버튼을 계속 눌러서 일어나는 것을 미루다가 결국 지각을 하게 되는 것에 비유하고 있다.

04 유형 | 글의 제목 추론하기

> Benjamin Franklin은 예전에 동네에 새로 온 사람은 새 이웃에게 도움을 요청해야 한다고 제안했다. Franklin의 의견으로는, 누군가에게 무언가를 요구하는 것은 사회적 상호 작용에 대한 가장 유용하고 즉각적인 초대였다. 새로 온 사람 쪽에서의 그러한 요청은 첫 만남에 자신을 좋은 사람으로 보여 줄 수 있는 기회를 이웃에게 제공했던 것이다. 또한 그것은 이제 반대로 후자(이웃)가 전자(새로 온 사람)에게 부탁할 수 있으며 이는 친밀함과 신뢰를 증진시킨다는 것을 의미했다. 그러한 방식으로, 양쪽은 당연한 머뭇거림과 낯선 사람에 대한 상호 두려움을 극복할 수 있을 것이다.

[어휘]

suggest 제안하다 do ~ a favor ~의 부탁을 들어주다 immediate 즉각적인 invitation 초대 interaction 상호 작용 provide 제공하다 opportunity 기회 encounter (우연한) 만남 latter 후자 former 전자 familiarity 친밀함 trust 신뢰 overcome 극복하다 hesitancy 주저함, 머뭇거림 mutual 상호 관계의, 서로의

[Grammar로 끊어 읽기]

Benjamin Franklin은 예전에 제안했다
1행 Benjamin Franklin once suggested
                              suggest(제안의 동사)

동네에 새로 온 사람은
/ **that a newcomer to a neighborhood**
+that+주어

요청해야 한다고 / 새 이웃이　　그 혹은 그녀의 부탁을 들어주도록
/ **ask** / **a new neighbor** / **to do him or her a favor.**
(should) 동사원형　　　　ask+목적어+목적격 보어(to부정사): ~에게 …하도록 요청하다

그러한 요청은　　　　　새로 온 사람 쪽에서의
6행 **Such asking** / **on the part of the newcomer**
동명사 주어는 단수 취급함

제공했다　　　이웃에게　　　기회를
/ **provided** / **the neighbor** / **with an opportunity**
동사

자신을 보여 줄　　　　　　　　좋은 사람으로
/ **to show himself or herself** / **as a good person,**
to부정사의 형용사적 용법　재귀대명사 재귀 용법

첫 만남에
/ **at first encounter.**

해석 _ ① 이웃을 초대하는 정중한 방법 ② 당신이 요구하는 것이 당신이 누구인지를 보여 준다 ③ 왜 낯선 사람을 돕기 주저하는가? ④ 타인에게 자신의 강점을 표현하는 방법 ⑤ 관계를 여는 사람: 도움을 요청하기

해설 _ 이웃과의 인간관계에 대한 Benjamin Franklin의 조언을 소개하고 있다. 이웃과의 친밀함과 신뢰를 증진시키기 위해서는 새로 온 사람이 기존의 이웃에게 먼저 도움을 요청하며 다가가야 하고, 그로 인해 서로 낯선 사람에 대한 두려움을 극복하고 사회적 상호 작용이 가능하다고 말하고 있다. 그러므로 글의 제목으로 가장 적절한 것은 ⑤이다.

05　유형 | 내용 불일치 가려내기

> Dorothy Hodgkin은 1910년에 Cairo에서 태어났는데, 그녀의 아버지는 그곳에 있는 이집트 교육부에서 근무했다. 화학에 대한 그녀의 흥미는 그녀가 단지 10세 때 생겼다. 1949년에 그녀는 동료와 함께 페니실린의 구조를 연구했다. 비타민 B12에 관한 그녀의 연구는 1954년에 발표되었는데, 이는 그녀가 1964년에 Nobel 화학상을 받는 것으로 이어졌다. 그녀는 또한 Copley 메달을 수상한 최초의 여성이 되었다. Hodgkin은 사회 불평등과 갈등 해소에 큰 관심을 보였다.

어휘

interest 관심, 흥미　**chemistry** 화학　**structure** 구조
colleague 동료　**publish** 발표하다, 출간하다　**lead to ~**

로 이어지다　**award** 수여하다　**concern** 관심　**inequality** 불평등　**resolve** 풀다, 해소하다　**conflict** 갈등

Grammar로 끊어 읽기

Dorothy Hodgkin은　　　　Cairo에서 태어났다
1행 **Dorothy Hodgkin** / **was born in Cairo**

1910년에　그곳에서　그녀의 아버지는 근무했다
/ **in 1910,** / **where** / **her father worked**
관계부사 계속적 용법+완전한 절

이집트 교육부에
/ **in the Egyptian Education Service.**

비타민 B12에 관한 그녀의 연구는　　　발표되었다
6행 **Her work on vitamin B12** / **was published**
수동태 과거

1954년에　이는 이어졌다　그녀가 받는 것으로
/ **in 1954,** / **which led** / **to her being awarded**
앞 문장 전체를 받는　소유격　동명사　과거분사(수동태)
관계대명사 주격 계속적 용법

노벨 화학상을　　　　　1964년에
/ **the Nobel Prize in Chemistry** / **in 1964.**

해설 _ 1954년에는 비타민 B12에 대한 연구를 발표했고, 노벨상을 받은 것은 1954년이 아니라 1964년이다.

06　유형 | 실용문 내용 파악하기

> **학교를 위한 신발**
>
> 헌 신발이 긴 여정을 떠날 수 있어요!
> Brooks 고등학교 학생 여러분! 오래되거나 필요 없는 신발을 가지고 있나요? 아프리카의 아이들을 위해 그것들을 기증하세요. 신발을 재판매한 수익금은 아프리카에 학교를 짓는 데 쓰일 것입니다.
>
> 무엇을
> * 여러분은 운동화, 샌들, 부츠 등과 같은 모든 종류의 신발을 기증할 수 있습니다.
>
> 어디에서
> * 여러분은 본관 1층에 있는 수거함에 신발을 놓을 수 있습니다.
>
> 언제
> * 이번 학기 내내 오전 8시부터 오후 4시 사이
> * 격주마다 화요일에 신발은 수거될 것입니다.

어떻게

* 여러분이 기증하는 신발은 비닐봉지에 담겨 있어야 합니다.
더 많은 정보를 원하면, 413-367-1391로 연락하세요.
참여해 주셔서 감사합니다.

진술이 탄생한 것이다. 수면 근처에서는 물이 맑아서 수중 카메라로 멋진 사진을 찍을 가능성이 상당히 높다. 더 깊은 곳에서는 사진술이 신비로운 심해의 세계를 탐험하는 주요한 방법이며, 그곳의 95%는 예전에는 전혀 볼 수 없었다.

[어휘]

used 사용된, 중고의   unwanted 원하지 않는, 필요 없는
donate 기부하다   profit 이익, 수익   resell 재판매하다
give away 거저 주다, 나눠 주다   collection box 수거함
throughout ~동안 쭉, 내내   semester 학기   plastic
bag 비닐봉지   participation 참여

[어휘]

underwater 물속의, 수중의   waterproof 방수 처리를 하다   lower 낮추다, 내리다   beneath 아래에, 밑에   wave 파도   coast 해안   exposure 노출   flood 물에 잠기다
survive 생존하다, 살아남다   surface 표면   depth 깊이
principal 주요한   explore 탐험하다   mysterious 신비로운

[Grammar로 끊어 읽기]

6행   The profits / from reselling the shoes
수익금은   신발 재판매로부터 온
전치사+동명사
/ will be used / to build schools / in Africa.
쓰일 것입니다   학교를 짓는 데   아프리카에
조동사 수동태(조동사+be+과거분사)

18행   Shoes / will be picked up / on Tuesdays
신발은   수거될 것입니다   화요일에
조동사 수동태(조동사+be+과거분사)
/ every two weeks.
격주마다

해설 _ ① will be used to build schools in Africa로 보아 병원이 아니라 학교를 짓는 데 쓰일 것이다. ② all types of shoes such as sneakers, sandals, boots, etc.로 보아 모든 종류의 신발이 가능하다. ③ on the first floor of the main building으로 보아 수거함은 1층에 있다. ④ Tuesdays every two weeks로 보아 매주가 아니라 격주 화요일이다. ⑤ need to be in a plastic bag으로 보아 비닐봉지에 담아야 한다고 했으므로, 내용과 일치하는 것은 ⑤이다.

07 유형 | 어법 정확성 판단하기

최초의 수중 사진은 William Thompson에 의해 촬영되었다. 1856년에 그는 간단한 상자형 카메라를 방수 처리하여 남부 England 연안의 바닷속으로 내려 보냈다. 10분간의 노출 동안 카메라에 서서히 바닷물이 차올랐지만 사진은 온전했다. 수중 사

[Grammar로 끊어 읽기]

2행   In 1856, / he waterproofed
1856년에   그는 방수 처리했다
「in+과거 년도」: 과거 시제와 함께 사용
/ a simple box camera / and lowered it
간단한 상자형 카메라를   그리고 그것을 내려 보냈다
(= the camera)
/ beneath the waves / off the coast of southern England.
바닷속으로   남부 England 연안의

9행   Near the surface, / where the water is clear,
수면 근처에서   물이 맑다
계속적 용법의 관계부사로, 완전한 절이 이어짐
/ it is quite possible / to take great shots
가능성이 상당히 높다   멋진 사진을 찍을
가주어 it   진주어 to부정사
/ with an underwater camera.
수중 카메라로

11행   At greater depths / photography / is
더 깊은 곳에서는   사진술이   ~이다
/ the principal way of exploring
탐험하는 주요한 방법
전치사+동명사
/ a mysterious deep-sea world, / 95 percent of which
신비로운 심해의 세계를   그곳의 95%는
선행사   계속적 용법의 관계대명사임
/ has never been seen / before.
전혀 볼 수 없었다   예전에는
현재완료 수동태

해설 _ (A) 두 개의 동사가 등위접속사 and로 이어진 병렬 구조의 문장이다. 동사 waterproofed와 같은 과거형인 lowered가

정답과 해설   31

적절하다.

(B) 선행사 the surface에 대한 추가적인 설명을 하는 관계사 자리이다. 관계대명사가 필요한지 관계부사가 필요한지 확인하려면 뒤에 나오는 절이 완전한 구조인지를 살핀다. the water is clear로 「주어+동사+보어」가 다 있는 완전한 구조의 절이 이어지므로, 관계부사 where가 알맞다.

(C) 주어가 95 percent of which이고 which는 앞에 나온 a mysterious deep-sea world이므로, '보는' 것이 아니라 '보여지는' 것이다. 수동태여야 하는데, 문장의 시제가 현재완료이므로 has been seen이 되어야 자연스럽다.

08 유형 | 빈칸 어구 추론하기

비록 많은 작은 사업체가 **훌륭한** 웹사이트를 가지고 있지만, 그들은 보통 매우 적극적인 온라인 캠페인을 할 여유가 없다. 소문나게 하는 한 가지 방법은 광고 교환을 통해서이며, 이는 광고주들이 서로의 웹사이트에 무료로 배너를 게시하는 것이다. 예를 들어, 미용 제품을 판매하는 회사는 여성 신발을 판매하는 사이트에 자신의 배너를 게시할 수 있고, 그 다음에는 그 신발 회사가 미용 제품 사이트에 배너를 게시할 수 있다. 두 회사 모두 상대에게 비용을 청구하지 않는데, 그들은 그저 광고 공간을 교환하는 것이다. **공간을 교환함으로써,** 광고주들은 그러지 않으면 접촉할 여유가 없는 자신의 목표 접속자와 접촉할 수 있는 새로운 (광고의) 출구를 찾는다.

어휘

excellent 뛰어난, 훌륭한   typically 전형적으로, 보통
afford ~할 여유가 있다   get the word out 소문이 나다
advertise 광고하다   exchange 교환; 교환하다   for free
무료로   company 회사   in turn 교대로, 돌아가며
charge 비용을 물다, 청구하다   ad 광고   reach 도달하다
target 목표물   audience 청중   otherwise 그렇지 않으면

Grammar로 끊어 읽기

한 가지 방법은　소문나게 하는　~이다
3행 One way / to get the word out / is
　　　　　↳ to부정사의 형용사적 용법

광고 교환을 통해서　　　　　　그 광고 교환에서
/ through an advertising exchange, / in which
　　　　선행사　　　　　　전치사+관계대명사(= where)

광고주들이 배너를 게시한다
/ advertisers place banners

서로의 웹사이트에　　　　　　무료로
/ on each other's websites / for free.

공간을 교환함으로써,　　　　광고주들은 찾는다
12행 By trading space, / advertisers find
by+동명사:~함으로써

새로운 출구를　　　　자신의 목표 접속자와 접촉하는
/ new outlets / that reach their target audiences
　　선행사　　　　관계대명사 주격　　　　　선행사

그러지 않으면 그들이 접촉할 수 있는 여유가 없는
/ that they would not otherwise be able to
관계대명사　　　　조동사 2개를 동시에 사용할 수 없으므로 can 대신
목적격　　　　　be able to를 사용함

afford.

해석 _ ① (광고) 공간 교환 ② 자금 조달 ③ 후기 공유 ④ 공장 시설 임대 ⑤ TV 광고 증가

해설 _ 웹사이트를 갖춘 사업체끼리 서로 광고 배너를 교환하여 광고를 제공함으로써, 비용을 들이지 않고 구매자들에게 자신의 상품을 홍보할 수 있다는 내용의 글이다. 빈칸에 해당하는 방법을 통해 사이트에 접속하는 목표 대중과 만날 수 있는 광고의 출구를 찾을 수 있다고 했으므로, 앞 문장의 exchange ad space와 같은 의미인 ① '(광고) 공간 교환'이 빈칸에 적절하다.

09 유형 | 흐름에서 벗어난 문장 찾기

2006년에, 조사에 응한 미국 쇼핑객의 81%가 구매를 계획할 때 온라인 고객 평점과 후기를 중요하게 고려한다고 말했다. 많은 사람이 온라인 추천에 의존한다. 그리고 젊은 사람들은 무엇을 살 것인지를 결정할 때 인터넷에 의해 영향을 받을 가능성이 크다. 이 사람들은 흔히 수천 명에 영향을 미칠 잠재력을 가지고 폭넓은 소셜네트워크를 보유하고 있다. (전문가들은 젊은 사람들이 불필요한 것에 돈을 낭비하기를 그만두고 저축을 시작해야 한다고 권한다.) 6세에서 24세의 젊은 사람들이 미국 전체 지출의 약 50%에 영향을 미치는 것으로 보고되었다.

어휘

survey 설문조사하다   online customer rating 온라인 고객 평점   purchase 구매; 구매하다   depend on ~에 의지하다   recommendation 추천   influence 영향을 주다   wide-reaching 광범위한, 폭넓은   social network 소셜 네트워크, 인간관계 연결망   potential 잠재적인; 잠재력   expert 전문가   unnecessary 불필요한   spending 지출

Grammar로 끊어 읽기

5행
그리고 젊은 사람들은 가능성이 크다
And young people are very likely
be likely+to부정사: ~할 것 같다, ~하기 쉽다

영향을 받을 / 인터넷에 의해
/ to be influenced / by the Internet
수동태 to부정사

결정할 때 / 무엇을 살 것인지를
/ when deciding / what to purchase.
접속사+분사구문   의문사+to부정사

10행
전문가들은 권한다   젊은 사람들이
Experts suggest / that young people
제안의 동사 suggest+that+주어

그들의 돈을 낭비하기를 그만두고   불필요한 것에
stop wasting their money / on unnecessary things
(should) 동사원형1 / stop+동명사: ~하는 것을 그만두다

돈을 저축하기를 시작해야 한다고
/ and start saving it.
병렬 구조 동사원형2   (= their money)

해설 _ 2006년 미국 구매자들이 온라인 평점 및 후기에 얼마나 의존하는지에 대한 글이다. 특히 젊은이들이 온라인의 영향을 많이 받고 또한 영향을 주고 있다는 내용과 구체적인 수치가 제시되고 있는데, '젊은이들은 돈을 낭비하지 말고 저축을 시작해야 한다'는 내용의 ④는 글의 흐름에서 벗어나 있다.

10 유형 | 주어진 문장의 위치 파악하기

현재, 우리는 인간을 다른 행성으로 보낼 수 없다. 한 가지 장애물은 그러한 여행이 수년이 걸릴 것이라는 점이다. 우주선은 긴 여행에서 생존에 필요한 충분한 공기, 물, 그리고 다른 물자를 운반할 필요가 있을 것이다. 또 다른 장애물은 극심한 열과 추위 같은, 다른 행성들의 혹독한 조건이다. 어떤 행성들은 착륙할 표면조차 가지고 있지 않다. 이러한 장애물들 때문에, 우주에서의 대부분의 연구 임무는 승무원이 탑승하지 않은 우주선을 사

용해서 이루어진다. 이런 탐험들은 인간의 생명에 아무런 위험도 주지 않으며 우주 비행사들을 포함하는 탐험보다 비용이 덜 든다. 이 우주선은 행성의 구성 성분과 특성을 실험하는 기구들을 운반한다.

어휘

obstacle 장애물   research 연구   mission 임무   space 우주   accomplish 달성하다, 완수하다   spacecraft 우주선   crew 승무원   aboard 탑승하고, ~을 타고   currently 현재   supply 공급, 공급품   harsh 혹독한   extreme 극도의, 극심한   surface 표면   land on 착륙하다   exploration 탐험   pose 제기하다, 꺼내다   risk 위험   involve 수반하다, 관련시키다   astronaut 우주 비행사   instrument 장비, 기구   characteristic 특성

Grammar로 끊어 읽기

5행
한 가지 장애물은   ~이다 / 그러한 여행이 수년이 걸릴 것이라는 점
One obstacle / is / that such a trip would
주어   동사   보어절(명사절)을 이끄는 접속사

take years.

11행
이런 탐험들은 아무런 위험도 주지 않으며
These explorations pose no risk
동사

인간의 생명에   그리고 비용이 덜 든다
/ to human life / and are less expensive
등위접속사 └ 동사2   비교급

탐험보다   우주 비행사들을 포함하는
/ than ones / involving astronauts.
+than (= explorations)
능동의 의미인 현재분사가 대명사를 뒤에서 꾸밈

해설 _ 우주선으로 인간을 다른 행성에 보내는 데는 많은 장애물이 있으며, 이러한 장애물 때문에 무인 우주선으로 우주 연구를 진행한다는 내용의 글이다. 주어진 문장은 장애물로 인해 무인 우주선으로 연구 임무가 주어진다는 내용이므로, 장애물이 무엇인지를 설명하는 글 뒤에 이어지는 것이 적절하다. these explorations(이런 탐험들)는 주어진 문장의 '승무원이 탑승하지 않은 우주선을 이용한 연구 임무'를 가리키고 있으므로, 이 문장 앞인 ④에 주어진 문장이 들어가는 것이 적절하다.

Answers 01 ①   02 ②   03 ④   04 ④
05 ④   06 ④   07 ③   08 ③   09 ④
10 ⑤

01 유형 | 심경 변화 파악하기

연설을 시작한 이후 처음으로 Alice는 자신의 연설문으로부터 고개를 들었다. 연설하던 부분을 놓칠까 두려워서, 마칠 때까지 그녀는 페이지에 있는 단어들로부터 감히 눈을 뗄 수가 없었다. 사실 그녀는 간단한 것 하나만을 바랐을 뿐이었는데, 스스로를 웃음거리로 만들지 않고 연설을 마치는 것이었다. 이제 강연장에 있는 모두가 일어서서 박수를 치고 있었다. 그것은 그녀가 바라던 것 이상이었다. 환하게 웃으며, 그녀는 앞줄에 있는 낯익은 얼굴들을 바라보았다. Tom이 박수를 치며 환호하고 있었다. 그는 달려와 그녀를 껴안고 축하하는 것을 간신히 참는 것처럼 보였다. 그녀도 또한 정말로 그를 포옹하고 싶었다.

어휘

speech 연설   dare to 감히 ~하다   break eye contact 시선을 떼다   place (책에서 읽던·연설에서 말하던) 위치, 부분   make a fool of ~을 웃음거리로 만들다   entire 전체의   ballroom 연회장   clap 박수를 치다   front row 앞줄   barely 간신히   congratulate 축하하다

Grammar로 끊어 읽기

<small>그녀는 감히 ~할 수 없었다   눈을 떼는 것을</small>
2행 She hadn't dared / to break eye contact
<small>dare+to부정사: 감히 ~하다</small>
<small>페이지 위의 단어들과</small>
/ with the words on the pages

<small>그녀가 마칠 때까지   두려움 때문에 연설하던 부분을 놓치는</small>
/ until she finished, / for fear / of losing her place.
<small>전치사 뒤에는 동명사가 옴</small>

<small>그는 보였다   간신히 스스로를 참고 있는 것처럼</small>
11행 He looked / like he could barely keep himself
<small>keep oneself from +-ing: ~하는 것을 참다</small>
<small>달려 올라오는 것으로부터   그녀를 껴안고 축하하기 위해</small>
/ from running up / to hug and congratulate her.
<small>to가 생략됨</small>

해석 _ ① 긴장한 → 기쁜 ② 당황한 → 무서워하는 ③ 놀란 → 짜증이 난 ④ 희망에 찬 → 실망한 ⑤ 화난 → 감사하는

해설 _ 긴장한(nervous) 상태로 연설을 마친 후 좋은 반응에 안도하며 기뻐하고(delighted) 있다.

02 유형 | 글의 주제 파악하기

우주왕복선 Challenger 호가 폭발한 후 어느 날, Ulric Neisser는 한 무리의 학생들에게 그들이 그 소식을 들었을 때 어디에 있었는지 정확히 써 달라고 요청했다. 2년 반 후, 그는 그들에게 똑같은 질문을 했다. 그 두 번째 면담에서 학생들 중 25퍼센트는 그들이 어디에 있었는지에 대해 완전히 다른 설명을 내놓았다. 절반은 그들의 답변에 있어서 중대한 오류를 범했고 10퍼센트 미만이 어느 정도 실질적인 정확성을 가지고 기억했다. 비슷하게, 사람들이 자신이 목격한 범죄를 묘사해 달라고 몇 달 후 요청받을 때 증언대에서 실수를 저지른다. 1989년과 2007년 사이, 미국에서는 201명의 수감자들이 DNA 증거를 토대로 무죄로 밝혀졌다. 그 수감자들 중 75퍼센트가 잘못된 목격자 진술을 토대로 유죄 판결을 받았던 것이다.

어휘

space shuttle 우주왕복선   explode 폭발하다   exactly 정확히   account (있었던 일에 대한) 설명, 진술   significant 중요한, 의미 있는   accuracy 정확성   witness stand 증언대   describe 묘사하다, 설명하다   crime 범죄   witness 목격자; 목격하다   prisoner 죄수   prove 증명하다   innocent 결백한   on the basis of ~을 기초[근거]로   evidence 증거   declare 선언하다   guilty 유죄의   mistaken 잘못된   eyewitness 목격자

Grammar로 끊어 읽기

<small>어느 날   우주왕복선 Challenger 호가 폭발한 후</small>
1행 One day / after the space shuttle Challenger
<small>Ulric Neisser는 한 무리의 학생들에게 요청했다</small>
exploded, / Ulric Neisser asked a group of
<small>정확히 쓰라고   그들이 어디에 있었는지</small>
students / to write down exactly / where they were
<small>간접의문문</small>

그들이 그 소식을 들었을 때
/ when they heard the news.
간접의문문 안의 부사절

6행 그 두 번째 인터뷰에서 / 학생들의 25퍼센트가
In that second interview, / 25 percent of the

완전히 다른 설명을 내놓았다
students / gave completely different accounts

그들이 어디에 있었는지에 대해
/ of where they were.
간접의문문

11행 비슷하게 / 사람들은 실수를 한다
Similarly / people make mistakes

증언대에서 / 그들이 요청을 받을 때
/ on the witness stand / when they are asked
be asked+to부정사: ~해 달라고 요청을 받다

몇 달 후에 / 묘사하라고 / 범죄를
/ months later / to describe / a crime

그들이 목격한
/ they witnessed.
목적격 관계대명사가 생략된 관계대명사절, a crime을 꾸밈

해석 _ ① 주요 우주 임무 실패의 원인 ② 시간이 흐른 뒤 상기된 정보의 부정확성 ③ 위협으로부터 증인을 보호하는 것의 중요성 ④ 사람들의 장기기억력을 개선하는 요소 ⑤ 범죄 수사에서 DNA 증거를 수집하는 방법

해설 _ 시간이 지난 뒤 인간의 기억이 얼마나 불완전할 수 있는지 실험 결과와 사례를 근거로 설명하고 있으므로 제목은 시간의 경과, 기억, 정보, 불완전함[부정확함] 등의 키워드를 포함하는 것이 적절하다. 따라서 답은 ② '시간이 흐른 뒤 상기된 정보의 부정확성'이 알맞다.

03 유형 | 도표 내용 파악하기

2014년 지역별 자연재해

위 두 원그래프는 2014년의 지역별 자연재해 횟수와 피해액을 보여 준다. 아시아의 자연재해 횟수가 다섯 지역 중 가장 많았으며, 36%를 차지하여 유럽의 비율의 두 배가 넘었다. 아메리카가 23%를 차지하면서 자연재해 횟수가 두 번째로 많았다. 오세아니아의 자연재해 횟수가 가장 적었으며 아프리카의 자연재해 횟

수의 3분의 1도 안 되었다. 아시아의 피해액이 가장 컸으며 아메리카와 유럽을 합한 액수보다 더 많았다(→ 더 적었다). 아프리카가 비록 자연재해 횟수에서는 3위를 차지했지만 피해액은 가장 적었다.

어휘

natural disaster 자연재해 region 지역 amount 양 damage 피해 account for ~의 비율을 차지하다 take up 차지하다 combine 결합하다 rank (순위를) 차지하다

Grammar로 끊어 읽기

3행 아시아에서의 자연재해의 수는
The number of natural disasters in Asia

가장 컸다 / 다섯 지역 전부 중에서
/ was the largest / of all five regions

그리고 36퍼센트를 차지했다 / 이것은 더 많았다
/ and accounted for 36 percent, / which was more
계속적 용법의 관계대명사, 선행사는 36 percent

유럽이 차지하는 비율의 두 배보다
/ than twice the percentage of Europe.

14행 아프리카는 가장 적은 피해액을 가졌다
Africa had the least amount of damage

그것이 3위를 기록했는데도
/ even though it ranked third
= Africa

자연재해 수에 있어서
/ in the number of natural disasters.

해설 _ ④ 2014년 아시아의 피해액(7,211억 달러)이 아메리카와 유럽의 피해액을 더한 것(5,326억 달러+2,386억 달러 =7,712억 달러)보다 적으므로 more를 less로 고쳐야 한다.

04 유형 | 실용문 내용 파악하기

Grand Park 동물원에 어서 오세요

Grand Park 동물원은 여러분에게 놀라운 동물 왕국을 탐험할 기회를 제공합니다!

시간: - 오전 9시 개장, 1년 365일 - 오후 6시 폐장

위치: - Madison Valley

　　　- 시청에서 차로 20분 걸립니다.

입장료: - 어른, 12달러 그리고 3세~15세, 4달러

　　　- 2세 이하, 무료

동물원에: - 어떠한 애완동물도 (입장이) 허락되지 않습니다.

　　　- 휠체어 대여소를 찾으실 수 있습니다.

◆ 현재 가이드 투어 예약을 받고 있습니다.

◆ 추가 정보가 필요하시면, (912) 132-0371로 전화하세요.

어휘

offer 제공하다　explore 탐험하다　kingdom 왕국　location 장소, 위치　admission 입장(료)　allow 허락하다　rental 대여　currently 현재　booking 예약

해설 _ ④ 'At the Zoo' 항목에서 애완동물이 허용되지 않는다고 했다.

05 유형 | 어법 정확성 판단하기

우주의 불가사의에 대한 답을 찾는 많은 방법이 있고, 과학은 이러한 것들 중 단지 하나일 뿐이다. 그러나 과학은 특별하다. 추측하는 대신, 과학자들은 그들의 생각이 사실인지 거짓인지 증명하도록 고안된 체계를 따른다. 그들은 그들의 이론과 결론을 반복해서 검토하고 시험한다. 기존의 생각들은 과학자들이 그들이 설명할 수 없는 새로운 정보를 찾을 때 대체된다. 누군가가 발견을 하면, 다른 사람들은 그들 자신의 연구에서 그 정보를 사용하기 전에 그것을 주의 깊게 검토한다. 이전의 발견 위에 새로운 지식을 쌓아가는 이러한 방법은 과학자들이 그들의 실수를 바로잡을 것임을 보장한다. 과학적 지식으로 무장해서, 사람들은 우리가 사는 방식을 변화시키는 도구와 기계를 만들며, 우리의 삶을 훨씬 더 편안하고 더 낫게 한다.

어휘

method 방법　universe 우주　unique 특별하다, 유일하다　prove 증명하다　false 거짓의　examine 검토하다

theory 이론　conclusion 결론, 판단　replace 대체하다, 교체하다　discovery 발견　research 연구　ensure 보장하다　armed with ~으로 무장한　tool 도구　transform 완전히 바꾸다, 변형시키다

Grammar로 끊어 읽기

추측을 하는 대신
4행 Instead of making guesses,

과학자들은 따른다　　증명하기 위해 고안된 체계를
/ scientists follow / a system designed to prove
　　　　　　　　　　　　a system을 꾸미는 과거분사

그들의 생각이 맞는지 틀린지를
/ if their ideas are true or false.
'~인지 아닌지'라는 의미로 prove의 목적어인 명사절을 이끄는 접속사

과학적 지식으로 무장된 채
14행 Armed with scientific knowledge,
　　Being이 생략된 수동태 분사구문
사람들은 만든다　　도구와 기계를
/ people build / tools and machines

방식을 변화시키는　　　　우리가 사는　우리의 삶을 ~하게 만들면서
/ that transform the way / we live, / making
주격 관계대명사　　　　　　　　　　분사구문(동시에 일어나는 일)

훨씬 더 편안하고 더 낫게
our lives / much easier and better.
make의 목적어　　　목적격 보어

해설 _ ④ 동사 ensure의 주어는 This way로, of building ~ older discoveries는 This way를 꾸미는 수식어구이다. 따라서 3인칭 단수 주어이므로 ensures로 고쳐 써야 한다. ① designed는 a system을 꾸미는 과거분사로 주어와의 관계가 수동이므로('고안된' 체계) 바르게 쓰였다. ② that은 목적격 관계대명사로 쓰였다. ③ 전치사 before 뒤에 동명사 using이 쓰였다. ⑤ 비교급을 강조할 때 부사 much를 쓴다.

06 유형 | 어휘 적합성 판단하기

한 이집트인 중역이 캐나다인 손님에게 새로운 벤처 사업에서의 합작 제휴를 제의했다. 그 제의에 기뻐서, 캐나다인은 세부 사항을 마무리하기 위해 다음 날 아침에 각자의 변호사와 함께 다시 만날 것을 제안했다. 이집트인은 결코 나타나지 않았다. 실망한 캐나다인은 무엇이 잘못된 것인지 이해하려 애썼다. 이집트인은 시간 엄수 관념이 없었는가? 그 이집트인이 수정 제안을 기대하

고 있었는가? 사실, 문제는 캐나다인과 이집트인이 변호사를 부르는 것에 두는 서로 다른 의미에 의해 야기되었다. 캐나다인은 변호사의 부재(→ 입회)를 협상의 성공적인 마무리를 용이하게 하는 것으로 여겼고, 이집트인은 그것을 캐나다인이 그의 구두 약속을 불신하는 것에 대한 암시라고 해석했다.

(어휘)

executive 중역, 임원 offer 제안하다 joint partnership 합작 제휴 venture 벤처 사업 respective 각각의, 개별의 lawyer 변호사 finalize 마무리하다 detail 세부사항 show up 나타나다 lack ~이 부족하다 punctuality 시간 엄수 counter-offer 대안, 수정 제안 attach 붙이다, ~에 무게를 두다 regard A as B A를 B로 여기다 absence 부재 facilitate 용이하게 하다 completion 완료 negotiation 협상 interpret 해석하다 signal 신호를 보내다 mistrust 불신 verbal 구두의, 말의 commitment 약속, 책무

(Grammar로 끊어 읽기)

3행
캐나다인은   제안에 기뻐하며
The Canadian, / delighted with the offer,
　　　　　　being이 생략된 수동태 분사구문이 삽입된 구조
제안했다   그들이 다시 만나야 한다고
/ suggested / that they meet again
　　　　　　　　　　→ meet 앞에 should가 생략됨
다음날 아침에   그들 각자의 변호사와 함께
/ the next morning / with their respective lawyers
세부사항을 마무리하기 위해
/ to finalize the details.

10행
사실   문제는 야기되었다
In fact, / the problem was caused
다른 의미에 의해
/ by the different meaning
캐나다인과 이집트인들이 두는   변호사를 부르는 것에
/ Canadians and Egyptians attach / to inviting
　→ 앞에 목적격 관계대명사가 생략되었으며
　　선행사는 the different meaning
lawyers.

13행
캐나다인은 여겼다   변호사의 입회를
The Canadian regarded / the lawyers' presence
　　　　regard A as B: A를 B로 여기다　└ A

성공적인 마무리를 용이하게 하는 것으로
/ as facilitating the successful completion
　　　　　　　　　　　　└ B
협상의
/ of the negotiation

해설 _ 글의 흐름상 캐나다인은 변호사가 함께 있는 것이 협상을 성공적으로 마무리하는 데 도움이 된다고 생각했을 것이다. 따라서 ④ 'absence(부재)'를 'presence(입회, 출석)'로 바꿔야 한다.

07 유형 | 빈칸 어구 추론하기

여러분이 성취하고 싶은 목표를 고수하는 것도 충분히 어렵지만, 때때로 우리는 심지어 애초부터 마음이 끌리지 않는 목표를 세우기도 한다. 우리는 우리에게 정말로 중요한 것이라기보다 우리가 해야만 하는 것에 기초하여 결심을 한다. 이것은 목표를 고수하는 것을 거의 불가능하게 만든다. 예를 들어, 더 많은 독서를 하는 것은 좋은 습관이지만, 여러분이 정말로 더 배우기를 원해서가 아닐 때 그것을 하고 있다면, 여러분은 목표에 도달하는 데 어려움을 겪을 것이다. 대신에, 여러분 자신의 가치 기준에 기초하여 목표를 세워라. 자, 이것은 여러분이 독서를 더 적게 해야 한다고 말하는 것이 아니다. 그 생각은 우선 여러분에게 무엇이 중요한지 생각하고, 거기에 도달하기 위해 여러분이 무엇을 할 필요가 있는지 알아내는 것이다.

(어휘)

stick with 고수하다 accomplish 달성하다, 성취하다 set a resolution 결심하다 be supposed to ~하기로 되어 있다, ~해야 한다 matter 중요하다 figure out 알아내다

(Grammar로 끊어 읽기)

4행
우리는 목표를 세운다   ~에 기초하여
We set resolutions / based on
우리가 하기로 되어 있는 것
/ what we're supposed to do
　선행사를 포함하는 관계대명사
정말로 우리에게 중요한 것보다는
/ rather than what really matters to us.
　　　　　선행사를 포함하는 관계대명사

This makes it / nearly impossible
이것이 만든다 · 거의 불가능하게
앞 문장의 내용 · 가목적어 it · 목적격 보어

/ to stick to the goal.
목표를 고수하는 것을 · 진목적어 to부정사

13행 **The idea is / to first consider**
그 생각은 ~이다 · 먼저 고려하는 것 · 부사가 삽입된 to부정사

/ what matters to you, / then figure out
무엇이 너에게 중요한지 · 그런 다음 알아내는 것
간접의문문 · = to figure

/ what you need to do / to get there.
네가 무엇을 해야 하는지 · 그곳에 도달하기 위해
간접의문문

해석 _ ① 여러분의 도덕적 의무 ② 엄격한 기한 ③ 여러분 자신의 가치 기준 ④ 부모의 안내 ⑤ 직업 시장의 경향

해설 _ 글의 흐름상 빈칸에 들어갈 말은 '하기로 정해진 것'과 대조적이어야 하므로 '스스로 하고 싶어 하는 것, 스스로 해야 한다고 생각하는 것'의 의미를 담고 있어야 한다. 이와 가장 가까운 것은 ③ '여러분 자신의 가치 기준'이다.

---

08 유형 | 빈칸 어구 추론하기

신생아가 생기면 잘 먹는 것이 항상 쉽지는 않다. 맛있고 영양가 많은 식사를 준비할 시간, 혹은 심지어 그것을 먹을 시간조차 없는 것처럼 보일 수도 있다. 다음 요령을 배울 필요가 있을 것이다. 먹고 싶은 생각이 들 정도로 정말 배고플 때까지 기다리려고 하지 마라. 신생아가 있으면, 식사 준비에 평상시보다 아마 시간이 더 오래 걸릴 것이다. 이미 배고픔을 느낄 때 (음식 준비를) 시작하면, 음식이 준비되기 전에 대단히 배가 고플 것이다. 배가 몹시 고프고 피곤하면, 건강하게 먹는 것이 어렵다. 기름진 패스트푸드, 초콜릿, 쿠키 혹은 감자 칩을 먹고 싶어질 수도 있다. 이런 종류의 음식은 가끔은 괜찮겠지만, 매일은 아니다.

어휘

nutritious 영양가 높은 **following** 다음의, 이어지는
absolutely 분명히, 명백히 **starve** 몹시 굶주리다

Grammar로 끊어 읽기

2행 **It can seem like / you do not have time**
그것은 ~처럼 보일 수 있다 · 너는 시간이 없다
앞 문장에서 언급된 상황을 가리킴

/ to prepare tasty nutritious meals / or
맛있고 영양가 있는 식사를 준비할 · 또는

/ even to eat them.
심지어 그것을 먹을
to prepare와 to eat이 접속사 or로 연결된 병렬 구조,
to부정사는 앞의 time을 꾸미는 형용사적 용법으로 쓰임

해석 _ ① 아기가 밤에 먹을 것을 달라고 울어대다 ② 식사를 위한 새로운 요리법을 찾아내다 ③ 먹고 싶은 생각이 들 정도로 정말 배고프다 ④ 자녀들이 접시 위에 있는 모든 음식을 다 먹다 ⑤ 과식 후 낮잠을 자고 싶어지다

해설 _ 빈칸이 있는 문장은 앞 문장에서 언급한 'the following trick'에 해당하는 것으로, 바로 뒤에 그렇게 말한 이유가 설명되어 있다. 배고픔을 느낄 때 음식을 준비하게 되면 시간을 들여 몸에 좋은 음식을 차리는 것이 어려워지고 몸에 좋지 않은 음식을 먹게 된다고 했다. 따라서 배고파질 때까지 기다리지 말고 식사를 준비하라는 것이 글쓴이의 주장이므로 이것과 가장 가까운 표현을 찾는다.

---

09 유형 | 글의 순서 배열하기

레모네이드는 화창한 날에 완벽한 음료이며, 그것은 또한 많은 양의 비타민 C를 함유하고 있다. 여기 레모네이드를 만드는 빠르고 쉬운 방법이 있다.

(C) 네 개의 레몬, 설탕 100그램, 물 1리터와 약간의 얼음을 준비하라. 우묵한 그릇, 주전자, 숟가락도 필요하다. 도마와 칼을 준비하는 것도 잊지 마라.

(A) 준비한 레몬을 씻어서 반으로 잘라라. 그런 다음에, 가능한 한 많은 양의 즙을 그릇에 짜 내라. 레몬을 손으로 짤 수도 있지만 레몬 압착기를 사용하면 더 쉽다.

(B) 그 다음에 그냥 레몬즙, 설탕, 물을 주전자에 넣어 섞어서 저어라. 유리컵에 붓고 약간의 얼음을 넣어 레모네이드를 즐겨라!

refreshment 가벼운 식사나 음료   contain 함유하다
squeeze 짜다, 짜내다   jug 주전자   cutting board 도마

Grammar로 끊어 읽기

6행 그런 다음 짜내라 많은 즙을
Then, / squeeze out / as much juice

네가 할 수 있는 만큼 / 그릇 안으로
/ as you can / into a bowl.
as ~ as you can: 네가 할 수 있는 만큼(가능한 한) ~한/하게

해설 _ 레모네이드 만드는 법을 소개하겠다고 한 다음 (C) 준비물에 대해 이야기하고, (A) 준비한 레몬의 즙을 짜라고 한 뒤 (B) 레몬즙과 설탕, 물, 얼음을 섞어 마시면 된다고 하는 것이 글의 흐름상 자연스럽다.

---

10 유형 | 글을 한 문장으로 요약하기

동물들은 공평에 대한 감각이 있을까? 연구자들은 '발을 내미는 것'에 대해 개들에게 보상을 주는 것으로 이것을 실험해 보기로 결정했다. 개들은 발을 내밀도록 반복적으로 요구받았다. 연구자들은 개들이 보상을 받지 않을 때 발을 얼마나 빠르게, 얼마나 여러 번 내미는지를 측정했다. 이러한 발 내밀기의 기준치 수준이 정립된 후에 연구자들은 두 마리의 개들을 서로 옆에 앉히고 각각의 개에게 번갈아 발을 내밀게 했다. 그러고 나서 둘 중 한 마리는 다른 개보다 더 나은 보상을 받았다. 이에 대한 반응으로 '보상'을 덜 받고 있던 개는 발을 보다 억지로 내밀기 시작하였고 발 내밀기를 더 빨리 멈추었다. 이러한 발견은 개들이 공평에 대한 기초적인 감각이나, 적어도 불평등에 대한 혐오를 가지고 있을 수 있음을 암시한다.

➡ 동일한 행위에 대해 다른 개보다 더 적게 보상을 받은 개가 마지못해 하는 반응을 보였고, 이것은 개들이 평등에 대한 감각을 갖고 있을 수도 있음을 암시한다.

sense 감각   fairness 공평   repeatedly 반복적으로
measure 측정하다   reward 보상하다   baseline 기준치

---

establish 수립하다   in turn 교대로, 번갈아   in response 대응하여   reluctantly 마지못해   basic 기초의   hatred 혐오   inequality 불평등   willing 기꺼이 하는, 적극적인   shame 수치   achievement 성취   belonging 소유물

Grammar로 끊어 읽기

2행 연구자들은 결정했다 이것을 실험하기로
Researchers decided / to test this
앞 문장 내용을 가리킴

개에게 보상하는 것으로 '앞발을 주는 것'에 대해
/ by paying dogs / for "giving their paw."

4행 연구자들은 측정했다 얼마나 빨리 그리고
Researchers measured / how fast and
간접의문문의 의문사+

얼마나 여러 번 개들이 그들의 앞발을 주는지
how many times / dogs would give their paw
주어+동사 간접의문문의 어순: 의문사+주어+동사

그들이 보상을 받지 않는다면
/ if they were not rewarded.
= dogs

7행 ~할 때 앞발 주기의 기준 수치가
Once / this baseline level of paw giving

정립되었다
/ was established,

연구자들은 두 마리의 개를 앉게 했다
/ the researchers had two dogs sit
have+목적어+동사원형: ~에게 …하도록 시키다

서로의 옆에 그리고 각 개에게 요구했다
/ next to each other / and asked each dog
ask+목적어+to부정사: ~에게 …하라고 요청하다

번갈아 앞발을 달라고
/ in turn / to give a paw.

12행 그에 대응하여 보상을 덜 받고 있던 개는
In response, / the dog that was being "paid" less
the dog를 선행사로 하는 주격 관계대명사

앞발을 주기 시작했다 더 마지못해
/ began giving its paw / more reluctantly
giving은 began의 목적어로 쓰인 동명사

그리고 앞발 주기를 멈췄다 더 빨리
/ and stopped giving its paw / sooner.
giving은 stopped의 목적어로 쓰인 동명사

해설 _ 개가 동일한 행위에 대해 보상을 덜 받을 경우 더 억지로 발을 내미는 반응을 보였고, 이로써 개가 공평에 대한 개념을 가지고 있다고 볼 수 있다는 내용의 글이므로 (A)에는 unwilling(마지못해 하는)이, (B)에는 equality(평등)가 적절하다.

09~10 DAY 수능 기초 예상 문제

● 1회　　　　　　　　　　　　　　pp. 9~18

Answers	01 ①	02 ②	03 ①	04 ②
	05 ⑤	06 ③	07 ③	08 ④	09 ④
	10 ④	11 ⑤	12 ②	13 ③	14 ③
	15 ①	16 ②	17 ②	18 ②	19 ④
	20 ②	21 ④	22 ②	23 ③	24 ⑤
	25 ①	26 ④	27 ③	28 ④

01 유형 | 글의 목적 추측하기

> Anderson 씨에게
>
> Jeperson 고등학교를 대표해서, 저는 귀 공장에서 산업 현장 견학을 할 수 있도록 허가를 요청하기 위해 이 편지를 쓰고 있습니다. 저희는 학생들에게 산업 절차와 관련해 실제적인 교육을 하기를 희망합니다. 저희는 그러한 프로젝트를 진행하기 위해 귀사가 이상적이라고 믿습니다. 그러나 물론, 저희는 귀사의 승인과 협조가 필요합니다. 저희는 이 현장 견학을 위해 단 하루를 예정하고 있습니다. 협조해 주시면 정말 감사하겠습니다.
>
> Ray Feynman 드림

어휘

on behalf of ~을 대표하여　request 요청하다, 신청하다　permission 허락, 허용　conduct 진행하다　industrial 산업의　factory 공장　practical 실제적인, 실질적인　in regard to ~에 관한　procedure 절차　firm 회사　ideal 이상적인　blessing 허락, 찬성　support 지원　appreciate 감사하다　cooperation 협조

Grammar로 끊어 읽기

저희는 주기를 희망합니다　약간의 실제적인 교육을
5행 We hope to give / some practical education
　　　hope+to부정사
우리 학생들에게　　산업 절차와 관련해
/ to our students / in regard to industrial procedures.
　　　　　　　in regard to: ~와 관련하여

저희는 믿습니다　귀사가 이상적이라고　진행하기 위해
7행 We believe / your firm is ideal / to carry out
　believe의 목적절을 이끄는 접속사 that이 생략되어 있음　to부정사 부사적 용법
그러한 프로젝트를　　　　　　　　　　　　　　　(목적)
/ such a project.

해설 _ 주어진 글은 학교 관계자로 추정되는 Ray Feynman 씨가 공장의 담당자 Anderson 씨에게 보내는 편지이다. request permission to conduct an industrial field trip in your factory(귀 공장에서 산업 현장 견학을 할 수 있도록 허가를 요청)로 보아 편지를 쓴 목적은 ①이 알맞다.

02 유형 | 심경 파악하기

> 투표 결과가 발표되었을 때, 우리가 필요한 3분의 2의 득표수를 얻게 되었는지를 알아내기 위해 내 머리가 정확한 비율을 계산하지 못했다. 그때, 기술자 중에 한 명이 그의 얼굴에 큰 웃음을 머금은 채 나에게 몸을 돌렸고, "당신이 해냈어요!"라고 말했다. 그 순간, 밖에 있던 카메라가 이어받았고, 바깥뜰에는 기쁨의 장면이 있었다. 나는 눈물이 터져 나오는 충동을 가까스로 참았고, 이 모든 시간이 지난 후 이 일이 일어난 기쁨과 즐거움 그리고 오랫동안 어려움 속에서 함께한 내 딸들과 가족에게 감사를 표현했다.

어휘

vote 투표　announce 발표하다　brain 뇌, 머리　work out 계산하다　discover 발견하다　majority 다수, 득표차　technician 기술자　take over 넘겨받다　manage 조종하다, 처리하다　overcome 극복하다　urge 충동　burst into tears 눈물이 터지다　express 나타내다　delight 즐거움　share 나누다, 함께하다　struggle 분투

Grammar로 끊어 읽기

투표 결과가 발표되었을 때　　　　　나의 뇌는
1행 When the vote was announced, / my brain

계산하지 못했다　　　　　정확한 비율을
just would not work out / the right percentages

알아내기 위해　　~인지 아닌지　우리가 얻었는지
/ to discover / whether / we had
discover의 목적어 간접의문문을 이끎 (의문사＋주어＋동사 어순)

필요한 3분의 2의 득표수를
/ the necessary two-thirds majority.

나는 가까스로 참았다   충동을
8행 I managed to overcome / my urge
_{manage+to부정사: 간신히 ~하다}

눈물이 터져 나오는
/ to burst into tears
_{to부정사의 형용사적 용법으로 쓰임}

해석 _ ① 낙담하고 슬픈 ② 매우 기쁘고 감격스러운 ③ 지루하고 무관심한 ④ 질투심과 분노를 느끼는 ⑤ 차분하고 평화로운

해설 _ 투표에서 승리한 상황을 묘사하고 있으며, joy(기쁨), delight(즐거움), my urge to burst into tears(눈물이 터질 듯한 충동) 등의 표현으로 보아 글쓴이가 매우 기뻐하고 감격하고 있음을 알 수 있다.

03 유형 | 필자의 주장 파악하기

> 2016 Pew Research Center 조사에 따르면, 23퍼센트의 사람들이 한 인기 있는 사회 관계망 사이트에서 우연으로든 의도적으로든 가짜 뉴스의 내용을 공유한 적이 있다고 인정한다. 뉴스 생태계가 너무나 붐비고 복잡해져서 나는 그곳을 항해하는 것이 힘든 이유를 이해할 수 있다. 의심이 들 때, 우리는 내용을 스스로 교차 확인할 필요가 있다. 사실 확인이라는 간단한 행위는 잘못된 정보가 우리의 생각을 형성하는 것을 막아준다. 무엇이 진실인지 혹은 거짓인지를 더 잘 이해하기 위해, 우리는 FactCheck.org와 같은 웹사이트를 참고할 수 있다.

어휘

admit to ~을 인정하다   fake news 가짜 뉴스   popular 인기 있는   accidentally 우연히   on purpose 고의로   according to ~에 따라, ~에 따르면   ecosystem 생태계   overcrowded 붐비는   complicated 복잡한   navigate 항해하다   challenging 도전적인   in doubt 의심스러운   cross-check 교차 확인하다   fact-checking 사실 확인   prevent 막다   misinformation 잘못된 정보   consult 참고하다   gain 얻다

Grammar로 끊어 읽기

뉴스 생태계가   ~이 되어 왔다
5행 The news ecosystem / has become

너무나 붐비고 복잡한   그래서 나는
/ so overcrowded and complicated / that I
_{so+형용사/부사+}   _{that+주어+동사: 너무 ~해서 …하다}

이해할 수 있다   왜   그곳을 항해하는 것이
can understand / why / navigating it
_{관계부사 why의 선행사 the reason이 생략되었다고 볼 수 있음}

힘든지
/ is challenging.

간단한 행위는   사실 확인이라는   막아준다
9행 The simple act / of fact-checking / prevents
_{주어}   _{전치사구}   _{동사}

잘못된 정보가   우리의 생각을 형성하는 것을
/ misinformation / from shaping our thoughts.
_{prevent A from+동명사: A가 ~하는 것을 막다}

해설 _ 2016년 조사 결과를 토대로 가짜 뉴스가 많이 유통되고 있으며 복잡한 뉴스 생태계에서 그 진위를 파악하기가 힘들므로, 사실 확인을 위해 노력해야 한다는 취지의 글이다. 주제문은 주로 조동사 must나 need to 등의 표현을 사용하여 제시되는 경우가 많다. we need to cross-check story lines ourselves(우리는 내용을 스스로 교차 확인할 필요가 있다)가 이 글의 주제문이자 필자의 주장이다.

04 유형 | 밑줄 친 부분의 의미 파악하기

> 인생의 거의 모든 것에는, 좋은 것에도 지나침이 있을 수 있다. 심지어 인생에서 최상의 것도 과잉되면 그리 좋지 않다. 아리스토텔레스는 미덕이 있다는 것은 균형을 찾는 것을 의미한다고 주장했다. 예를 들어, 사람들은 용감해져야 하지만, 만약 어떤 사람이 너무 용감하다면 그 사람은 무모해진다. 부족과 과잉 둘 다를 피하는 것이 최상이다. 최상의 방법은 행복을 극대화하는 'sweet spot'에 머무르는 것이다. 아리스토텔레스는 미덕은 중간 지점에 있으며, 그곳에서 사람들은 너무 두려워하지도 너무 무모하게 용감하지도 않다고 말한다.

어휘

argue 주장하다   virtuous 미덕이 있는   balance 균형   brave 용감한   reckless 무모한   avoid 피하다   deficiency 부족   spot 지점   maximize 극대화하다

well-being 행복, 웰빙 suggestion 제안 virtue 미덕
midpoint 중간점 neither ~ nor ... ~도 …도 아닌

Grammar로 끊어 읽기

아리스토텔레스는 주장했다 ~라고 미덕이 있다는 것은
3행 Aristotle argued / that / being virtuous
　　argue의 목적절 이끄는 접속사 that　└동명사 주어(단수 취급)
의미한다고 균형을 찾는 것을
/ means / finding a balance.
　단수 동사　동명사 목적어

아리스토텔레스의 주장은 ~이다　　　　　　미덕은 중간 지점에 있다
9행 Aristotle's suggestion is / that / virtue is
　　　　　　　　　　　　보어절(명사절) 이끄는 접속사 that
the midpoint, / where someone is
선행사　　　　　계속적 용법의 관계부사로 뒤에 완전한 절이 옴
그곳에서는 누군가가
너무 두려워하지도 않고　　　무모하게 용감하지도 않다
neither too afraid / nor recklessly brave.
neither A nor B: ~도 …도 아닌

해석 _ ① 사회적 압력으로부터 떨어져서 ② 양 극단의 중간에 ③ 편향된 결정의 시점에서 ④ 물질적 풍요의 영역에서 ⑤ 즉각적인 쾌락의 순간에

해설 _ 아리스토텔레스가 용감함과 무모함의 예를 들며 균형을 갖는 것이 미덕이라고 한 주장을 소개하고 있는 글이다. 부족과 과잉 둘 다를 피하는 중간 지점을 찾는 것이 미덕이라고 했으므로, sweet spot은 양 극단이 아닌 '양 극단의 중간 지점'이라 할 수 있다.

05 유형 | 글의 요지 파악하기

당신의 아이의 지능이나 재능을 칭찬하는 것은 그의 자존감을 높이고 그에게 동기를 부여하는 것처럼 보일지도 모른다. 그러나 이런 종류의 칭찬은 역효과를 일으키는 것으로 밝혀진다. Carol Dweck과 그녀의 동료들은 일련의 실험적 연구들에서 그 효과를 보여 주었다: "우리가 그들의 능력에 대해 아이들을 칭찬할 때, 아이들은 더 조심하게 된다. 그들은 도전을 피한다." 그것은 마치 그들이 자신들을 실패하게 만들고 당신의 높은 평가를 잃게 할지도 모를 어떤 것을 하길 두려워하는 것과 같다. 아이들은 실수했을 때 또한 무기력하게 느낄지도 모른다. 만약 당신의 실수가 당신이 지능이 부족하다는 것을 나타낸다면 나아지도록 노력하는 것이 무슨 소용이겠는가?

어휘

praise 칭찬하다; 칭찬 intelligence 지능 talent 타고난 재능 boost 끌어올리다 self-esteem 자존감 motivate 동기를 부여하다 turn out 드러나다, 밝혀지다 sort 종류 backfire 역효과를 일으키다 colleague 동료 demonstrate 나타내다, 보여 주다 effect 효과 experimental 실험적인 ability 능력 cautious 조심스러운 avoid 피하다 challenge 도전 appraisal 평가 helpless 무기력한 improve 개선하다 indicate 가리키다, 나타내다 lack 부족하다

Grammar로 끊어 읽기

그러나 밝혀진다　　　　이런 종류의 칭찬은
3행 But / it turns out / that this sort of praise
　　　　가주어 it　　　진주어 that절
역효과를 일으킨다는 점이　　가주어 it이 진주어 that절을 대신함
backfires.

그것은 마치 그들이 두려워하는 것과 같다 어떤 것을 하길
8행 It's / as if they are afraid / to do anything
　　　　마치 ~인 것처럼　　　　　　　선행사
자신들을 실패하게 만들지 모를　　　그리고 잃게 할지도 모를
/ that might make them fail / and lose
관계대명사 주격 사역동사 make+목적어+원형부정사 might가 생략된 형태임
당신의 높은 평가를
/ your high appraisal.

해설 _ Carol Dweck과 동료들의 연구에 의하면 아이들을 그의 지능, 타고난 능력 등으로 칭찬하면 더 잘하려고 노력하는 대신 오히려 실수를 했을 때 무기력해지고 도전을 피하게 된다. 그러므로 글의 요지는 지능과 타고난 재능에 대해 칭찬하는 것은 역효과를 일으킨다는 내용의 ⑤가 알맞다.

06 유형 | 글의 주제 파악하기

노력과 관련된 다른 어떤 것과 마찬가지로, 연민은 연습이 필요하다. 우리는 곤경에 빠진 다른 사람들과 함께 하는 습관을 기르는 데 매진해야 한다. 때때로 도움을 주는 것은 단순한 일 — 낙담한 사람에게 친절한 말을 해 줄 것을 기억하거나 가끔 토요일 아침에 좋아하는 자원 봉사를 하는 것이다. 다른 때에는, 돕는다는 것은 진정한 희생을 수반한다. Jack London은 "개에게 뼈를 주는 것은 자선이 아니다. 당신이 개만큼 배가 고플 때 개와 함께

나누는 그 뼈가 자선이다."라고 했다. 만약 우리가 다른 사람들을 돕는 많은 작은 기회들을 가지는 연습을 하면, 우리는 진정한 힘든 희생이 필요한 시기가 올 때 행동할 준비가 될 것이다.

[어휘]

involve 관련시키다   effort 노력   compassion 동정, 연민   get into the habit of ~의 습관이 들다   occasional 이따금씩의, 가끔의   sacrifice 희생   charity 자선   opportunity 기회   be in shape (건강한) 상태를 유지하다   require 요구하다, 필요로 하다   come along 나타나다, 생기다

[Grammar로 끊어 읽기]

4행
때때로 / 도움을 주는 것은 / 단순한 일이다
Sometimes / offering help / is a simple matter
동명사 주어는 단수 취급하여 단수 동사가 옴

기억하기 / 친절한 말을 해 줄 것을
— remembering / to speak a kind word
동명사1   remember+to부정사: ~할 것을 기억하다

낙담한 사람에게 / 혹은 (시간) 보내기
/ to someone who is down, / or spending
관계대명사 주격   동명사2

가끔씩의 토요일 아침을 / 자원 봉사를 하며
/ an occasional Saturday morning / volunteering
spend+시간+-ing: ~하는 데 시간을 보내다

좋아하는 이유로
/ for a favorite cause.

11행
자선은 ~이다 / 그 뼈 / 개와 함께 나누는
Charity is / the bone / shared with the dog,
과거분사구가 명사를 뒤에서 수식함

당신이 바로 개만큼 배가 고플 때
/ when you are just as hungry as the dog.
시간의 접속사 when이 이끄는 부사절   원급 비교: as+원급+as

해석 _ ① 곤경에 처한 사람들을 돕는 수단 ② 새로운 습관 형성의 어려움 ③ 타인을 돕기 위한 연습의 중요성 ④ 친절하게 말하는 연습의 효과 ⑤ 다른 사람과 조화롭게 사는 것의 이점

해설 _ 타인을 위한 연민, 자원봉사, 자선 행위도 다른 것처럼 습관을 들이려 노력해야 하며 진정한 희생을 수반해야 한다는 것을 주장하는 글이다. 특히 일상에서 벗어나지 않는 단순한 봉사에서 그치지 않고, 다른 사람을 돕기 위해 진정한 희생을 할 수 있도록 연습과 준비를 해야 한다고 말하고 있다. 그러므로, 이 글의 주제는 ③ importance of practice to help others(타인을 돕기 위한 연습의 중요성)이 적절하다.

07 유형 | 글의 제목 추론하기

삶에서, 어떤 것이든 지나치게 많으면 이롭지 않다고 한다. 실제로, 삶에서 어떤 것은 지나치게 많으면 당신을 죽게 할 수도 있다. 예를 들어, 물은 모든 생물에게 필수적이기 때문에 적이 없다고 한다. 그러나 만일 물에 빠진 사람처럼 너무 많은 물을 마시면, 그것은 당신을 죽게 할 수 있다. 교육은 이 규칙에서 예외다. 교육이나 지식은 아무리 많이 있어도 지나치지 않다. 나는 교육을 너무 많이 받아서 삶에서 피해를 본 사람을 아직 본 적이 없다. 오히려 우리는 매일, 전 세계에서 교육의 부족으로 인해 생긴 수많은 피해자들을 본다. 교육이 인간에게 시간, 돈, 그리고 노력을 장기 투자하는 것임을 명심해야 한다.

[어휘]

enemy 적   essential 필수적인   take in 섭취하다   drown 물에 빠지다   education 교육   exception 예외   knowledge 지식   rather 오히려   result from ~로 인해 생기다   lack 부족, 결핍   keep in mind 명심하다   long-term investment 장기 투자

[Grammar로 끊어 읽기]

9행
나는 아직 본 적이 없다 / 그 한 사람을
I am yet to find / that one person
one person을 꾸밈

피해를 본 / 삶에서 / 교육을 너무 많이 받아서
/ who has been hurt / in life / by too much education.
관계대명사 주격   현재완료 수동태

11행
오히려 / 우리는 수많은 피해자들을 본다 / 매일
Rather, / we see lots of casualties / every day,

전 세계에서 / 교육의 부족으로 인해 생긴
/ worldwide, / resulting from the lack of education.
현재분사구가 명사 casualties를 뒤에서 수식함

해석 _ ① 두 머리를 맞대는 것이 하나의 머리보다 더 나쁘다 ② 행동하기 전에 두 번 생각하지 마라 ③ 아무리 교육을 많이 받아도 해롭지 않을 것이다 ④ 과거가 아니라 미래로부터 배워라 ⑤ 놀기만 하고 공부하지 않으면 똑똑해진다

해설 _ 교육과 지식은 너무 많아도 지나치지 않고 피해를 보지 않으며, 오히려 교육의 부족으로 인해 피해를 본다는 요지의 글이다. 그러므로 글의 제목으로 알맞은 것은 ③ Too Much

Education Won't Hurt You(아무리 교육을 많이 받아도 해롭지 않을 것이다)이다.

08 유형 | 도표 내용 파악하기

위의 그래프는 2010년과 2015년 사이의 중국과 인도의 스마트 폰 평균 가격을 같은 기간의 전 세계 스마트 폰 평균 가격과 비교하여 보여 준다. ① 전 세계 스마트 폰 평균 가격은 2010년부터 2015년까지 하락했지만, 여전히 세 개의 비교 대상 중에서 가장 높게 머물렀다. ② 중국의 스마트 폰 평균 가격은 2010년과 2013년 사이에는 하락했다. ③ 인도의 스마트 폰 평균 가격은 2011년에 최고점에 도달했다. ④ 2013년부터, 중국의 스마트 폰 평균 가격은 하락했고(→ 상승했고) 인도의 스마트 폰 평균 가격은 상승하는(→ 하락하는), 정반대의 모습을 보였다. ⑤ 전 세계 스마트 폰 평균 가격과 중국의 스마트 폰 평균 가격의 차이는 2015년에 가장 적었다.

어휘

average 평균의   price 가격   compared with ~와 비교하여   global 전 세계의   decrease 하락하다   drop 떨어지다, 하락하다   reach 도달하다   peak 최고점, 꼭대기   opposite 정반대의   path 길, 방향, 행로   gap 차이

Grammar로 끊어 읽기

5행 전 세계 스마트 폰 평균 가격은
The global smartphone average price
주어

하락했다   2010년부터 2015년까지   그러나 여전히 머물렀다
/ decreased / from 2010 to 2015, / but still stayed
동사1   from A to B: A에서 B까지   동사2

가장 높게   세 개의 비교 대상 중에서
/ the highest / among the three.
최상급   중국, 인도, 전 세계

9행 인도의 스마트 폰 평균 가격은
The smartphone average price in India

도달했다   최고점에   2011년에
/ reached / its peak / in 2011.
과거 시제   in+과거 년도   「in+과거 년도」는 과거 시제와 함께 쓰임

해설 _ 그래프를 보면 2013년부터 중국의 스마트 폰 평균 가격은 상승하고 인도의 스마트 폰 평균 가격은 하락하였으므로 ④

는 그래프와 일치하지 않는다.

09 유형 | 내용 불일치 가려내기

16세기 스페인의 위대한 작곡가, Tomas Luis de Victoria는 Avila에서 태어나 소년 시절 교회 합창단에서 노래했다. 변성기가 됐을 때 공부를 위해 로마로 가서, 다양한 교회와 종교 기관에서 직책을 맡으며, 20년 동안 그 도시에 머물렀다. 로마에서 그는 유명한 이탈리아 작곡가인 Palestrina를 만났는데, 심지어 그의 제자였을지도 모른다. 사제가 되고 난 후, 1580년대에 스페인으로 돌아와 왕가의 작곡가이자 오르간 연주자로 마드리드에서 평화롭게 여생을 보냈다. 그는 1611년에 사망했으나, 무덤은 아직 확인되지 않았다.

어휘

composer 작곡가   choir 합창단, 코러스   one's voice breaks 변성기가 되다   remain 남다   appointment 임명, 임용, 관직   religious 종교적인   institution 기관   pupil 제자   priest 사제   peacefully 평화롭게   household 가족, 집안   tomb 무덤   identify 확인하다

Grammar로 끊어 읽기

7행 로마에서   그는 Palestrina를 만났다   유명한
In Rome, / he met Palestrina, / a famous
└ 동격의 콤마 ┘

이탈리아 작곡가인   심지어 ~였을지도 모른다
Italian composer, / and may even have been
조동사 may+have+과거분사: (과거에) ~였을지도 모른다

그의 제자
/ his pupil.

13행 그는 사망했다   1611년에   그러나 그의 무덤은
He died / in 1611, / but his tomb
과거 시제   in+과거 년도

아직 확인되지 않았다.
/ has yet to be identified.
have(has) yet+to부정사: 아직 ~하지 않았다

해설 _ 스페인 출신의 작곡자인 Tomas Luis de Victoria는 이탈리아에서 사제가 되고 난 후 1580년대에 다시 스페인으로 돌아와 왕가의 작곡가가 되었다고 했다. 그러므로 글의 내용과 일치하지 않는 것은 ④이다.

장난감과 선물 창고 세일

Wilson Square에서

4월 3일부터 4월 16일까지

우리는 더 큰 소매상에 재고로 있는 품목들을 더 싼 가격에 취급합니다. 여러분은 신생아부터 십 대까지 어린이를 위한 장난감을 찾아볼 수 있습니다. 열 개의 장난감 회사가 이 판매에 참여할 것입니다.

수요일 ~ 금요일 : 오전 10시 ~ 오후 6시

토요일과 일요일 : 오전 11시 ~ 오후 5시

월요일과 화요일에는 운영되지 않음

반품은 구입 후 1주일 이내에 하셔야 합니다.

더 많은 정보를 원하시면, www.poptoy.com을 방문하십시오.

[어휘]

warehouse 창고   item 품목   in stock 재고로   retailer 소매상   participate 참여하다   purchase 구매

[Grammar로 끊어 읽기]

4행 우리는 취급합니다 / 품목들을 / 재고로 있는
We carry / items / that are in stock
관계대명사 주격으로 선행사는 items임
더 큰 소매상에 / 더 싼 가격에
/ at bigger retailers / for a cheaper price.

14행 반품은 되어야 합니다 / 1주일 이내에
Returns must be made / within one week
조동사 수동태
구입의
/ of purchase.

해설 _ ① from April 3 to April 16이라고 했으므로, 4월 16일부터 시작되는 것이 아니라 4월 16일에 끝난다. ② toys for children from birth to teens로 보아 십 대를 위한 장난감도 판매함을 알 수 있다. ③ Ten toy companies will participate라고 했으므로, 스무 개가 아니라 열 개의 장난감 회사가 참여한다. ④ Closed on Monday & Tuesday라고 했으므로 월요일과 화요일은 운영하지 않는다. ⑤ within one week of purchase라고 했으므로, 반품은 구입 후 1주간만 가능하다.

빅토리아 샌드보딩 투어

빅토리아 시 근처 모래 언덕에서 샌드보딩을 즐기세요! 모래 언덕은 바닷가 근처에 위치해 있어서 여러분은 샌드보딩과 바다의 아름다운 풍경을 동시에 즐길 수 있습니다.

시간과 비용

• 종일 프로그램: 오전 9시 ~ 오후 5시
(개인당 40달러, 점심 포함)
• 반일 프로그램: 오후 1시~ 오후 5시
(개인당 20달러)

*14세 미만 어린이는 반값에 즐길 수 있습니다.

특별 제공

• 우리는 여러분의 숙소로 태우러 가고 태워다 드릴 것입니다.
• 우리는 여러분이 원하는 만큼 식수를 제공해 드릴 것입니다.
• 우리는 대여해 드릴 다양한 크기의 보드를 준비할 것입니다.

예약 정보

• 예약은 필수이며 반드시 우리의 웹사이트
(www.victoriasandboarding.com)에서 해야 합니다.

[어휘]

sand hill 모래 언덕   be located 위치해 있다   ocean 해양, 바다   including ~을 포함하여   offer 제공   provide 제공하다   range 범위   rent 대여   reservation 예약   require 필요로 하다, 요구하다

[Grammar로 끊어 읽기]

3행 모래 언덕은 위치해 있습니다 / 바닷가 근처에
The sand hills are located / near the ocean,
수동태
그래서 여러분은 즐길 수 있습니다 / 샌드보딩과 바다의 아름다운 풍경을
/ so you can enjoy / sandboarding and the beautiful
목적어1   등위접속사   목적어2
(병렬 구조)
동시에
view of the ocean / at the same time.

22행 예약은 필수입니다 / 그리고 반드시 되어야 합니다
Reservations are required / and must be made
수동태   조동사 수동태(조동사+be+과거분사)
우리의 웹사이트에서
/ on our website.

해설 _ ① enjoy ~ the beautiful view of the ocean으로 보아 바다 풍경을 즐길 수 있다. ② Full-Day Program의 설명에 including lunch라는 표현이 있으므로, 종일 프로그램에는 점심 식사가 포함되어 있음을 알 수 있다. ③ provide as much drinking water as you want라고 하였으므로, 물은 원하는 만큼 제공된다. ④ prepare boards in a wide range of sizes로 보아 다양한 크기의 보드가 준비되어 있음을 알 수 있다. ⑤ Reservations are required라고 한 것으로 보아 반드시 예약을 해야만 참가할 수 있으므로 내용과 일치하지 않는 것은 ⑤이다.

12 유형 | 어법 정확성 판단하기

당신은 당신의 강점과 약점에 대하여 스스로에게 정직한가? 스스로에 대해 확실히 알고 당신의 약점이 무엇인지를 파악하라. 당신의 문제에 있어 스스로의 역할을 받아들이는 것은 해결책이 당신 안에 있다는 것을 이해함을 의미한다. 만약 당신이 특정 분야에 약점이 있다면, 배워서 상황을 개선하기 위해 스스로 해야만 할 것들을 행하라. 만약 당신의 사회적 이미지가 형편없다면, 스스로를 들여다보고 그것을 개선하기 위해 필요한 조치를 취하라, 오늘 당장. 당신은 삶에 대응하는 방법을 선택할 능력이 있다. 오늘 당장 모든 변명을 끝내기로 결심하고, 일어나는 일에 대해 스스로에게 거짓말하는 것을 멈춰라. 성장의 시작은 당신이 자신의 선택에 대한 책임을 스스로 받아들이기 시작할 때 일어난다.

어휘

weakness 약점 accept 받아들이다 educate 교육하다
improve 개선하다 ability 능력 respond 대응하다
excuse 변명 growth 성장 responsibility 책임

Grammar로 끊어 읽기

너의 역할을 받아들이는 것은   네 문제에서   의미한다
4행 Accepting your role / in your problems / means
동명사 주어는 단수 취급함   단수 동사
네가 이해한다는 것을   해결책은 네 안에 있다
/ that you understand / the solution lies within you.
means의 목적어 명사절을 이끄는 접속사   명사절 접속사 that 생략됨

만약 당신이 약점이 있다면   특정 분야에
6행 If you have a weakness / in a certain area,

배워서 행하라   해야만 할 것들을
/ get educated and do / what you have to do
get+과거분사: ~된 상태가 되다   선행사를 포함한 관계대명사
상황을 개선하기 위해   스스로
/ to improve things / for yourself.

해설 _ ② accepting으로 시작하는 동명사구가 주어이므로 단수형 동사 means가 와야 한다. ① 명령문에서 생략된 주어 you와 목적어가 같은 사람이므로 재귀대명사 yourself가 바르게 쓰였다. ③ 선행사가 없고 '해야만 할 것'의 의미로 쓰인 관계대명사 what절이 동사 do의 목적어 명사절로 쓰였다. ④ 앞에 나온 your social image를 받는 대명사이므로 단수 대명사 it이 왔다. ⑤ stop의 목적어로 동명사가 와야 하므로 lying이 바르게 쓰였다.

13 유형 | 어휘 적합성 판단하기

현재 소셜 텔레비전 시스템은 서로 다른 장소에 있는 TV 시청자들 사이의 사회적 상호 작용을 가능하게 한다. 이런 시스템들은 TV를 이용하는 친구들 사이에 더 큰 유대감을 만드는 것으로 알려져 있다. 한 연구는 30세에서 36세 사이의 다섯 명의 친구들이 자기들의 집에서 TV를 보면서 어떻게 의사소통하는지에 초점을 두었다. 그 기술은 그들이 친구들 중 어떤 이가 TV를 보고 있는지와 그들이 무엇을 보고 있는지를 알 수 있게 했다. 그들은 의사소통하는 방법, 즉 음성 채팅을 할 것인지 혹은 문자 채팅을 할 것인지를 선택했다. 그 연구는 음성 채팅보다는 문자 채팅에 대한 선호도가 강하다는 것을 보여 주었다. 이용자들은 문자 채팅을 선호하는 두 가지 이유를 말했다. 우선, 문자 채팅은 수고와 집중을 덜 필요로 했고 음성 채팅보다 더 재미있었다. 둘째, 연구 참여자들은 문자 채팅을 더 예의 바른 것으로 여겼다.

어휘

enable 가능하게 하다 interaction 상호 작용 location 장소 sense 감각 connectedness 소속감, 유대감 isolation 소외 technology 기술 allow 허락하다 forbid 금하다 voice chat 음성 채팅 text chat 문자

채팅   preference 선호   offer 제공하다   favor 호의를 보이다, 편들다   attention 집중   enjoyable 재미있는 participant 참가자   polite 예의 바른

Grammar로 끊어 읽기

8행
그 기술은 그들을 허락했다   알도록
The technology allowed them / to see
allow+목적어+to부정사: ~가 …하게 허락하다

친구들 중 어떤 이가 TV를 보고 있는지
/ which of the friends were watching TV
간접의문문1: 의문사 (주어)+동사: 의문사 which가 주어로 쓰임

그리고 그들이 무엇을 보고 있는지를
/ and what they were watching.
간접의문문2: 의문사+주어+동사: 의문사 what이 목적어로 쓰임

13행
그 연구는 보여 주었다   강한 선호를
The study showed / a strong preference

문자(채팅)에 대한 / 음성(채팅)보다는
/ for text / over voice.
(두 개를 비교하여) ~ 위에, ~보다

해설 _ (A) 소셜 텔레비전 시스템이 social interaction(사회적 상호 작용)을 가능하게 한다고 했으므로, TV를 이용하는 친구들 사이에 isolation(소외감)이 아닌 connectedness(유대감)를 만든다고 하는 것이 자연스럽다.

(B) 소셜 텔레비전 시스템이 TV 시청자들이 각자 집에서 TV를 보면서도 다른 시청자들과 의사소통할 수 있게 한다고 했으므로, 어떤 시청자가 무엇을 보는지 알 수 있게 허락했다는 의미로 allowed가 자연스럽다. forbade는 '금지했다'의 의미이므로 적절하지 않다.

(C) 바로 앞 문장에서 a strong preference for text over voice, 즉 '음성보다 문자에 대한 강한 선호'라는 표현이 나오므로, 문자 채팅을 '더 좋아하는' 이유를 제공했다고 하는 것이 적절하다.

14 유형 | 빈칸 어구 추론하기

날마다 해야 하는 많은 학업이 지루하고 반복적이기 때문에, 여러분은 그것을 계속할 수 있는 왕성한 의욕이 필요하다. 어느 수학자는 어떤 증명을 해내려고 애쓰며, 몇 가지 접근법을 시도하고, 아무런 성과를 내지 못하고, 하루를 끝낸다. 어느 작가는 몇

백 단어의 글을 창작하고, 그것이 별로라고 판단하며, 쓰레기통에 그것을 던져 버리고, 내일 더 나은 영감을 기대한다. 가치 있는 것을 만들어 내는 것은 여러 해 동안의 그런 결실 없는 노동을 필요로 할지도 모른다. 노벨상을 수상한 생물학자 Peter Medawar는 과학에 들인 그의 시간 중 5분의 4 정도가 헛되었다고 말하면서, "거의 모든 과학적 연구가 성과를 내지 못한다."고 애석해 하며 덧붙여 말했다. 상황이 악화되고 있을 때 이 모든 사람들을 계속하게 했던 것은 열정이었다. 그러한 열정이 없었더라면, 그들은 아무것도 이루지 못했을 것이다.

어휘

a great deal of 많은 양의   academic work 학업 repetitive 반복적인   motivated 자극 받은, 의욕을 가진 proof 증명   approach 접근   nowhere 아무 데도 ~ 없다 bin 쓰레기통   inspiration 영감   worthwhile 가치 있는   labor 노동   biologist 생물학자   four-fifths 5분의 4   passion 열정   achieve 성취하다

Grammar로 끊어 읽기

1행
날마다 해야 하는 많은 학업이
Since a great deal of day-to-day academic work
이유의 접속사 <종속절>   많은

지루하고 반복적이기 때문에,   여러분은 필요하다
/ is boring and repetitive, / you need
형용사 보어   <주절>

제대로 의욕을 가지는 것이   그것을 계속할 수 있도록
/ to be well motivated / to keep doing it.
need+to부정사   to부정사의 부사적 용법으로, 목적을 나타냄

15행
이 모든 사람들을 계속하게 했던 것은
What kept all of these people going
선행사 포함 관계대명사 주격   keep+동명사: ~을 계속하게 하다

상황이 악화되고 있을 때
/ when things were going badly
관계대명사절 안에 쓰인 부사절

그들의 열정이었다
/ was their passion.
what 명사절이 주어로 올 때 단수 취급하여 단수 동사 was가 옴

해석 _ ① 협조적인 ② 생산적인 ③ 결실 없는 ④ 위험한 ⑤ 불규칙한

해설 _ 수학자와 작가, 노벨상 수상자의 예를 들어 지루하고 반복적인 작업을 계속하는 것이 무의미해 보일 수도 있으나, 가치 있는 것을 생산하기 위해서는 열정을 가지고 이러한 결실 없어

보이는 노동을 계속하려는 동기와 의욕이 필요하다고 주장하는 글이다. 그러므로 글의 요지를 나타내는 문장의 빈칸에 알맞은 것은 ③ fruitless(결실 없는)이다.

15 유형 | 빈칸 어구 추론하기

우리 대부분은 신속한 인식을 의심한다. 우리는 결정의 질은 결정을 내리는 데 들어간 시간과 노력과 직접적인 관계가 있다고 생각한다. 그게 우리가 자녀들에게 말하는 것인데, "서두르면 일을 망친다." "돌다리도 두드려 보고 건너라." "멈춰서 생각하라." 이다. 우리는 가능한 한 많은 정보를 모아서 가능한 한 많은 시간을 주의 깊게 숙고하는 데 시간을 보내는 것이 늘 더 나을 것이라고 생각한다. 하지만 특히 시간에 쫓기는 중대한 상황 속에서는 서두르는데도 일을 망치지 않는, 즉 우리의 순식간에 내리는 판단과 첫인상이 세상을 파악하는 더 나은 수단을 제공할 수 있는 순간이 있다. 생존자들은 어쨌든 이 교훈을 배웠고, 신속하게 인식하는 능력을 발전시켜서 연마했다.

어휘

suspicious 의심스러운   rapid 신속한   be related to ~와 관계가 있다   haste 서두름   leap 뛰다, 뛰어오르다   better off -ing ~해야 더 좋은   gather 모으다   consideration 심사숙고, 숙려   particularly 특히   time-driven 시간에 쫓기는   critical 중대한, 중요한   snap 즉석의, 즉각의   judgment 판단   impression 인상   means 수단   survivor 생존자   somehow 여하튼, 어쨌든   sharpen 연마하다   steady 꾸준한

Grammar로 끊어 읽기

우리는 생각한다   ~라고   결정의 질은
2행 We believe / that / the quality of the decision
   believe의 목적어 명사절을 이끄는 접속사
직접적으로 관계가 있다   시간과 노력과
/ is directly related / to the time and effort
   ~와 관련이 있다   선행사
결정을 내리는 데 들어간
/ that went into making it.
관계대명사 주격   it은 the decision을 가리킴

생존자들은 어쨌든 배웠다   이 교훈을
15행 Survivors have somehow learned / this lesson
   현재완료   동사1   동사의 목적어
그리고 발전시켜서 연마했다
/ and have developed and sharpened
병렬 구조   동사2   (have)   동사3
신속하게 인식하는 능력을
/ their skill of rapid cognition.
   동사2와 3의 목적어

해석 _ ① 서두르는데도 일을 망치지 않는다   ② 배우기에 너무 늦은 것은 없다   ③ 백지장도 맞들면 낫다   ④ 천천히 꾸준히 하면 경주에서 이긴다(서두르면 망친다)   ⑤ 외모로 판단하지 마라
해설 _ 글의 앞부분과 뒷부분이 But으로 시작하는 10행 문장에서부터 반대되는 내용으로 전개되는 것에 유의한다. 앞부분에서는 지나치게 신속한 판단은 의심스러우며 최대한 많은 정보를 모아 심사숙고하는 것이 필요하다고 말하고 있다. 반면 But 이후에는 긴급한 상황에서는 빠른 판단과 신속한 인식 능력이 생존에 필요하다는 내용으로 전환된다. 그러므로 후반부의 의견을 반영한 빈칸에 알맞은 것은 ① haste does not make waste(서두르는데도 일을 망치지 않는다)이다.

16 유형 | 빈칸 어구 추론하기

아프리카의 농촌 사람들은 물을 길어 오기 위해 하루에 5킬로미터를 걸으면서 해바라기, 장미, 커피와 같은 환금 작물 밭을 지날 때 무슨 생각을 할까? 일부 아프리카 국가들이 자국민들을 먹여 살리거나 안전한 식수를 공급하는 데 어려움을 겪고 있는데도 귀한 물은 유럽 시장에 수출하는 작물을 생산하는 데 사용된다. 하지만 아프리카 농민들은 그러한 작물들을 기를 수밖에 없다. 왜냐하면 그 작물들은 얼마 되지 않는 소득원 중 하나이기 때문이다. 어떤 의미로는 아프리카 국가들은 그들이 재배하는 바로 그 작물을 통해 물을 수출하고 있는 것이다. 그들은 물이 필요하지만 또한 그들이 재배하는 농작물을 통해 물을 수출할 필요도 있다. 환경 보호 압력 단체들은 아프리카산 커피와 꽃을 구매하는 유럽의 소비자들이 아프리카의 물 부족을 악화시키고 있다고 주장한다.

어휘

rural 시골의, 지방의   cashcrop 환금 작물(돈벌이 작물)
collect 모으다   feed 먹이다   provide 제공하다
precious 귀중한, 소중한   export 수출; 수출하다   crop
작물   cannot help but ~할 수밖에 없다   source 원천
income 수입   in a sense 어떤 의미에서는   produce 생
산하다   pressure 압력   lower 낮추다   shortage 부족
profit 이익   criticize 비판하다   unfair 불공정한
trade 거래, 무역

Grammar로 끊어 읽기

4행
일부 아프리카 국가들은 알고 있다 / 어렵다는 것을
Some African countries find / it / difficult
5형식 동사+가목적어 it+목적격 보어(형용사)

자국민들을 먹여 살리거나 / 혹은 공급하는 것이
/ to feed their own people / or provide
+진목적어 to부정사   to feed ~ or (to) provide ...의 병렬 구조

안전한 식수를 / 그런데도 귀한 물은
/ safe drinking water, / yet precious water
                          등위접속사

생산하는 데 사용된다 / 수출하는 작물
is used to produce / export crops
수동태로 쓰여 '~하는 데 사용되다'의 의미임

유럽 시장에
/ for European markets.

10행
어떤 의미로는 / 아프리카 국가들은 수출하고 있다
In a sense, / African countries are exporting
                                  현재진행 시제

물을 / 바로 그 작물 속의 / 그들이 재배하는
/ their water / in the very crops / they grow.
                강조의 의미   관계대명사 목적격 that이 생략됨

해석 _ ① 작물 가격을 낮추다 ② 물 부족을 악화시키다 ③ 농민의 소득을 낮추다 ④ 더 많은 이윤을 가진 상품을 생산하다 ⑤ 물의 불공정 거래를 비판하다

해설 _ 일부 아프리카 국가 농촌의 물이 부족한 상황을 보여 주고 있는 글이다. 유럽 수출 작물 농사를 위해 정작 자국의 안전한 식수 공급이 어려워졌으나, 그렇다고 그 수입원을 포기할 수 없어 물이 부족하다는 내용이다. 빈칸 문장에서 환경 보호 압력 단체들의 주장이 나오고 있는데, 앞의 내용과 연결하여 생각할 수 있어야 한다. 아프리카산 커피와 꽃을 소비하는 유럽의 소비자들이 아프리카의 '물 부족을 악화시키고 있다'고 해야 전체 글의 흐름이 자연스럽다.

얼마나 많은 정보를 공개하는 것이 적절한지에 관한 생각은 문화마다 다르다. (B) 미국에서 태어난 사람들은 정보를 잘 공개하려는 경향이 있고, 자기 자신에 관한 정보를 낯선 이에게 기꺼이 공개하려는 의향을 보이기까지 한다. 이것은 왜 미국인들을 만나는 것이 특히 쉬워 보이는지와 그들이 칵테일 파티에서의 대화에 능숙한지를 설명할 수 있다. (A) 반면에, 일본인들은 자신과 매우 친한 소수의 사람들을 제외하고는 타인에게 자신에 관한 정보를 거의 공개하지 않는 경향이 있다. 일반적으로 아시아인들은 낯선 이에게 관심을 내보이지 않는다. (C) 그러나 그들은 조화를 관계 개선에 필수적이라고 간주하기 때문에 서로를 매우 배려하는 모습을 보인다. 그들은 자신이 불리하다고 생각하는 정보를 외부인으로 생각하는 사람들이 얻지 못하도록 열심히 노력한다.

어휘

appropriate 적절한, 알맞은   on the other hand 반면에
disclose 밝히다, 폭로하다   except ~을 제외하고   in
general 일반적으로   reach out to ~에게 관심을 보이다
willingness 기꺼이 하는 마음, 흔쾌히 하기   particularly
특히   view ~ as ... ~을 ...이라고 간주하다   harmony 조
화   essential 필수적인   improvement 개선   prevent
~ from -ing ~가 ...을 하지 못하게 막다   unfavorable
형편이 나쁜, 불리한

Grammar로 끊어 읽기

1행
~에 대한 생각은 / 얼마나 많은 정보 공개가
Ideas about / how much disclosure
주어   의문사가 이끄는 명사절은 「의문사+주어+동사」의 어순으로 쓰임

적절한지 / 다르다 / 문화마다
is appropriate / vary / among cultures.
                동사

3행
반면에, / 일본인들은 경향이 있다
On the other hand, / Japanese tend to do
                      tend+to부정사:~하는 경향이 있다

자신에 관해 정보를 거의 공개하지 않는 / 타인에게
/ little disclosing about themselves / to others
'거의 ~않다'의 부정의 의미임   재귀대명사 재귀 용법

소수의 사람들을 제외하고는
/ except to the few people / with whom
~을 제외하고   선행사   관계대명사 목적격

자신과 매우 친한
/ they are very close.
(= Japanese)

해설 _ 주어진 문장은 정보 공개의 양은 문화에 따라 다르다는 내용이며 이에 대한 나라별 예시가 이어지고 있다. (B)로 먼저 미국의 예를 들고 있고, (A)에서 앞 내용에 반대되는 견해를 이끄는 연결어 On the other hand(반면에)로 미국인들과 다르게 자신의 정보를 거의 공개하지 않는 일본인들의 경향을 소개하고 있다. 이어서 (C)에서 they(Japanese)의 다른 사람을 배려하는 성향에 대해 추가적인 정보를 덧붙이고 있다. 그러므로 글의 알맞은 순서는 (B) – (A) – (C)이다.

18 유형 | 글의 순서 배열하기

협업은 대부분의 기초 예술과 과학의 기반이다. (B) 셰익스피어는, 당대 대부분의 극작가처럼, 늘 혼자 작품을 썼던 것은 아니라고 흔히 믿어지고, 그의 희곡 중 다수가 협업을 한 것으로 여겨지거나 최초의 창작 후에 개작되었다. 레오나르도 다빈치는 혼자서 스케치를 그렸지만, 더 세밀한 세부 묘사를 더하기 위해 다른 사람들과 협업했다. (A) 예를 들어, 인체의 해부학적 구조를 그린 그의 스케치는 Pavia 대학의 해부학자인 Marcantonio della Torre와 협업한 것이었다. 그들의 협업은 예술가와 과학자가 결합한 것이어서 중요하다. (C) 마찬가지로, 마리 퀴리의 남편은 원래 자신이 하던 연구를 중단하고 마리의 연구를 함께 했다. 그들은 더 나아가 협업으로 라듐을 발견했고, 그것은 물리학과 화학에서의 기존 개념들을 뒤집었다.

어휘

collaboration 협업   basis 기초, 토대   foundational 기초적인, 기본적인   anatomist 해부학자   marry ~ with ... ~와 …을 결합하다   playwright 극작가   period 시기, 시대   play 희곡   collaborative 협력적인, 협업의   composition (음악, 미술의) 작품, 창작   individually 개별적으로   fine 세밀한   detail 세부, 세부 묘사   similarly 마찬가지로   go on to 계속해서 ~로 나아가다   overturn 뒤집다   physics 물리학   chemistry 화학

Grammar로 끊어 읽기

흔히 믿어진다   셰익스피어는
8행 It is often believed / that Shakespeare,
가주어 it   수동태   진주어 that절   <that절>의 주어

당대의 대부분의 극작가처럼,
/ like most playwrights of his period,

늘 혼자 작품을 썼던 것은 아니었다고   그리고 그의 희곡 중 다수가
/ did not always write alone, / and many of his plays
<that절>의 동사   주어

여겨진다   협업을 한 것으로   혹은 개작되었다
are considered / collaborative / or were rewritten
동사1 (수동태)   병렬 구조 └ 동사2 (수동태 과거)

최초의 창작 후에
/ after their original composition.

그들은   더 나아가 협업으로 발견했다
18행 They / went on to collaboratively discover
          └ go on+to부정사: 계속해서 ~로 나아가다 ┘

라듐을   그것은 기존 개념들을 뒤집었다
/ radium, / which overturned old ideas
관계대명사의 계속적 용법으로 쓰임

물리학과 화학에서
/ in physics and chemistry.

해설 _ 예술과 과학에서 협업의 중요성을 말하는 첫 문장 뒤에 (B) 셰익스피어와 레오나르도 다빈치의 작품이 다른 사람들과 협업으로 이루어졌다는 설명이 나오고 (A) For example(예를 들어)로 레오나르도 다빈치의 해부학 그림에 대한 구체적 예시가 이어진다. (C) Similarly(마찬가지로)는 이미 나온 내용에 대한 유사한 정보를 가져올 때 쓰이므로 예시 (A) 뒤에 오는 것이 자연스럽다. 그러므로 알맞은 글의 순서는 (B) – (A) – (C)이다.

19 유형 | 주어진 문장의 위치 파악하기

내가 아주 어렸을 때, 공룡과 용의 차이를 구별하는 데 어려움이 있었다. 그러나 그들 사이에는 중요한 차이가 있다. 용은 그리스 신화, 영국 Arthur 왕의 전설, 중국의 새해 행렬, 그리고 인류 역사에 걸친 많은 이야기에 등장한다. 그러나 비록 그들이 오늘날 만들어진 이야기에서 중요한 역할을 한다 해도, 항상 인간의 상상의 산물이었으며 결코 존재하지 않았다. 그러나 공룡은 한때 실제로 살았다. 비록 인류가 그들을 보지는 못했지만, 그들은 오랫동안 지구에 살았다. 그들은 2억 년 쯤 전에 존재했고 그 뼈가 화석으로 보존되어 왔기 때문에 우리는 그들에 대해 알고 있다.

dinosaur 공룡   dragon 용   significant 확실한, 명백한
appear 나타나다   myth 신화   legend 전설   parade
행진, 행렬   tale 이야기   throughout ~을 통하여, 내내
feature 특색이 되다   imagination 상상   human
beings 인류   bone 뼈   preserve 보존하다   fossil 화석

Grammar로 끊어 읽기

8행
그러나 비록 / 그들이 중요한 역할을 해도 / 이야기에서
But even if / they feature / in stories
오늘날 만들어진 / 그들은 항상 ~이었다
/ created today, / they have always been
└ 과거분사가 뒤에서 꾸밈   동사1: 현재완료 시제
인간 상상의 산물
/ the products of the human imagination

그리고 결코 존재하지 않았다
/ and never existed.
(have) 동사2: 현재완료 시제

11행
그들은 걸었다 / 지구에서 / 오랫동안
They walked / the earth / for a very long time,
비록 / 인간이 보지는 못했지만 / 그들을
/ even if / human beings never saw / them.
양보, 대조의 접속사가 부사절을 이끎   (= dinosaurs)

해설 _ 주어진 문장은 '그러나 공룡은 한때 실제로 살았다'의 의미이므로, 앞에 반대되는 내용이 나올 가능성이 있다. 또한 대명사 they나 them이 어떤 명사를 대신하고 있는지 잘 파악해야 하며, dragon에 대한 설명이 끝나고 dinosaur에 대한 설명이 시작되는 위치를 확인한다. '(용은) 인간 상상의 산물이었으며 결코 존재하지 않았다'는 말 뒤에 공룡에 대한 설명이 이어지는 것이 적절하므로 ④에 들어가야 한다.

20 유형 | 주어진 문장의 위치 파악하기

우리 대부분은 사장이 생각하기에 중요한 어떤 전문적인 정보와 더불어 인적 자원 기준에 근거하여 많은 사람을 고용해 왔다. 나는 대부분의 사람이 자신과 꼭 닮은 사람을 고용하고 싶어 한다는 것을 알게 되었다. 그러나 이것이 과거에는 효과가 있었을지도 모르지만, 오늘날에는 상호 연결된 팀의 업무 과정으로 인해 우리는 모든 사람이 똑같은 사람이기를 원치 않는다. 팀 내에서

어떤 사람은 지도자일 필요가 있고, 어떤 사람은 실행가일 필요가 있으며, 어떤 사람은 창의적인 역량을 제공할 필요가 있고, 어떤 사람은 상상력을 제공할 필요가 있다는 것 등이다. 달리 말하자면, 우리는 구성원들이 서로를 보완해 주는 다양화된 팀을 찾고 있다. 팀 구성원을 고용할 때 우리는 각 개인을 보고 그 사람이 어떻게 우리의 팀 목적 전반에 어울리는지 살펴볼 필요가 있다. 팀이 크면 클수록 다양해질 가능성이 더욱 더 많이 존재한다.

work 효과가 있다, 작동하다   interconnected 상호 연결된
process 과정   hire 고용하다   resource 자원   along
with ~에 덧붙여, ~와 마찬가지로   technical 기술적인, 전문적인   boss 사장   doer 실행가, 실천가   provide 제공하다   diversified 다양화된   complement 보충하다, 보완하다   fit into ~에 꼭 들어맞다, 어울리다   objective 목적, 목표   possibility 가능성   diversity 다양성

Grammar로 끊어 읽기

4행
우리 대부분은 많은 사람을 고용해 왔다
Most of us have hired many people
most of+   └ 복수 동사(현재완료)
인적 자원 기준에 근거하여
/ based on human resources criteria

어떤 전문적인 정보와 더불어
/ along with some technical information
~에 덧붙여, ~와 마찬가지로   선행사
사장이 생각하기에 중요한
/ that the boss thought was important.
관계대명사 주격   └ 삽입절

17행
팀이 크면 클수록 / 더 많은 가능성이
The bigger the team, / the more possibilities
the+비교급,   be동사가   the+비교급: ~할수록 더 …하다
존재한다 다양성에 대한 생략됨
/ exist / for diversity.

해설 _ 주어진 문장이 but을 포함하고 있다는 점과 대명사 this가 무엇을 가리키는 것인지를 파악해야 한다. 'this(자신과 닮은 사람을 고용하고 싶어 하는 것)가 과거에는 효과가 있었으나 현재는 모든 사람이 똑같지 않기를 바란다'는 내용이므로, 주어진 문장의 앞에는 과거의 상황이, 뒤에는 다양한 구성원을 원하는 현재의 상황을 설명하는 내용이 올 것임을 알 수 있다.

> 이모티콘이 널리 사용되고 있다는 점을 고려할 때, 중요한 문제는 인터넷 사용자들이 온라인상의 의사소통에서 감정을 이해하는 데 그것들이 도움을 주는가의 여부이다. 이모티콘, 특히 문자에 기반한 것들은 다른 사용자들에 의해 매우 다르게 해석될 수 있다. 그럼에도 불구하고, 연구는 그것들이 온라인상의 텍스트 기반 의사소통에서 유용한 도구라는 것을 보여 준다. 한 연구는 이모티콘이 사용자들로 하여금 감정, 태도, 주의력 표현의 정도와 방향을 정확하게 이해할 수 있게 해 주고 이모티콘이 비언어적 의사소통에서 확실한 장점이라는 것을 밝혀냈다. (사실, 언어적 의사소통과 비언어적 의사소통 간의 관계에 관한 연구는 거의 없었다.) 마찬가지로, 또 다른 연구는 언어적 메시지의 강도를 강화하는 데 이모티콘이 유용하다는 것을 보여 주었다.

어휘

widespread 널리 퍼진   emoticon 감정을 나타내기 위해 사용하는 기호, 이모티콘   emotion 감정   character-based 활자(문자)에 기반한   interpret 해석하다   nonetheless 그럼에도 불구하고   indicate 가리키다, 지적하다   text-based 텍스트에 기반한   reveal 폭로하다, 밝히다   direction 방향   attitude 태도   attention 주의력   definite 뚜렷한, 확실한   advantage 장점   non-verbal 비언어적인   strengthen 강화하다   intensity 강도

Grammar로 끊어 읽기

광범위한 사용이 고려되었을 때   이모티콘의
1행 Given the widespread use / of emoticons,
Being이 생략된 수동태 분사구문
중요한 문제는 ~이다   그것들이 돕는지
/ an important question is / whether they help
　　　주어　　　　　동사　　　(= emoticons)　help+목적어+
인터넷 사용자들이   감정을 이해하는 것을　　　　　　　to부정사: ~가
/ Internet users / to understand emotions　　…하도록 돕다
온라인상의 의사소통에서
/ in online communication.

한 연구는 밝혀냈다   이모티콘이 하게 한다는 것을
9행 One study revealed / that emoticons allowed
　　　　　　　　revealed의 목적절1을 이끄는 접속사
사용자들이 정확하게 이해하도록
/ users / to correctly understand
allow+목적어+to부정사: ~가 …하도록 허락하다

정도와 방향을   감정, 태도
/ the level and direction / of emotion, attitude,

그리고 주의력 표현의   그리고 이모티콘이
and attention expression / and that emoticons
　　　　　　　　　　　　　　revealed의 목적절2를 이끄는 접속사
확실한 장점이라는 것을
were a definite advantage

비언어적 의사소통에서
/ in non-verbal communication.

해설 _ 주어진 글은 이모티콘이 온라인상에서 감정을 이해하는 의사소통을 가능하게 하는가를 고찰하고 있다. 이모티콘이 다양하게 해석될 수 있음에도 불구하고 비언어적 의사소통에서 감정을 표현하고 이해하는 데 도움을 줄 수 있다는 연구 결과를 보여 준다. ④의 '언어적 의사소통과 비언어적 의사소통 간의 관계에 관한 연구 여부'는 이모티콘의 기능을 다룬 이 글의 흐름과는 어울리지 않는다.

22 유형 | 흐름에서 벗어난 문장 찾기

> 일부 사람들에게 주의를 기울이고 다른 사람들에게 그렇게 하지 않는 것이 여러분이 남을 무시하고 있다거나 거만하게 굴고 있다는 것을 의미하지는 않는다. 그것은 단지 명백한 사실을 나타낼 뿐인데, 우리가 아마 주의를 기울이거나 관계를 발전시킬 수 있는 사람의 수에 한계가 있다는 것이다. 일부 과학자는 우리가 안정된 사회적 관계를 지속할 수 있는 사람의 수가 우리의 뇌에 의해 자연스럽게 제한되는 것일지도 모른다고까지 믿는다. (여러분이 다른 배경의 사람들을 더 많이 알수록, 여러분의 삶은 더 다채로워진다.) Robin Dunbar 교수는 우리의 마음은 정말로 최대 약 150명의 사람과 의미 있는 관계를 형성할 수 있을 뿐이라고 설명했다. 그것이 사실이든 아니든, 우리가 모든 사람과 진정한 친구가 될 수 있는 것은 아니라고 가정하는 것이 안전하다.

어휘

pay attention 주의를 기울이다   reflect 반영하다   limit 제한; 제한하다   possibly 어쩌면, 아마   stable 안정된   social relationship 사회적 관계   naturally 자연스럽게   background 배경   mind 마음, 정신   capable ~이 가능한   form 형성하다   meaningful 의미 있는, 중요한

maximum 최대   assume 가정하다

4행 there are limits / on the number of people
한계가 있다   사람의 수에
there are+복수 명사: ~가 있다
우리가 아마 주의를 기울이거나
/ we can possibly pay attention to
(whom)
혹은 관계를 발전시킬 수 있는   전치사1(+whom)
/ or develop a relationship with   전치사의 목적어로 쓰인 관계대명사 whom이 앞에서 생략된 형태임
전치사2(+whom)

16행 Whether that's true or not, / it's safe
그것이 사실이든 아니든,   안전하다
양보의 부사절 이끄는 접속사   가주어 it
가정하는 것이   우리가 진정한 친구가 될 수 있는 것은 아니라는 것을
/ to assume / that we can't be real friends
진주어 to부정사   assume의 목적어 명사절 이끄는 접속사
모든 사람과
/ with everyone.

해설 _ 주어진 글은 타인과 의미 있는 사회적 관계를 맺는 것이 수적으로 한계를 가지고 있으며, 그것은 태도의 문제가 아니라 뇌와 정신의 문제라고 말하고 있다. 글의 요지는 많은 사람과 사회적 관계를 맺는 것에 연연할 필요가 없다는 것이므로, ③ '여러분이 다른 배경의 사람들을 더 많이 알수록, 여러분의 삶은 더 다채로워진다'는 글의 흐름에서 자연스럽지 않다.

23 유형 | 글을 한 문장으로 요약하기

한 실험에서, 실험 대상자들은 한 사람이 30개의 선다형 문제를 푸는 것을 관찰했다. 모든 경우에, 15개의 문제가 바르게 풀렸다. 한 실험 대상자 집단은 그 사람이 전반부에 더 많은 문제를 바르게 푸는 것을 보았고, 다른 실험 대상자 집단은 그 사람이 후반부에 더 많은 문제를 바르게 푸는 것을 보았다. 그 사람이 초반의 예제에서 더 잘 하는 것을 본 집단은 그 사람을 더 똑똑하다고 여겼고 그가 더 많은 문제들을 바르게 풀었다고 기억했다. 그 차이에 대해 설명하자면, 한 집단은 초기 정보에서 그 사람이 똑똑하다는 의견을 형성한 반면, 다른 집단은 그 반대의 의견을 형성했다는 것이다. 일단 이러한 의견이 형성되면, 반대되는 증거가 제시될 때, 그것은 나중의 과제 수행을 우연이나 문제 난이도와 같은 다른 어떤 원인의 탓으로 돌림으로써 무시될 수 있다.

→ 사람들은 초반의 정보에 근거하여 의견을 형성하는 경향이 있고, 의견에 대한 반대 증거가 제시될 때, 그것은 무시되기 쉽다.

observe 관찰하다   multiple-choice problem 선다형 문제   perform 수행하다   initial 초반의, 초기의   rate A as B A를 B로 여기다, 평가하다   intelligent 지적인   recall 상기시키다, 회상하다   explanation 설명   form 형성하다   opposite 반대의   oppose 반대하다   evidence 증거   present 제출하다, 제시하다   discount 무시하다, (무가치한 것으로) 치부하다   cause 이유, 원인   accept 받아들이다, 수용하다   ignore 무시하다

8행 The group / that saw the person perform
그 집단은   그 사람이 더 잘 하는 것을 보았던
주어   관계대명사 주격   see(지각동사)+목적어+원형부정사
초반의 예제에서   여겼다
better / on the initial examples / rated
동사
그 사람을 더 똑똑하다고   그리고 기억했다
/ the person as more intelligent / and recalled
rate A as B: A를 B로 여기다   동사2
그가 해결했다고   더 많은 문제들을   올바르게
/ that he had solved / more problems / correctly.
recalled의 목적절 이끄는 접속사   과거완료: 주절의 과거 시점보다 앞선 과거를 나타냄

16행 Once this opinion is formed,
일단 이러한 의견이 형성되면,
접속사: 일단 ~하면
반대의 증거가 제시될 때
/ when opposing evidence is presented
현재분사의 명사 수식
그것은 무시될 수 있다   ~의 탓으로 돌림으로써
/ it can be discounted / by attributing
= opposing evidence   전치사의 목적어로 쓰인 동명사
나중의 과제 수행을   다른 어떤 원인
/ later performance / to some other cause
attribute A to B: A를 B의 탓으로 돌리다
우연이나 문제 난이도와 같은
/ such as chance or problem difficulty.
~와 같은

해설 _ 어떤 사람이 30개의 문제를 풀어 똑같이 15개를 맞혔을 때, 전반부에서 더 많은 문제를 맞힌 경우가 후반부에서 더 많이 맞혔을 때보다 더 똑똑하게 여겨진다. 일단 이러한 의견이

형성되고 나면 반대되는 증거가 나중에 제시되어도 무시된다. 그러므로, 요약문의 빈칸에 알맞은 말은 ③ earlier(초반의)와 ignored(무시된)이다.

[24-25] 유형 | 장문 이해하기

수천 개의 웹 사이트, 텔레비전 채널, 문자 메시지, 그리고 전화 통화로 인해 매체의 홍수에 빠지기 쉽다. 우리는 노트북 컴퓨터로 누군가에게 전자 우편을 보내면서 휴대 전화의 지속적인 메시지의 방해를 받는 것과 동시에 음악도 즐기려고 하는 등, 종종 너무 많은 것들을 너무 많은 방법으로 흡수하려고 노력한다. 내가 살아남는 데 도움이 되도록 배운 것이 있는가? 그렇다. 한 번에 한 가지 종류의 매체에 집중하라.

대개 우리는 집중하는 데 매우 제한된 능력을 가지고 있다. 우리가 한 번에 너무 많은 것들을 흡수하려고 하면, 그것들은 종종 충돌한다. 말을 하는 행위 자체가 우리의 작동 메모리의 많은 부분을 차지한다. 복잡한 주제에 대해 말하는 동시에 운전을 잘 하려고 애쓰는 것은 우리의 능력을 한계점까지 밀어붙인다. 이것이 사람들이 여전히 좋은 영화를 보러 영화관에 가는 이유 중 하나다. 모든 휴대 전화가 꺼지기 때문에 그것은 온전한 경험이 된다. 많은 형태의 의사소통 수단들은 한 번에 하나씩만 제대로 즐길 수 있을 뿐이다.

어휘

drown 물에 빠뜨리다, 익사시키다 **flood** 홍수 **media** 매체 **absorb** 흡수하다 **laptop** 노트북 컴퓨터 **interrupt** 방해하다 **constant** 끊임 없는 **mobile phone** 휴대 전화 **stick** 고정하다, 전념하다 **to a large extent** 대부분 **limit** 제한하다; 한계, 한도 **conflict** 충돌하다 **action** 행동, 행위 **take up** 차지하다 **complex** 복잡한 **cinema** 영화관 **switch off** 끄다 **form** 형태

Grammar로 끊어 읽기

노력하는 것은 / 복잡한 주제에 대해 말하려고
13행 Trying / to talk about complex subjects
동명사 주어는 단수 취급함

그리고 동시에 운전을 잘 하려고 / 밀어붙인다
/ and drive well at the same time / pushes
to부정사의 to가 생략됨 / 단수 동사

우리의 능력을 / 한계점까지
/ our abilities / to their limits.

이것이 이유 중 하나이다 / 사람들이
15행 This is one of the reasons / why people
선행사(이유) / 관계부사 뒤에는 완전한 절이 옴

여전히 영화관에 가는 / 좋은 영화를 위해
still go to cinemas / for good films

24

해석 _ ① 표지로 책을 판단하지 마라 (겉모습으로 판단하지 마라) ② 백지장도 맞들면 낫다 ③ 일찍 일어나는 새가 벌레를 잡는다 ④ 어려울 때 돕는 친구가 진짜 친구다 ⑤ 씹을 수 있는 것 이상으로 베어 물지 마라 (분수껏 행동해라)

해설 _ 한꺼번에 여러 매체에서 많은 것을 흡수하려 하면 우리 능력의 한계로 인해 서로 충돌하고 만다. 우리의 집중 능력은 제한되어 있으니 한 번에 하나의 매체에 집중하는 것이 좋다는 내용이므로, 알맞은 제목은 ⑤이다.

25

해석 _ ① 온전한 ② 잘못된 ③ 간접적인 ④ 도덕적인 ⑤ 고통스러운

해설 _ 우리는 한 번에 하나씩의 의사소통 수단만을 제대로 즐길 수 있으므로 영화관에서 휴대 전화를 끄고 집중하는 것은 영화를 즐기는 '온전한' 경험이 된다. 그러므로 빈칸에 알맞은 어휘는 ①이다.

[26-28] 유형 | 복합 문단 지문 이해하기

(A) 사람들에게 음식과 필수품을 나누어 주는 동안에 자신의 어깨를 가볍게 두드리는 것을 느끼고 열여덟 살의 Toby Long은 몸을 돌려서 자신의 뒤에 서 있는 에티오피아 소년을 발견했다. 그 어린 소년은 자신의 낡은 셔츠를 먼저 본 다음 Toby의 옷을 보았다. 그 다음에 그는 자신이 Toby의 셔츠를 가질 수 있는지 물었다. Toby는 국제 자선 단체와 함께 2주 반 동안 자원봉사를 하러 아프리카에 갔다. Toby는 그 어린 소년에게 "나도 그것이 필요해."라는 말 외에 다른 무슨 말을 해야 할지 몰랐다.

(D) 그 날 저녁 Toby가 캠프로 돌아왔을 때 그는 커다란 슬픈 눈을 가진 그 어린 소년에 대한 생각을 멈출 수 없었다. 가난이 도처에 있는 이 지역에서 배고픔이 유일한 문제는 아니었다. 대부분의 사람들은 한두 벌의 해진 옷을 가지고 있을 뿐이었다. 그 소년과, 그에게 자신의 셔츠를 주는 것을 거부했던 일에 대해 생각하면서 Toby는 자신이 한 결정 때문에 울었다. 하지만 이내 Toby는 자신이 셔츠를 주기를 거부했던 그 소년에 대해 잊지 않겠다고 맹세했다.

(B) Toby가 Michigan에 있는 집으로 돌아왔을 때 그는 자신이 보았던 사람들의 삶에 변화를 가져다 주기로 한 자신의 약속을 지키려고 노력했는데, 그는 자신의 지역 사회에서 티셔츠 기부 운동을 조직했다! "Give the Shirt Off Your Back"이라고 불리었던 Toby의 캠페인은 곧 만 장이 넘는 티셔츠를 모았다. 그의 다음 도전 과제는 티셔츠를 모으는 일만큼 크거나 훨씬 더 큰 것이었다. 그것은 그 모든 셔츠를 에티오피아로 보내는 데 드는 수송비를 지불해 줄 단체를 찾는 것이었다.

(C) 그것도 역시 첫 번째 도전 과제만큼이나 어려웠다. 그는 SOS(사하라 사막 이남의 아프리카 지역을 후원하는 사람들)를 찾아냈다. 그 단체는 자신들의 다음번 아프리카 방문 때 그 티셔츠들을 수송하겠다고 동의했다. "우리 모두는 변화를 가져올 수 있다고 생각해요. 제가 만났던 그 어린 소년이 만 장의 셔츠 중 하나를 받을지 궁금한데 그에 대한 답을 모르겠어요. 하지만 저는 그가 티셔츠를 받거나 혹은 티셔츠를 받은 누군가가 그것을 그에게 주기를 기도할 수 있어요."라고 Toby는 말했다.

[어휘]

tap 가볍게 톡톡 두드림 supply 생필품 turn around 뒤돌아보다 worn 낡은 charity 자선, 자선 단체 organize 조직하다 drive (모금, 기부) 운동 community 지역 사회 give (someone) the shirt off one's back ~에게 무엇이든 주어 버리다 challenge 도전 shipping cost 수송비, 운임 supporter 후원자 transport 수송하다 wonder if ~일지 궁금하다 pray 기도하다 hunger 기아, 굶주림 poverty 가난 everywhere 도처에 ragged 누더기의, 해진 refusal 거절 decision 결심 vow 맹세하다 refuse 거절하다

A 8행

Toby는 몰랐다

Toby didn't know /

무슨 말을 해야 할지

what to say
의문사+to부정사

그 어린 소년에게

/ to the little boy /

~외에

other than,
~외에

/

"나도 그것이 필요해."

"I need it, too."

C 7행

하지만 나는 기도할 수 있다 / 그가 티셔츠를 받거나

But I can pray / that he does
pray의 목적어 명사절을 이끄는 접속사1   = gets one of the ten thousand shirts

혹은 티셔츠를 받은 누군가가 그것을 주기를

/ or that someone who receives one will give
접속사2   관계대명사절이 someone을 꾸밈   부정대명사= T-shirt)
                                                          같은 종류의 대상을 가리킴

그에게

it / to him.
앞에서 받은 바로 그 T-shirt를 가리킴

26

해설 _ (A) Toby가 아프리카의 자원봉사 현장에서 한 에티오피아 소년과 만난 에피소드를 소개하고 있다. Toby의 티셔츠를 가지고 싶어 하는 그 소년에게 티셔츠를 주지 않고 온 상황에 이어, (D) 그 날 저녁(that evening) 캠프로 돌아와 그 소년에게 티셔츠를 주지 않았던 것에 대해 후회하며 그 소년에 대해 잊지 않겠다고 맹세하는 장면이 이어진다. (B) 자원봉사를 마치고 Michigan의 집으로 돌아와 티셔츠 기부 운동을 조직하여 티셔츠를 모으고 수송비를 지불해 줄 단체를 찾는다. (C) 수송비를 지불해 줄 단체를 찾는 일이 어려웠지만 SOS를 찾아낸후 아프리카에서 만난 소년이 티셔츠를 받을 수 있기를 기원하는 것으로 이야기가 이어지는 것이 자연스럽다.

27

해설 _ (a)의 him 뒤에 에티오피아 소년이 서 있다고 했으므로 Toby이다. (b)의 He가 티셔츠 기부 운동을 조직하였으므로 Toby이다. (c)의 he는 Toby가 인터뷰에서 '그'가 티셔츠를 받기를 기도한다고 언급한 대상이므로 에티오피아 소년을 말한다. (d)의 he는 바로 앞에 나온 Toby이다. (e)의 he는 티셔츠를 주지 않기로 결심을 했던 사람이므로 Toby이다.

28

해설 _ (C)에서 SOS가 아프리카에 티셔츠들을 수송해 주기로 동의했다는 내용이 나오므로 내용과 일치하지 않는 것은 ④이다.

Answers 01 ①   02 ①   03 ②   04 ⑤
05 ⑤   06 ②   07 ①   08 ④   09 ⑤
10 ④   11 ④   12 ③   13 ②   14 ④
15 ①   16 ②   17 ①   18 ④   19 ③
20 ②   21 ③   22 ③   23 ①   24 ④
25 ③   26 ⑤   27 ④   28 ②

01 유형 | 글의 목적 추측하기

친애하는 학우 여러분,

즐거운 연말입니다. 여러분 중 몇몇이 이미 아시다시피, 저희는 교내 음식 기부 행사를 시작할 것입니다. 다음이 참여 방법입니다. 여러분은 기부용 물품을 저희 부스로 가져 오시면 됩니다. 저희 기부 부스는 교내 도서관들의 로비에 위치하고 있습니다. 12월 4일부터 23일까지 도서관 일반 개관 시간 동안 그곳에 물품을 그냥 놓아 주세요. 기부되는 음식물은 통조림 고기나 통조림 과일처럼 상하지 않는 것이어야 합니다. 잼이나 땅콩버터 같은 포장된 상품도 좋습니다. 저희는 그 음식물을 크리스마스이브에 우리 이웃에게 나눌 것입니다. 여러분의 도움에 진심으로 감사드립니다.

축복이 가득하길, 교내 음식 기부처의 Joanna

어휘

season's greetings 연말·새해 인사로 안부를 전하는 말 food drive 식료품 기부 운동 participate 참가하다 donation 기부 booth 부스, 칸막이 된 자리 be located 위치하다 non-perishable 상하지 않는 canned 통조림의 packaged 포장된 distribute 분배하다, 배포하다 appreciate 감사하다 blessing 축복

Grammar로 끊어 읽기

4행 이것이 ~이다 여러분이 참여하는 방법
This is / how you participate.
뒤에 나오는 내용을 가리킴   관계부사절로 앞에 the way가 생략됨

7행 물품들을 그저 놓기만 해라   그곳에
Just drop off the items / there
앞서 언급한 기부 부스를 가리킴
일반적인 도서관 개관 시간 동안   12월 4일부터 23일까지
/ during usual library hours / from December 4 to 23.

해설 _ 음식 기부 행사가 있음을 알린 뒤, 어떻게 기부해야 할지 안내하고 있다.

02 유형 | 심경 변화 파악하기

11살 소년 Ryan은 가능한 한 빨리 집으로 달려갔다. 마침내, 여름 방학이 시작됐다! 그가 집으로 들어갔을 때 그의 엄마는 냉장고 앞에 서서 그를 기다리고 있었다. 그녀는 그에게 가방을 싸라고 말했다. Ryan의 심장이 풍선처럼 날아올랐다. '왜 가방을 싸지? 우리가 디즈니랜드에 가는 걸까?' 그는 마지막으로 부모님이 자신을 데리고 휴가를 갔던 때가 기억나지 않았다. 그의 두 눈이 반짝거렸다. "너는 Tim 삼촌과 Gina 숙모와 함께 여름을 보내게 될 거야." Ryan은 신음 소리를 냈다. "여름 내내요?" "그렇단다, 여름 내내." 그가 느꼈던 기대감이 순식간에 사라졌다. 비참한 3주 내내, 그는 자신의 숙모와 삼촌의 농장에서 지내게 되었다. 그는 한숨을 쉬었다.

어휘

pack (짐을) 싸다 soar 솟구치다, 날아오르다 beam 빛나다, 활짝 웃다 groan 신음 소리를 내다 anticipation 기대 disappear 사라지다 in a flash 순식간에 miserable 비참한 sigh 한숨을 쉬다

Grammar로 끊어 읽기

3행 그가 집에 들어갔을 때
When he entered the house,

그의 엄마는 서 있었다
/ his mom was standing

냉장고 앞에   그를 기다리며
/ in front of the refrigerator, / waiting for him.
동시에 일어나는 일을 나타내는 분사구문

해석 _ ① 흥분한 → 실망한 ② 몹시 화가 난 → 후회하는 ③ 짜증이 난 → 만족스러운 ④ 긴장한 → 안도하는 ⑤ 기쁜 → 질투하는

해설 _ 방학이 시작되는 날 엄마가 짐을 싸라고 해서 즐거운 방학을 보내게 될 줄 알고 들떴다가(excited) 친척의 농장에서 몇 주나 지내야 한다는 것을 알고 실망했다(disappointed).

당신은 누군가가 "나는 공을 옮겨야 했어."라고 말하는 것을 들어본 적이 있는가? '공을 옮기다'라는 표현은 무언가가 완료되도록 하는 데에 책임을 진다는 것을 의미한다. 우리는 일상적으로 발화에서 이러한 상투적 표현을 사용한다. 이 표현들은 다채로우며, 감정이나 상황을 전달하는 데 종종 효과적이다. 누군가는 '얼음처럼 차갑'거나 '벌처럼 바쁠'지도 모른다. 이야기가 '말도 안되게 재미있을'지도 모른다. 발화에서 이 표현들은 거의 해가 되지 않는다. 그러나 글쓰기에서 상투적 표현은 지루해져 버리는 익숙한 것들의 운명을 겪는다. 당신의 독자는 이런 표현들을 너무나 자주 듣고 읽어서 그 표현들이 매력을 잃는 경향이 있다. 그러므로 당신의 글이 더 강력하고 더 효과적이기를 원한다면 상투적 표현을 사용하지 않도록 하라. 글쓰기에서 상투적 표현은 궁극적으로 당신의 메시지의 강점과 유효성을 감소시킨다.

[어휘]

carry the ball 책임지고 하다 responsibility 책임감 cliché 상투적인 문구 speech 발화 colorful 다채로운 effective 효과적인 convey 전달하다 emotion 감정 do harm 해를 끼치다 suffer 겪다 fate 운명 tend to ~하는 경향이 있다 appeal 매력, 호소 ultimately 결국, 궁극적으로 diminish 줄이다, 약화시키다 effectiveness 유효, 효과적임

Grammar로 끊어 읽기

2행 공을 옮기다'라는 표현은
The expression "to carry the ball"
＝

의미한다   책임을 진다는 것을
/ means / to take responsibility

무언가가 완료되게 만드는 것에 대해
/ for getting something done.
get+목적어+과거분사: ~이 …되게 하다.
과거분사 done이 something의 목적격 보어 역할

글쓰기에서는   그러나   상투적 표현은 운명을 겪는다
10행 In writing, / however, / clichés suffer the fate

지루해져 버리는 익숙한 것들의
/ of the familiar becoming boring.
the+형용사 → 복수 보통명사 └the familiar를 꾸미는 현재분사

당신의 독자는 들어왔고 읽어왔다
12행 Your reader has heard and read
                                        has

이 표현들을   매우 자주
/ these expressions / so often
                        so ~ that: 매우 ~해서 …하다

그래서 그것들은 경향이 있다 / 그들의 매력을 잃는
/ that they tend / to lose their appeal.
= these expressions

해설 _ 상투적 표현은 말할 때에는 효과적일 수 있지만, 글쓰기에서는 그렇지 않으므로 쓰지 말라고 조언하고 있다. 글의 흐름을 바꾸는 접속사 however에 유의한다.

04 유형 | 밑줄 친 부분의 의미 파악하기

여러분의 선택이 다른 사람들의 선택에 영향을 미칠지를 결정하는 중요한 한 요인이 있는데, 바로 그 선택의 가시적인 결과이다. Adélie 펭귄들의 사례를 들어보자. 그들이 먹이를 찾아 물가를 향해 큰 무리를 지어 거니는 것이 종종 발견된다. 하지만 얼음같이 차가운 물에는 위험이 기다리고 있다. 한 예로, 식사로 펭귄들을 먹는 것을 좋아하는 표범물개가 있다. Adélie 펭귄은 무엇을 할까? 펭귄의 해결책은 기다리기 시합을 하는 것이다. 그들은 자기들 중 한 마리가 포기하고 뛰어들 때까지 물가에서 기다리고, 기다리고 또 기다린다. 그것이 일어나는 순간, 나머지 펭귄들은 다음에 무슨 일이 일어날지 알려고 기대감을 갖고 지켜본다. 만약 그 선두 주자가 살아남으면, 다른 모두가 그대로 따를 것이다. 만약 그것이 죽는다면, 그들은 돌아설 것이다. 한 펭귄의 운명은 나머지 모든 펭귄들의 운명을 바꾼다. 여러분은 그들의 전략이 '배워서 산다'라고 말할 수 있을 것이다.

[어휘]

critical 대단히 중요한 factor 요인, 요소 determine 결정하다 influence 영향을 주다 visible 눈에 보이는, 시각의 consequence 결과 case 사례 stroll 거닐다, 산책하다 in search of ~을 찾으며 await 기다리다 occur 일어나다 rest 나머지 anticipation 기대 pioneer 선구자 survive 생존하다 follow suit 방금 남이 한 대로 따라하다 destiny 운명 alter 바꾸다 strategy 전략

1행 대단히 중요한 요소가 있다 / 결정하는
There is a critical factor / that determines
주격 관계대명사

너의 선택이 영향을 미칠지를 / 다른 사람들의 선택에
/ whether your choice will influence / that of others:
'~일지 아닐지'라는 의미로 명사절을 이끄는 접속사   = choice

즉, 그 선택의 가시적 결과이다
/ the visible consequences of the choice.

4행 그들은 종종 거니는 것이 발견된다 / 큰 무리를 지어
They are often found strolling / in large groups
능동태 문장으로 바꿔 쓰면 'We often find them strolling'

물가를 향해 / 먹이를 찾아
/ toward the edge of the water / in search of food.

13행 그 순간 / 그것이 일어나는
The moment / that occurs,
→ that 앞에 관계부사 when이 생략된 구조,
펭귄들의 나머지는 지켜본다   that: 펭귄들 중 한 마리가 물에 뛰어드는 것
/ the rest of the penguins watch

기대감을 갖고 / 알기 위해 / 무엇이 다음에 일어날지
/ with anticipation / to see / what happens next.
부사적 용법   동사 see의 목적어가 되는 간접의문문

해석 _ ① 안전을 위해 경쟁자의 영역을 차지하다 ② 적이 누구인지 알아내어 먼저 공격하다 ③ 다음 세대와 생존 기술을 공유하다 ④ 최선의 결과를 위해 지도자의 결정을 지지하다 ⑤ 안전하다고 증명될 때에만 다른 사람의 행동을 따라하다

해설 _ 이 글에 나타난 펭귄들의 전략은 누군가가 어떤 일을 시도할 때의 결과를 보아 성공하면 따라하고 실패하면 시도하지 않는 것이다. 따라서 ⑤가 밑줄 친 부분의 의미와 가장 가깝다.

05 유형 | 글의 요지 파악하기

> 문제가 해결될 수 없는 것처럼 보일 수 있다. 우리는 문제를 다른 사람들과 의논할 필요가 있는 사회적 동물이다. 우리가 혼자일 때, 문제는 더 심각해진다. 공유함으로써, 우리는 의견을 얻고 해결책을 찾을 수 있다. 삶의 만족감이 낮은 한 집단의 여성을 대상으로 실험이 행해졌다. 그 여성 중 일부는 비슷한 상황에 놓인 다른 사람들에게 소개되었고, 일부는 자기들의 걱정을 혼자서 처리하도록 남겨졌다. 다른 사람들과 상호 작용을 한 사람들은 시간이 흐르면서 자기들의 걱정을 55퍼센트 줄였으나, 홀로 남겨진 사람들은 아무런 개선도 보이지 않았다.

appear ~인 것 같다   unsolvable 풀 수 없는   discuss 논의하다   conduct (특정한 활동을) 하다   satisfaction 만족감   on one's own 홀로   deal with ~을 처리하다 concern 걱정   interact 상호 작용하다   reduce 줄다, 줄이다   over time 시간이 지나면서   improvement 개선

5행 한 실험이 행해졌다
An experiment was conducted

한 집단의 여성들과 함께
/ with a group of women

낮은 만족감을 가진 / 삶에서
/ who had low satisfaction / in life.
women을 선행사로 하는 주격 관계대명사

11행 다른 사람들과 상호 작용한 사람들은
Those who interacted with others
those who: ~하는 사람들
그들의 걱정을 줄였다 / 55퍼센트 / 시간이 흐르면서
/ reduced their concerns / by 55 percent / over time,

그러나 / 홀로 남겨졌던 사람들은
/ but / those who were left on their own
those who: ~하는 사람들   on one's own: 홀로
아무런 개선을 보이지 않았다
/ showed no improvement.

해설 _ 'By sharing, we can get opinions and find solutions.'에서 글쓴이의 생각을 알 수 있다. 그 뒤에 소개된 실험 내용도 이를 뒷받침한다. 문제를 다른 사람과 공유할 때 걱정을 줄일 수 있다는 것을 실험 결과를 통해 설명하고 있으므로, 이 글의 요지는 ⑤ '다른 사람들과 문제를 공유하면 해결에 도움이 된다.'이다.

06 유형 | 글의 주제 파악하기

> 만약 적절하게 보관되지 않는다면 많은 약들이 쓸모없게 될 것이기 때문에 의약품을 올바르게 보관하는 것은 매우 중요하다. 욕실의 의약품 캐비닛은 그 공간의 습기와 열이 약의 화학적 손상을 가속화하기 때문에 의약품을 보관하기 좋은 장소가 아니다.

의약품을 냉장고에 보관하는 것 또한 그 장치 내부의 습기 때문에 좋은 생각이 아니다. 빛과 공기 또한 약들에 영향을 줄 수 있지만 어두운 색 병과 밀폐 뚜껑은 이러한 영향을 최소한으로 유지할 수 있다. 아이들의 손이 닿지 않도록 하는 한, 벽장이 아마도 의약품 보관을 위한 당신의 최선의 방책일 것이다.

store 보관하다, 저장하다 medication 약(물) ineffective 효과 없는 properly 적절하게 moisture 습기 speed up 속도를 더 내다 breakdown 붕괴, 파손 unit 기구, 장치 affect 영향을 미치다 air-tight 밀폐의 minimum 최소 a good bet 안전한 것 storage 보관 reach (손을 뻗어 닿을 수 있는) 거리

Grammar로 끊어 읽기

욕실의 의약품 캐비닛은
3행 The bathroom medicine cabinet

좋은 장소가 아니다   약을 보관하는
/ is not a good place / to keep medicine
　　　　　　　　　　　　　　a good place를 꾸미는 형용사적 용법의 to부정사
왜냐하면   그 공간의 습기와 열기가
/ because / the room's moisture and heat

약의 화학적 붕괴를 빨라지게 한다
/ speed up the chemical breakdown of drugs.

벽장이 아마도 당신의 최선일 것이다
11행 A closet is probably your best bet
　　　　　　　　　　　　　　'a good bet'의 good을 최상급으로 쓴 표현
당신의 의약품 보관을 위한
/ for storage of your medications,

당신이 그것들을 지키는 한
/ as long as you keep them
as long as: ~하는 한　　　= your medications
아이들의 손이 닿는 범위 밖으로
/ out of the reach of children.

해석 _ ① 냉장의 다양한 목적 ② 약을 저장하는 적절한 방법 ③ 시기적절한 치료의 중요성 ④ 식료품 밀폐 보관의 이점 ⑤ 신약 개발의 어려움
해설 _ 의약품의 효과가 떨어지지 않도록 올바르게 보관하려면 습기와 열, 빛 등을 피할 수 있는 곳에 보관해야 한다는 내용의 글이므로 알맞은 답은 ②이다.

07 유형 | 글의 제목 추론하기

우리는 모두 멀리서 들리는 착암기 소리나 상점에서 나오는 음악과 같은 지속적인 배경 소음원이 막 멈춘 것을 갑자기 알아차리는 경험을 해 본 적이 있다. 그러나 우리는 그 소리가 계속되는 동안에는 그것을 알아채지 못했다. 당신의 청각 영역은 시시각각 그것의 지속을 예측하고 있었고, 그 소음이 변하지 않는 한 당신은 그것에 주의를 기울이지 않았다. 멈춤으로 인하여 그것은 당신의 예측을 어긋나게 하였고 당신의 주의를 끌었다. 여기 역사적 예시가 있다. 뉴욕 시가 고가 철도 열차의 운행을 멈춘 직후, 사람들은 무언가가 그들을 깨웠다고 주장하면서 한밤중에 경찰에 전화했다. 그들은 열차가 그들의 아파트를 지나가곤 했던 그 시간 즈음에 전화를 하는 경향이 있었다.

notice 알아채다 source 원천, 출처 constant 일정한, 부동의 distant 먼, 떨어진 jackhammer 착암기 cease 멈추다 ongoing 계속되는 auditory area 청각 영역 predict 예측하다 continuation 지속, 계속 moment after moment 시시각각 violate 위반하다, 침해하다 prediction 예측, 예상 attract 끌어들이다 elevated train 고가 철도 열차 claim 주장하다

Grammar로 끊어 읽기

우리는 모두 경험해 본 적이 있다
1행 We have all had the experience
　　　　　경험을 나타내는 현재완료
갑자기 알아채는   ~라는 것을
/ of suddenly noticing / that
　　　　전치사 of의 목적어　　└ that절이 notice의 목적어
지속적인 배경 소음의 원천이
/ a source of constant background noise,

멀리 있는 착암기와 같은   또는 상점에서 나오는 음악
/ such as a distant jackhammer / or music

막 멈추었다
from a store, / has just ceased
　　　　　　　주어는 a source ~ noise로 단수 취급
당신의 청각 영역은 예측하고 있었다
6행 Your auditory areas were predicting

그것의 지속을   시시각각
/ its continuation, / moment after moment,

그리고　그 소음이 변하지 않는 한
/ and / as long as the noise didn't change
　　　　as long as: ~하는 한

당신은 그것에 아무런 주의를 기울이지 않았다
/ you paid it no attention.
　　　= the noise

　　　　직후에　　　　　　　뉴욕 시가 멈춘
11행 Right after / New York City stopped

고가 철도 열차를 운행하는 것을　　　　사람들은 경찰에 전화했다
/ running elevated trains, / people called the police
　 stop의 목적어로 쓰인 동명사

　한밤중에　　　　　　　　주장하며
/ in the middle of the night / claiming
　　　　　　　　　　　동시에 일어나는 일을 나타내는 분사구문

무언가가 그들을 깨웠다고
/ that something woke them up.
명사절을 이끄는 접속사　　　= people

　　　　그들은 전화하는 경향이 있었다　　　그 시간 즈음에
14행 They tended to call / around the time
　　　　　　　　time 뒤에 관계부사 when 생략됨

기차가 달리던
/ the trains used to run
　　　　used+to부정사: 과거에 지속적으로 일어나던 일을 나타낼 때

그들의 아파트를 지나
/ past their apartments.

해석 _ ① 소음이 그치면, 당신은 그것을 눈치챈다　② 소음: 우리의 스트레스의 주요 원인　③ 왜 우리의 예측은 때로 빗나갈까?　④ 우리가 쉽게 인식할 수 있는 다양한 소음　⑤ 인간의 감정: 당신이 생각하는 것보다 더 깊은

해설 _ 지속적으로 들리던 소음이 갑자기 멈추면 그것이 오히려 우리의 주의를 끈다는 내용의 글이다.

---

08 유형 | 도표 내용 파악하기

위 그래프는 2011년에 16세부터 25세까지의 청년들의 발명 흥미 분야에 관한 조사의 결과를 보여 준다. 다섯 개 범주의 발명 분야 중에서 남성 응답자의 가장 높은 비율이 소비재를 발명하는 것에 대해 흥미를 나타냈다. 건강 과학 발명 분야에서, 여성 응답자의 비율은 남성 응답자 비율의 두 배였다. 환경 관련 발명 분야에서 남성과 여성 간 퍼센트포인트의 차이가 가장 작았다. 웹 기반 발명 분야에서, 여성 응답자의 비율은 남성 응답자 비율의 절반보다 적었다(→ 많았다). 기타 발명 분야의 범주에서 각 성별 집단의 응답자 비율은 10퍼센트보다 적었다.

어휘

survey 설문조사　invention 발명　category 범주
respondent 응답자　consumer product 소비재　gap 차이　web-based 웹 기반의　gender 성, 성별

Grammar로 끊어 읽기

　　　위의 그래프는 결과를 보여 준다
1행 The graph above shows the results

발명 흥미에 대한 설문조사의
/ of a survey on invention interests

청년들에게서　　　　　16세에서 25세의　　　　　2011년에
/ in young adults / aged 16 to 25 / in 2011.
　　　　　　　　　　명사 뒤에 와서 '~세의'의 뜻으로 쓰인 형용사

　　　　다섯 개의 발명 분야 중에서
3행 Among the five invention categories,

가장 높은 비율이　　　　　　　남성 응답자의
/ the highest percentage / of male respondents

관심을 보였다　　　　　소비재 발명에
/ showed interest / in inventing consumer products.
　　　　　　　　　　　　　동명사

　　　　건강 과학 발명에서는
6행 For health science invention,

비율이　　　　　여성 응답자의
/ the percentage / of female respondents

두 배만큼 높았다　　　남성 응답자 비율의
/ was twice as high / as that of male respondents.
배수 표현+원급 비교: … 배만큼 ~한　　= the percentage

해설 _ ④ 웹 기반의 발명 분야에 관심을 갖는 여성의 비율은 14%이고 남성은 26%이므로, 여성 응답자의 비율은 남성 응답자 비율의 절반(13%)보다 많다.

---

09 유형 | 내용 불일치 가려내기

James Van Der Zee는 1886년 6월 29일에 Massachusetts 주 Lenox에서 태어났다. 열네 살에 그는 그의 첫 번째 카메라를 받았고 수백 장의 가족 사진과 마을 사진을 찍었다. 1906년 즈음에, 그는 New York으로 이사했고, 결혼을 했으며, 늘어나는 가족을 부양하기 위해 여러 가지 일을 했다. 1907년에, Virginia 주 Phoetus로 이사했고, 그곳에서 Chamberlin 호텔의 식당에서

일했다. 이 시기에 그는 또한 시간제 사진사로 일했다. 그는 1916년에 자신의 스튜디오를 열었다. 제 1차 세계대전이 시작되었고 많은 젊은 군인들이 사진을 찍기 위해 스튜디오로 왔다. 1969년에, 전시회 Harlem On My Mind로 그는 국제적인 인정을 받게 되었다. 그는 1983년에 사망하였다.

어휘

support 부양하다　part-time 시간제의　recognition 인정

Grammar로 끊어 읽기

7행　**In 1907, / he moved to Phoetus, Virginia,**
1907년에　그는 Virginia 주의 Phoetus로 이사했다

/ **where he worked in the dining room**
그곳에서 그는 식당에서 일했다
계속적 용법의 관계부사로 선행사는 Phoetus, Virginia

/ **of the Hotel Chamberlin.**
Chamberlin 호텔의

12행　**World War I had begun / and**
제 1차 세계대전이 시작되었다　그리고

/ **many young soldiers came to the studio**
많은 젊은 군인들이 스튜디오로 왔다

/ **to have their pictures taken.**
그들의 사진을 찍기 위해
사역동사 have+목적어+과거분사: ~이 …되게 하다

해설 _ ⑤ 1969년에 연 전시회로 국제적인 인정을 받았다 (brought him international recognition).

10　유형 | 실용문 내용 파악하기

Sittka 시 공공 자전거 공유 서비스

시를 답사할 계획이신가요? 이것이 답사를 하는 친환경적인 방법입니다!

대여 ・저희의 쉬운 앱을 통해 어디에서든 등록하세요.
　　・요금 지불은 신용 카드로만 할 수 있습니다.

요금 ・처음 30분간 무료
　　・추가 30분마다 1달러

사용 ・자전거를 선택하고 그 자전거의 QR 코드를 스캔하세요.
　　・헬멧은 제공되지 않습니다.

반납 ・앱에 보이는 Green Zone으로 자전거를 반납하세요.
　　・자전거의 OK 버튼을 눌러 반납을 완료하세요.

어휘

public 공공의　share 공유하다　explore 탐험하다　eco-friendly 환경 친화적인　resister 등록하다　via ~을 거쳐　payment 지불, 결제　credit card 신용 카드　additional 추가의　provide 제공하다　complete 완료하다

Grammar로 끊어 읽기

15행　**Return the bike / to the Green Zone**
자전거를 반납해라　Green Zone으로

/ **shown on the app.**
앱에서 보이는
the Green Zone을 꾸미는 과거분사

해설 _ ④ 헬멧은 제공되지 않는다고 했다.

11　유형 | 실용문 내용 파악하기

Summer Camp 2019

이 캠프는 사교 기술과 창의력을 발달시키기 위한 **훌륭한** 기회입니다!

기간 및 참가 ・7월 1일~5일 (월요일~금요일)
　　　　・8세~12세 (한 반당 최대 20명)

프로그램 ・요리
　　　・야외활동 (하이킹, 래프팅, 그리고 캠핑)

비용 ・일반 가격: 1인당 100달러
　　・할인 가격: 90달러 (6월 15일까지 등록 시)

알림 ・프로그램은 기상 조건에 관계없이 진행될 것입니다.
　　・등록하시려면, summercamp@standrews.com으로 이메일을 보내주세요.

정보가 더 필요하다면, 우리 웹사이트(www.standrews.com)를 방문해 주세요.

뒤뜰의 잔디는 매우 높이 자랐다
/ the backyard grass became <u>so</u> high

나는 그것을 잘라야 했다 낫으로
/ I had to cut it / with a sickle
→ so ~ that 구문에서 that이 생략된 형태

해설 _ ③ seems의 주어는 복수 명사 Memories이므로 seem으로 고쳐 써야 한다. ① 계속적 용법의 관계대명사로, 앞에 사람 이외의 대상이 있으므로 which가 쓰였다. ② 현재분사 dealing이 꾸미는 a responsible man과의 관계가 능동이므로 알맞다. ④ decide의 목적어로 to부정사가 온다. ⑤ so ~ that 구문의 접속사 that으로 뒤에 완전한 절이 온다.

12 유형 | 어법 정확성 판단하기

> 내가 어릴 때 나의 아버지는 잔디 깎기와 생울타리 자르기와 같은 허드렛일을 돌보라고 계속 잔소리를 하셨는데, 나는 그것들을 싫어했다. 그는 무책임한 아이를 다루는 책임감 있는 사람이었다. 우리가 소통했던 방식에 대한 기억들이 현재 나에게는 우스워 보인다. 예를 들어, 한번은 아버지가 나에게 잔디를 깎으라고 말했고, 나는 앞뜰만 하기로 하고 뒤뜰을 하는 것은 미루기로 결심했으나, 그러고 나서 며칠 동안 비가 내렸고 뒤뜰의 잔디가 너무 길게 자라서 나는 그것을 낫으로 베어내야만 했다. 그 일은 너무 오래 걸려서 내가 끝냈을 때쯤에는 앞뜰의 잔디가 깎기에 너무 길어지는 등의 일이 이어졌다.

어휘

constantly 끊임없이 nag 잔소리하다 chore 잡일, 집안일 mow 잔디를 깎다 lawn 잔디 hedge 생울타리 deal with ~을 다루다 irresponsible 무책임한 interact 소통하다, 상호 작용하다 postpone 미루다 sickle 낫 and so on 그리고 등등

Grammar로 끊어 읽기

내가 어렸을 때   나의 아버지는 끊임없이 내게 잔소리했다
1행 When I was young, / my dad constantly

집안일을 돌보라고
nagged me / to take care of chores

잔디 깎기와 생울타리 자르기와 같은
/ like <u>mowing the lawn and cutting the hedges</u>,
                                                    chores의 예
나는 그것들을 싫어했다
/ which I hated.
계속적 용법의 관계대명사

비가 내렸다   며칠 동안   그리고
9행 it rained / for a couple days / and

13 유형 | 어휘 적합성 판단하기

> 사회적 관계는 우리의 생존과 웰빙에 매우 필수적이어서 우리는 관계를 형성하기 위해 다른 사람과 협력할 뿐만 아니라, 친구를 놓고 다른 사람과 경쟁하기도 한다. 그리고 자주 우리는 그 둘을 동시에 한다. 가십을 생각해 보자. 가십을 통해 우리는 친구들과 흥미로운 세부사항을 공유하면서 유대를 형성한다. 그러나 동시에 우리는 가십의 대상들 중에서 잠재적인 적을 만들어낸다. 또는 누가 '그들의' 파티에 참석할 것인지를 알기 위해 경쟁하는 라이벌 관계의 휴일 파티를 생각해 보라. 우리는 심지어 소셜 미디어에서도 사람들이 가장 많은 친구들과 팔로워들을 얻기 위해 경쟁하므로 이러한 긴장감을 볼 수 있다. 동시에 경쟁적 배제는 또한 협력도 만들어낼 수 있다. 고등학교 친목 동아리와 컨트리 클럽은 이러한 공식을 사용하여 큰 효과를 낸다. 그들이 충성과 지속적인 사회적 유대를 형성하는 것은 선택적인 포함 그리고 '배제'를 통해서이다.

어휘

connection 연결, 관계 essential 필수적인 cooperate 협력하다 compete 경쟁하다 take ~을 예로 들다 bond with ~와 유대를 형성하다 potential 잠재적인 enemy 적 target 목표, 표적 tension 긴장 competitive 경쟁하는 exclusion 제외, 배제 generate 발생시키다, 만들어내다 formula 공식 selective 선택적인 inclusion 포함 loyalty 충성 lasting 지속적인

사회적 관계는 매우 필수적이다
1행 Social connections are so essential
_{so ~ that: 매우 ~해서 …하다}

우리의 생존과 웰빙에
/ for our survival and well-being

그래서 우리는 다른 사람들과 협력할 뿐만 아니라
/ that we not only cooperate with others
_{not only A (but) also B: A뿐만 아니라 B도}

관계를 형성하기 위해
/ to build relationships,

또한 다른 사람들과 경쟁한다　　　친구를 놓고
/ we also compete with others / for friends.
_{but이 생략됨}

또는 생각하라　　　경쟁 관계의 휴일 파티를
10행 Or consider / rival holiday parties

사람들이 알기 위해 경쟁하는
/ where people compete to see
_{rival holiday parties를 선행사로 하는 관계부사}

누가 그들의 파티에 참석할지
/ who will attend *their* party.
_{간접의문문}

선택적 포함과 '배제'를 통해서이다
18행 It is / through selective inclusion and *exclusion*
_{It ~ that 강조구문: It is와 that 사이에 강조할 어구를 씀}

그들이 만들어내는 것은　　　충성과 지속적인 사회적 유대를
/ that they produce / loyalty and lasting social

bonds.

해설 _ (A) 접속사 But으로 보아 앞 문장의 내용과 대조되므로, 가십을 통해 친구들과 유대를 형성하기도 하지만 반대로 가십 속에서 잠재적인 적을 '만들어낸다'는 것이 적절하다. (B) 가장 많은 친구와 팔로워를 얻기 위해 경쟁하는 상황이므로 '긴장감'이 어울린다. (C) 바로 뒤에 든 예시에서 선택적 포함과 배제를 통해 충성과 사회적 유대를 형성한다고 했으므로, 경쟁적 배제역시 협력을 '만들어낸다'고 하는 것이 자연스럽다.

14 유형 | 빈칸 어구 추론하기

맛에 대한 판단은 흔히 음식의 겉모습에 기초한 예측에 의해 영향을 받는다. 예를 들어, 딸기맛이 나는 음식들은 빨간색일 것으로 기대된다. 그러나 녹색으로 색을 냈다면, 라임과 같은 녹색 음식과 맛의 연관성 때문에 그 맛이 매우 강하지 않은 한 딸기맛으로

알기 어려울 것이다. 색의 진하기 또한 맛의 인식에 영향을 준다. 더 진한 색깔이 단순히 더 많은 식용 색소의 첨가 때문일지라도, 더 진한 색깔이 식품에서 더 진한 맛을 지각하게 할 수도 있다. 질감 역시 오해하게 할 수 있다. 더 걸쭉한 음식은 농화제가 음식의 맛에 영향을 주기 때문이 아니라, 단순히 더 걸쭉하기 때문에 더 풍부하거나 강한 맛이 난다고 인식될 수 있다.

어휘

judgement 판단　　flavor 맛　　prediction 예측
association 연상, 연계　　identify 알아보다　　intensity
강도　　perception 인식　　due to ~ 때문에　　addition 추가
coloring 색소　　texture 질감　　mislead 호도하다, 오해시
키다　　perceive 인식하다　　rich (맛이) 풍부한　　thicken
걸쭉하게 하다　　agent (특정한 목적을 위해 쓰이는) 물질

Grammar로 끊어 읽기

그러나　　　만약 녹색으로 색을 냈다면
4행 However, / if colored green,
_{→ 주어+동사(strawberry-flavored foods were) 생략}

연관성 때문에
/ because of the association

녹색 음식과 맛의　　　　　라임과 같은
/ of green foods with flavors / such as lime,

어려울 것이다　　　맛을 알아보기가
/ it would be difficult / to identify the flavor
_{가주어 it}　　　　　　_{진주어 to부정사}

딸기로　　　　그것이 매우 강하지 않은 한
/ as strawberry / unless it was very strong.
_{= the flavor}

더 진한 색은 인식을 일으킬 수도 있다
9행 A stronger color may cause perception

더 진한 맛의　　　　상품에서　　　~이라고 할지라도
/ of a stronger flavor / in a product, / even if

더 진한 색은 단순히 첨가 때문이다
/ the stronger color is simply due to the addition
_{due to: ~ 때문에}

더 많은 식용색소의
/ of more food coloring.

해석 _ ① 기원 ② 조리법 ③ 영양 ④ 겉모습 ⑤ 배치
해설 _ 음식의 맛을 인식하는 데 음식의 색상, 색의 진하기, 질감 등이 영향을 준다는 내용의 예시가 빈칸이 있는 문장 뒤에 나열

되고 있다. 빈칸이 있는 문장은 주제문으로 뒤에 나열된 예시의 내용을 아울러야 한다는 점에 유의한다. 음식의 색상, 색의 진하기, 질감 등을 아우르는 표현은 음식의 '겉모습(appearance)' 이라고 할 수 있다.

15 유형 | 빈칸 어구 추론하기

> 스스로에게 긍정적으로 이야기하고 그런 다음 여러분이 되고 싶어 하는 그 사람이 이미 된 것처럼 행동함으로써 실제로 여러분이 자기 자신의 치어리더가 될 수 있다. 긍정적이고, 쾌활하고, 행복하고, 호감이 가는 사람의 역할을 예행연습하는 것처럼 행동하라. 이미 그 사람인 것처럼 걷고, 이야기하고, 행동하라. 방금 여러분의 업계 최고의 사람에게 주는 상을 받았거나 복권에 당첨된 것처럼 만나는 모든 사람을 대하라. 단 몇 분의 흉내 내기 후에 여러분이 스스로를 얼마나 더 좋게 느끼는지에 대해 놀랄 것이다.

(어휘)

positively 긍정적으로 try out 시도하다, 예행연습하다
likable 호감이 가는, 좋아할 만한 award 상 industry
산업, 업계 lottery 복권 amazed 놀란

Grammar로 끊어 읽기

1행 너는 실제로 될 수 있다 / 네 자신의 치어리더가
You can actually become / your own cheerleader

스스로에게 긍정적으로 말함으로써 / 그리고
/ by talking to yourself positively / and

그런 다음 행동함으로써 / 네가 이미 그 사람인 것처럼
then acting / as if you were already the person
by talking ~ and then (by) acting ...의 병렬 구조

네가 되기를 바라는
/ that you wanted to be.
선행사가 the person인 목적격 관계대명사

8행 모든 사람을 대해라 / 당신이 만나는
Treat everyone / you meet
→ 목적격 관계대명사 that이 생략됨

당신이 막 상을 받은 것처럼
/ as though you had just won an award
= as if (~인 것처럼) 주절보다 앞선 시점에 대한 가정일 때 과거완료를 씀

최고의 사람인 것에 대한 / 당신 업계에서
/ for being the very best person / in your industry
전치사 for의 목적어로 쓰인 동명사

또는 당신이 막 복권에 당첨된 것처럼
/ or as though you had just won the lottery.

해석 _ ① 흉내 내기 ② 경쟁하기 ③ 구매하기 ④ 불평하기
⑤ 사과하기
해설 _ 자신이 되고 싶어 하는 모습의 사람처럼 행동하라는 조언이 반복되고 있다. 따라서 모방, 흉내 내기(pretending)가 필요하다는 요지의 글이다.

16 유형 | 빈칸 어구 추론하기

> 보는 것이 어떻게 작용하는지를 이해하는 것은 중요한데, 당신이 어떤 상황을 처음 바라보기 시작하는 시점부터 당신의 현재 지식 또한 활용하기 때문이다. 만약 당신이 야구 경기장에 있다면, 어디를 봐야 할지를 어떻게 알까? 만약 당신이 전에 경기장에 단 한 번도 가 본 적이 없다면, 그 모든 것은 아마도 복잡하고 혼란스러운 상황일 것이다. 당신은 그 다음에 일어날 일을 예측할 수 없기 때문에 경기의 많은 부분을 놓칠지도 모른다. 당신이 야구에 대해 더 많이 배우면서 어디를 봐야 할지와 어떤 대상들을 발견하는 것이 중요한지를 알게 된다. 처음에 당신은 투수와 타자에 주목할 수도 있다. 하지만 나중에는 내야수가 안쪽 혹은 뒤쪽에서 경기를 하는지를 알아차리거나 외야수가 특정한 타자에 대해 어디에 서 있기로 선택하는지를 확인할지도 모른다. 당신이 야구에 대해서 더 많이 알수록 그 지식은 당신이 경기를 보는 방식에 영향을 준다.

(어휘)

vision 시각 complex 복잡한 mess 혼란스러운 상태
miss 놓치다 predict 예측하다 object 대상 pitcher
투수 hitter 타자 notice 알아차리다 infielder 내야수
outfielder 외야수 particular 특정한 inform 정보를
주다, 영향을 주다

Grammar로 끊어 읽기

1행 중요하다 / 이해하는 것은
It is important / to understand
가주어 it 진주어 to부정사

보는 것이 어떻게 작용하는지 / 왜냐하면
/ how vision works, / because
understand의 목적어인 간접의문문

처음부터 / 당신이 하나의 상황을 보기 시작하는
/ from the first time / you start looking at a
→ 관계부사 when이 생략된 구조

situation, / you are also making use
당신은 또한 이용하고 있다

/ of your existing knowledge.
당신의 현재 지식을

10행 As you learn more / about baseball,
당신이 더 많이 배울수록 / 야구에 대해

/ you learn / where to look / and
당신은 배운다 / 어디를 봐야 할지 / 그리고
= where you should look

what objects are important / to find.
무슨 대상이 중요한지 / 발견하기에
형용사를 꾸미는 부사적 용법의 to부정사

17행 The more / you know about baseball,
더 많이 / 당신이 야구에 대해 알수록
the+비교급 ~, the+비교급 ...: 더 ~할수록 더 ...하다

/ the more / that knowledge informs
더 많이 / 그 지식이 영향을 준다
knowledge를 꾸미는 지시형용사

/ how you see a game.
당신이 경기를 보는 방식에
→ 선행사 the way가 관계부사 how과 함께 쓰이지 않으므로 생략됨

해석 _ ① 운동 재능 ② 당신의 현재 지식 ③ 발전된 기술 ④ 물리적 환경 ⑤ 당신의 청각

해설 _ 야구 경기를 처음 볼 때에는 아는 것이 없으므로 경기의 많은 부분을 놓치지만, 야구에 대해 더 잘 알수록 경기에서 더 많은 것을 볼 수 있다고 했다. 따라서 무언가를 볼 때, 현재 가지고 있는 지식(your existing knowledge)을 바탕으로 본다고 할 수 있다.

17 유형 | 빈칸 어구 추론하기

우리는 우리의 결정이 얼마나 많이 이성적 고려에 근거하는지 보여 주고 싶어 한다. 그러나, 사실 우리는 우리의 감정에 의해 주로 지배당하고 있고, 이것은 계속적으로 우리의 인지에 영향을 준다. 이것이 의미하는 것은 여러분의 주변 사람들이 날마다 혹은 시간마다 그들의 기분에 따라 그들의 생각을 바꾼다는 것이다. 여러분은 사람들이 특정한 순간에 하는 말이나 하는 일이 그들의 영구적인 바람에 대한 진술이라고 추정해서는 안 된다. 어제 그들은 여러분의 생각에 완전히 빠져 있었지만, 오늘 그들은 냉담해 보인다. 이것이 여러분을 혼란스럽게 할 것이고, 만약 여러분이 조심하지 않는다면, 여러분은 그들이 왜 마음을 바꾸는

지 알아내기 위해 소중한 정신적 공간을 허비할 것이다. 여러분이 그 과정에 사로잡히지 않도록 하기 위해서는 그들의 변화하는 감정들로부터 거리감과 어느 정도의 분리감을 기르는 것이 최선이다.

어휘

rational 이성적인 consideration 사고, 고려 be governed by ~에 의해 지배당하다 continually 계속해서 perception 인지 by the day 날마다 depending on ~에 따라 assume 가정하다, 추정하다 statement 발언, 언급 permanent 영구적인 confuse 혼란스럽게 하다 mental 정신의 figure out 알아내다 shifting 바뀌는, 이동하는 be caught up 사로잡히다 process 과정

Grammar로 끊어 읽기

1행 We like to make a show
우리는 보여 주고 싶어 한다

/ of how much our decisions are based
우리의 결정이 얼마나 많이 근거하고 있는지를
간접의문문인 명사절로 전치사의 목적어 역할

/ on rational considerations.
이성적 고려에

5행 What this means / is
이것이 의미하는 것은 / ~이다
선행사를 포함하는 관계대명사 what이 이끄는 명사절이 주어 역할을 함

/ that the people around you change their ideas
여러분 주변의 사람들이 그들의 생각을 바꾼다는 것
that절의 주어   that절의 동사

/ by the day or by the hour,
날마다 혹은 시간마다

/ depending on their mood.
그들의 기분에 따라
depending on: ~에 따라

8행 You must never assume / that
여러분은 추정하면 안 된다 / ~라고

/ what people say or do / in a particular moment
사람들이 말하거나 하는 것이 / 특정한 순간에
선행사를 포함하는 관계대명사 what이 이끄는 명사절이 that절 안에서 주어 역할을 함

/ is a statement of their permanent desires.
그들의 영구적인 바람에 대한 진술이다
that절 안에서의 동사

15행 It is best / to cultivate
최선이다 / 기르는 것이
가주어 it   진주어 to부정사

거리감과 어느 정도의 분리감 둘 다를
/ both distance and a degree of detachment
└─A └─B both A and B: A와 B 둘 다

그들의 변화하는 감정들로부터
/ from their shifting emotions

여러분이 사로잡히지 않기 위해   그 과정에
/ so that you are not caught up / in the process.
so that: ~하도록, ~하기 위해   다른 사람들의 마음이 왜 바뀌는
지 알아내기 위해 애쓰는 과정

해석 _ ① 거리감과 어느 정도의 분리감을 기르다 ② 그들의 직업에 대한 약간의 실마리나 힌트를 발견하다 ③ 그들에 대해 더 이해심을 갖는 것을 배우다 ④ 그들의 특성에서 정직함을 발견하다 ⑤ 그들의 불안과 걱정을 완화하다

해설 _ 사람들은 항상 이성적으로 사고하는 것이 아니라 감정에 지배당하는 때가 많으므로 주변 사람들이 그들의 생각을 바꾼다고 해서 그것에 지나치게 신경 쓰지 말라는 것이 이 글의 요지이다. 따라서 그들의 감정 변화에 대해 거리를 두고 분리를 해야 한다는 해결책을 제시하는 것이 적절하다.

18 유형 | 흐름에서 벗어난 문장 찾기

> 역사를 공부하는 것은 당신을 더 박식하거나 대화하기 흥미롭게 만들어 주거나 모든 종류의 멋진 직업, 탐구, 경력으로 이어질 수 있다. 그러나 더욱 중요하게는 역사 공부는 우리가 인류의 대질문을 묻고 답하도록 도와준다는 것이다. 만약 당신이 현재 어떤 일이 왜 일어나는지 알고 싶다면, 아마도 사회학자나 경제학자에게 질문할 것이다. 그러나 만약 당신이 깊숙한 배경을 알고 싶다면, 역사학자에게 질문한다. (역사학자라는 직업은 드문 직업이어서, 그것이 아마 당신이 그런 사람을 만난 적이 없는 이유일 것이다.) 그것은 그들이 과거를 알고 이해하며 과거와 현재의 복잡한 연관성을 설명할 수 있는 사람들이기 때문이다.

어휘

knowledgeable 아는 것이 많은, 박식한 brilliant 훌륭한, 멋진 vocation 직업, 소명 exploration 탐구 career 경력, 직업 humanity 인류, 인간 sociologist 사회학자 economist 경제학자 historian 역사학자 rare 드문 interrelationship 연관성

Grammar로 끊어 읽기

역사를 공부하는 것은   여러분을 만들 수 있다
1행 Studying history / can make you

더 박식하게   또는 흥미롭게   대화하기에
/ more knowledgeable / or interesting / to talk to
                                 interesting을 꾸미는 부사적 용법의 to부정사

또는 이어질 수 있다   모든 종류의 멋진 직업, 탐구, 경력으로
/ or can lead / to all sorts of brilliant vocations,
can make ~ or can lead …의 병렬 구조

explorations, and careers.

역사학자로서의 직업은   드문 직업이다
10행 A career as a historian / is a rare job,

그것은 아마도 ~일 것이다
/ which is probably
앞의 절 전체(A career ~ a rare job)를 선행사로 하는 계속적 용법의 관계대명사
당신이 역사학자를 결코 만나보지 못한 이유
/ why you have never met one.
                   불특정한 a historian을 가리키는 부정대명사

그것은 ~이다 / 그들이 사람들이기 때문이다
13행 That's / because they are the people
                         = historians

과거를 알고 이해하는   그리고
/ who know and understand the past / and
선행사가 the people인 주격 관계대명사
그것의 복잡한 연관성을 설명할 수 있는
can explain its complex interrelationships
             it = the past

현재와의
/ with the present.

해설 _ 역사 공부는 인류의 대질문을 묻고 답할 수 있도록 해 주며, 역사학자는 과거를 바탕으로 현재를 설명할 수 있는 사람들이라는 것이 글의 중심 내용이다. 역사학자로서의 직업을 가진 사람들이 드물다는 내용의 ④는 이런 흐름에서 어긋난다.

19 유형 | 글의 순서 배열하기

> 엄마와 아빠가 멋진 식당으로 저녁 식사를 하러 가셨다. 처음 혼자 있게 된 그날 밤에, 아빠는 자신의 영사기와 필름 릴 전부를 내게 맡기셨다. (B) 그는 그날 밤에 내가 모든 것을 스스로 할 수 있다고 말씀하셨다. 그래서 나는 거실의 한쪽 끝에 영사막을 설치했다. 나는 영사기를 켜고, 전등을 끄고, 무릎에 팝콘 그릇을 놓고, HATTIE-1951이라는 라벨이 붙은 필름을 보기 위해 자리를 잡았다. (C) 그것은 내가 특히 좋아하는 것 중의 하나인데, 내

세 번째 생일 파티가 들어 있고 우리의 늙은 고양이 Simon이 식당 식탁으로 뛰어올라 아이스크림 접시에 착지하는 것을 볼 수 있기 때문이다. (A) 그런 다음 나는 그 필름을 거꾸로 틀어서 그 고양이가 바닥에 날아 내리는 것을 지켜보고 모든 아이스크림 방울들이 후루룩 소리를 내며 스스로 접시로 돌아가는 것을 볼 수 있다. 필름의 나머지를 보기 전에 나는 Simon을 몇 번이나 뛰어들었다 나오게 만들었다.

(어휘)

entrust 맡기다 movie projector 영화 영사기 reel (실, 필름 등을 감는) 릴, 얼레 backward 거꾸로, 반대 방향으로 splash 떨어지는 방울 slurp 후루룩 소리를 내다 set up 설치하다 settle in 자리를 잡다 labeled 표를 붙인, 분류한 land 착지하다

(Grammar로 끊어 읽기)

5행
그런 다음 나는 필름을 재생할 수 있다 / 거꾸로 / 그리고
Then I can play the film / backward / and

고양이가 날아 내리는 것을 볼 수 있다 / 바닥으로 / 그리고
watch the cat fly down / to the floor / and
목적격 보어로 쓰인 원형부정사

모든 아이스크림 방울이 후루룩 소리 내는 것을 볼 수 있다
see all the splashes of ice cream slurp themselves
can play ~ and (can) watch ... and (can) see의 병렬 구조 └ 목적격 보어로 쓰인 원형부정사

접시 안으로 되돌아가며
/ back into the dish.

18행
나는 볼 수 있다 / 우리의 늙은 고양이 Simon이 / 뛰어오르는 것을
I can watch / our old cat Simon / jump up
목적격 보어로 쓰인 원형부정사

식당 식탁 위로 / 그리고 착지하는 것을
/ on the dining room table / and land
jump와 병렬 구조를 이루는
목적격 보어 역할의 원형부정사

아이스크림 접시 안에
/ in a dish of ice cream

해설 _ 어느 날 밤 부모님의 외식으로 혼자 남게 된 글쓴이가 아빠의 영사기와 필름을 가지고 한 일을 쓴 글이다. (B) 아빠가 자신에게 맡긴 영사기를 설치하고 필름을 볼 준비를 한 일, (C) 필름의 내용에 대한 설명, (A) 그리고 그 필름을 거꾸로 돌렸을 때의 내용 묘사와 글쓴이가 실제로 필름을 보며 한 일 순으로 배열되어야 자연스럽다.

---

20 유형 | 글의 순서 배열하기

우리 모두는 '함께 놀이하는 가족은 함께 머무른다.'라는 말을 들어왔다. 이 구절 속의 지혜는 사회적인 놀이는 사람들 사이에 지속적이고 중대한 유대를 형성한다는 것이다. (B) 이러한 지혜는 인간 일가족 밖에서도 유지된다. 예를 들어 얼룩다람쥐 한 마리가 멀리 있는 포식자를 발견하면, 그것은 다른 다람쥐들이 숨을 곳을 찾아 뛰도록 알리는 경보음을 낼 것이다. 그것은 위험한 행동이다. (A) 큰 소리를 낼 때, 위험을 감지한 그 다람쥐는 자기 자신 쪽으로 주목을 끌고 그것은 포식자를 끌어들일 가능성이 클 것이다. 과학자들은 동물들이 오직 공통의 유전자를 나눠 가진 친족을 위해서만 이처럼 목숨의 위험을 무릅쓸 것으로 생각했었다. (C) 그러나 새로운 증거는 다람쥐들이 유전적으로 관련 없는 이전의 놀이 동무를 위해서도 경보음을 내는 것을 보여 준다. 이 다람쥐들은 놀이를 하면서 사회적인 자산을 형성했기에, 이 친구들은 놀이 동무를 구하기 위하여 죽음을 무릅쓴다.

(어휘)

phrase 구절, 관용구 wisdom 지혜 tie 유대 (관계) lasting 지속적인 consequential 중대한 predator 포식자 risk ~의 위험을 무릅쓰다 kin 친족 gene 유전자 the family circle 일가, 집안 사람들 alert (위험 등을) 알리다, 경보를 발하다 run for cover 숨을 곳을 찾아 뛰다 risky 위험한 former 이전의 genetically 유전적으로 put one's life on the line 죽음을 무릅쓰다

(Grammar로 끊어 읽기)

2행
이 구절 속의 지혜는 / ~이다
The wisdom in this phrase / is

사회적 놀이가 유대를 형성한다는 것 / 사람들 사이에
/ that social play builds ties / between people
명사절을 이끄는 접속사

지속적이고 중대한
/ that are lasting and consequential.
주격 관계대명사, 선행사는 ties

8행
과학자들은 생각했다
Scientists used to think

동물들이 목숨의 위험을 무릅쓸 것이라고 / 이와 같이
/ that animals would risk their lives / like this
명사절을 이끄는 접속사 다람쥐의 예

오직 친족을 위해서　　　그들이 공통의 유전자를 나눠 가진
/ only for kin / with whom they shared

목적격 관계대명사, 선행사는 kin

with는 관계대명사절 맨 뒤에 쓸 수도 있음

common genes. (= whom they shared common genes with)

읽기와 스키 타기는 둘 다
/ both reading and skiing

우아하고 조화로운 활동이다
/ are graceful, harmonious activities.

해설 _ 사회적 놀이가 사람들 사이의 유대를 형성한다는 내용의 주어진 글 뒤에, (B) 이러한 지혜가 사람이 아닌 동물에게도 있다고 말하면서 그 예로 얼룩다람쥐를 들고, (A) 다람쥐가 구체적으로 어떤 행동을 하는지 설명하고, (C) 그 행동이 친족을 넘어 놀이 동무를 위해서까지 확장된다는 것을 설명하는 내용이 차례로 이어진다.

어쨌든　　　　　성인은 걸어왔다
9행 After all, / an adult has been walking

걸음마를 시작한 이후 계속 걷는 행위를 해 왔음을 의미

오랫동안　　　　　그는 안다
/ for a long time; / he knows

= an adult

그의 발이 어디에 있는지　　　그는 안다
/ where his feet are; / he knows

간접의문문

하나의 발을 어떻게 다른 발 앞에 두는지
/ how to put one foot in front of the other

how+to부정사: 어떻게 ~하는지, ~하는 법　　　= the other foot

어딘가로 가기 위해
/ in order to get somewhere.

해설 _ ③ 앞의 문장에서 '성인은 오랫동안 걸어왔고, 걷는 방법을 알고 있다'고 했고, ③ 뒤의 문장에서는 제대로 걷지 못하는 사람의 모습을 묘사하고 있으므로 이 두 문장 사이가 비어 있음을 짐작할 수 있다. 주어진 문장이 '그러나, 하지만'이라는 의미의 접속사 But으로 시작하므로 앞에 상반되는 내용이 오는 것이 자연스럽다.

21 유형 | 주어진 문장의 위치 파악하기

읽는 것은 스키 타는 것과 같다. 잘 되었을 때, 즉 전문가에 의해 행해졌을 때, 읽는 것과 스키 타는 것은 모두 우아하고 조화로운 활동들이다. 초보자에 의해서 행해졌을 때에는, 둘 다 어색하고 좌절감을 느끼게 하며 느리다. 스키 타는 것을 배우는 것은 성인이 겪을 수 있는 가장 당혹스러운 경험들 중의 하나이다. 어쨌든, 성인은 오랫동안 걸어왔다; 그는 자신의 발이 어디에 있는지 안다; 그는 어딘가로 가기 위해 어떤 식으로 한 발을 다른 발 앞에 놓아야 하는지 안다. 하지만 그가 스키를 발에 신자마자, 그것은 마치 그가 걷는 것을 전부 다시 배워야만 하는 것과 같다. 그는 발을 헛디뎌 미끄러지고, 넘어지고, 일어나는 데 어려움이 있고, 대체로 바보 같이 보이고 그렇게 느낀다. 읽는 것도 마찬가지이다. 아마 여러분도 역시 오랫동안 읽기를 해 왔으므로, 전부 다시 배우기 시작하는 것은 창피할 수 있을 것이다.

어휘

all over 전면적으로　expert 전문가　harmonious 조화로운　awkward 어색한　frustrating 좌절감을 느끼게 하는　embarrassing 당혹스러운　undergo 겪다　slip 미끄러지다, 발을 헛디디다　slide 미끄러지다　fall down 넘어지다　humiliating 굴욕적인, 창피한

Grammar로 끊어 읽기

잘 되었을 때　　　전문가에 의해 행해질 때
3행 When done well, / when done by an expert,

둘 다 done 앞에 they are가 생략된 구조

they = reading and skiing

22 유형 | 주어진 문장의 위치 파악하기

영화에서 (관객의) 집중을 얻기는 쉽다. 감독은 자신이 관객으로 하여금 바라보기를 원하는 무엇에든 그저 카메라를 향하게 할 수 있다. 근접 촬영과 느린 카메라 촬영은 살인자의 손이나 등장인물의 짧은 죄책감의 눈짓을 강조할 수 있다. 무대에서는, 관객이 자신이 원하는 어느 곳이든 자유롭게 볼 수 있기 때문에 (관객의) 집중이 훨씬 더 어렵다. 연출가는 관객의 주의를 끌어서 그들의 시선을 특정한 장소나 배우로 향하게 해야 한다. 이것은 조명, 의상, 배경, 목소리, 움직임을 통해 이루어질 수 있다. (관객의) 집중은 단지 한 명의 배우에게 스포트라이트를 비추거나, 한 명의 배우는 빨간색으로 입히고 다른 모든 배우들은 회색으로 입히거나, 다른 배우들이 가만히 있는 동안 한 명의 배우는 움직이게 하여 얻어질 수 있다. 이러한 모든 기법이 감독이 (관객의) 집중을 받기를 바라는 배우에게로 관객의 주의를 빠르게 끌 것이다.

→ 연구에 따르면, (B)친한 친구 옆에 서 있을 때 과제가 덜 (A)어렵게 인식된다.

social psychologist 사회심리학자   weighted 무거운   estimate 추정하다; 추정치   steepness 가파름, 경사도   participant 참가자   stranger 낯선 사람, 이방인   significantly 상당히   newly formed friend 새로 사귄 친구   furthermore 게다가   appear ~하게 보이다   involve 관련시키다, 참여시키다   task 과업, 과제   perceive 지각하다, 인식하다

어휘

stage director (무대) 연출가   gain 얻다   direct ~으로 향하다, 겨냥하다   particular 특정한   spot 지점, 장소   achieve 얻다, 성취하다   emphasize 강조하다   glance 눈짓   lighting 조명   costume 의상   scenery 풍경, 배경

Grammar로 끊어 읽기

감독들은 단순하게 카메라를 향할 수 있다
4행 Directors can simply point the camera

무엇에게든   그들이 관객에게 보기를 원하는
/ at whatever / they want the audience to look at.
복합관계대명사로 앞에 있는 전치사 at의 목적어 역할과   the audience의
관계대명사절의 동사구 look at의 목적어 역할을 함   목적격 보어

집중은 얻어질 수 있다
12행 Focus can be gained

단순히 한 배우에게 스포트라이트를 비추는 것에 의해
/ by simply putting a spotlight on one actor,
by (simply) putting ~, by having ..., or by having의 병렬 구조
한 배우를 빨간색으로 입히고 다른 모두를 회색으로 입히는 것에 의해
/ by having one actor in red and everyone else
in: ~을 입은, in+색: ~색 옷을 입은
또는 한 배우를 움직이게 하는 것에 의해
in gray, / or by having one actor move
사역동사 have+목적어+원형부정사(목적격 보어)
다른 배우들이 가만히 있는 동안
/ while the others remain still.

해설 _ 주어진 문장의 내용은 무대 연출가는 관객의 관심을 특정한 곳이나 배우로 향하게 해야 한다는 것이다. ③ 뒤의 문장의 대명사 This가 주어진 문장의 내용, 즉 '관객의 관심을 끌어 특정한 곳이나 배우로 향하게 하는 것'을 가리킨다.

23 유형 | 글을 한 문장으로 요약하기

Virginia 대학의 사회심리학자들이 대학생들에게 무거운 배낭을 멘 채로 언덕 아래에 서서 언덕의 경사도를 추정하도록 요청했다. 그 활동을 하는 동안 일부 참가자들은 오랫동안 알아 왔던 친한 친구들 옆에 서 있었고, 몇몇은 안 지 오래되지 않은 친구들 옆에 서 있었고, 몇몇은 낯선 사람 옆에 서 있었으며, 나머지는 혼자 서 있었다. 친한 친구들과 함께 서 있었던 참가자들은 혼자이거나, 낯선 사람 옆이거나, 또는 새로 사귄 친구 옆에 서 있었던 사람들보다 그 언덕의 경사도를 상당히 더 낮게 추정했다. 게다가, 그 친한 친구들이 서로 알았던 기간이 길수록, 연구에 참여

Grammar로 끊어 읽기

Virginia 대학의 사회심리학자들이
1행 Social psychologists at the University of

대학생들에게 요청했다
Virginia / asked college students
ask+목적어+to부정사(목적격 보어): ~에게 ...하라고 요청하다
언덕 아래에 서 있으라고
/ to stand at the base of a hill

무거운 배낭을 메고 있는 동안
/ while carrying a weighted backpack
↳ carrying 앞에 주어와 be동사(they were)가 생략됨
그리고 언덕의 경사도를 추정하라고
/ and estimate the steepness of the hill.
to stand ~ and (to) estimate ...의 병렬 구조로 둘 다 목적격 보어 역할

참가자들은   가까운 친구들과 함께 서 있던
10행 The participants / who stood with close friends

상당히 더 낮은 측정치를 주었다
/ gave significantly lower estimates
문장 전체의 동사
언덕의 경사도의   ~보다
/ of the steepness of the hill / than

혼자 서 있던 사람들이나   낯선 사람 옆이거나
/ those who stood alone, / next to strangers,
those who: ~하는 사람들   ↳ those who stood 생략
또는 새로 사귄 친구들 옆이거나
/ or next to newly formed friends.
↳ those who stood 생략

해설 _ 무거운 배낭을 메고 언덕의 경사도를 추정하는 과업을 주었을 때, 가까운 관계의 사람이 옆에 있는 경우 경사도를 덜

가파르게 느꼈다는 것은 친밀한(close) 관계의 사람과 있을 때 일을 덜 어렵게(less difficult) 생각하는 경향이 있다고 해석할 수 있다.

[24-25] 유형 | 장문 이해하기

우리는 아기들이 심지어 태어나기도 전에 훌륭한 음식들을 좋아하는 것을 배우도록 돕기 시작할 수 있다. 최신의 과학이 엄마들이 임신 중에 무엇을 먹는지와 아기들이 출생 후 무슨 음식을 즐기는지 사이의 대단히 흥미로운 관련성을 밝히고 있다. 놀랍지만 사실이다. 자궁 속에 있는 아기들은 엄마가 먹어왔던 것을 맛보고, 기억하고, 그에 대한 선호를 형성한다. 당근 주스와 관련된 흥미로운 연구를 생각해 보라. 연구의 일부로서 한 그룹의 임산부들은 10온스의 당근 주스를 연이어 3주 동안 주 4회씩 마셨다. 그 연구에서 또 다른 그룹의 여성들은 물을 마셨다. 그들의 아기들이 시리얼을 먹기 시작할 정도의 나이가 되었을 때, 그룹들 사이의 차이점을 찾아 볼 만한 때가 되었다. 각각의 아기가 어느 그룹에 속하는지를 알지 못하는 한 관찰자가 아기들이 당근 주스에 섞은 시리얼을 먹고 있는 동안 살펴보았다. 자궁 안에서 당근 주스를 맛보는 이러한 이전의 경험이 없었던 아기들이 처음 그 주스를 맛보았을 때 얼굴을 찌푸렸던 반면, 다른 아기들은 시리얼에 있는 당근 주스를 즐겼다. 자궁 안에서 당근 주스를 맛본 아기들과 그렇지 않은 아기들 사이에 현격한 차이가 있었다.

어휘

latest 최신의 uncover 밝히다, 알아내다 fascinating 대단히 흥미로운, 매력적인 pregnant 임신한 remarkable 놀라운 womb 자궁 preference 선호 involve 관련시키다 in a row 연속으로, 연이어 observer 관찰자, 연구자 belong 속하다 sample 시식하다, 시도하다

Grammar로 끊어 읽기

최신의 과학이 밝혀내고 있다
2행 The latest science is uncovering

대단히 흥미로운 관련을   ~ 사이의
/ fascinating connections / between

엄마가 무엇을 먹는지   임신했을 때   그리고
/ what moms eat / while pregnant / and
→ pregnant 앞에 they are 생략

그들의 아기가 무슨 음식을 좋아하는지   출생 후에
/ what foods their babies enjoy / after birth.
두 개의 간접의문문 what moms ~ pregnant와
what foods ~ birth가 between ~ and로 연결된 병렬 구조

그들의 아기들이 나이를 먹었을 때   시작할 만큼 충분히
12행 When their babies were old / enough to start
형용사+enough+to부정사: ~할 만큼 충분히 …한
시리얼 먹기를   ~할 때였다   찾을
/ eating cereal, / it was time / to look for

그룹들 사이의 차이점을
/ a difference between the groups.
엄마가 당근 주스를 마신 그룹과 물을 마신 그룹

한 관찰자가   알지 못하는
15행 An observer / who didn't know
문장 전체의 주어
어느 그룹에   각각의 아기가 속하는지
/ to which group / each baby belonged
간접의문문이며, which group를 목적어로 하는 전치사 to가 앞에 온 형태 (belong to: ~에 속하다)
아기들을 관찰했다
/ studied the babies
문장 전체의 동사
그들이 먹을 때   당근 주스와 섞인 시리얼을
/ as they ate / cereal mixed with carrot juice.

아기들은   이러한 이전의 경험이 없는
17행 The babies / who lacked this earlier experience
문장 전체의 주어
자궁 속에 당근 주스를 맛보는
/ of tasting carrot juice in the womb
동격의 of
얼굴을 찌푸렸다
/ made unhappy faces
문장 전체의 동사
그들이 처음 그 주스를 맛보았을 때   반면에
/ when they first tasted the juice, / whereas

다른 아기들은 시리얼에 있는 당근 주스를 즐겼다
the others enjoyed the carrot juice in the cereal.
자궁 속에 있을 때 엄마가 당근 주스를 마신 아기들

24

해석 _ ① 건강을 위해 식단을 바꾸어라 ② 당근을 사용하는 요리법을 배워라 ③ 아기의 성장에 매우 중요한 기간 ④ 엄마가 먹는 것이 아기의 입맛에 영향을 미친다 ⑤ 훌륭한 음식 섭취를 촉진하는 다양한 방법

해설 _ 임신 중에 엄마가 먹는 음식이 아기들의 음식에 대한 선호에 영향을 미칠 수 있다는 것이 이 글의 요지이다.

25

해석 _ ① 사용한 ② 잊은 ③ 부족한, ~이 없는 ④ 떠올린 ⑤ 유지한

해설 _ 엄마의 자궁 속에서 당근 주스를 경험하지 않은 아기들이 출생 이후 당근 주스를 처음 맛보았을 때 이를 좋아하지 않았다는 내용이므로, 빈칸에는 lacked(~이 없는)가 적절하다.

[26-28] 유형 | 복합 문단 지문 이해하기

(A) 오래전 작은 마을에 한 농부가 사냥꾼인 이웃을 두었다. 사냥꾼은 사나운 사냥개 몇 마리를 소유하고 있었다. 개들은 울타리를 자주 뛰어넘어 농부의 새끼 양들을 쫓아 다녔다. 농부는 이웃에게 (a)그(the hunter)의 개들을 제지해 달라고 요청했지만, 그의 말은 무시되었다. 그 개들이 울타리를 뛰어넘은 어느 날, 그들은 새끼 양 중 여러 마리를 공격해서 심하게 다치게 했다.

(D) 농부는 이 시점까지 충분히 참아 왔다. 그는 재판관에게 조언을 구하기 위해 가장 가까운 도시로 갔다. 그의 이야기를 주의 깊게 들은 후 그 재판관이 말했다. "저는 사냥꾼을 벌하고 (e)그(the hunter)에게 개들을 사슬로 묶거나 가두라고 지시할 수 있습니다. 하지만 당신은 친구를 잃고 적을 얻게 될 것입니다. 당신은 이웃을 친구 아니면 적, 어느 쪽으로 두고 싶습니까?" 농부는 친구가 더 좋다고 대답했다.

(C) "좋습니다. 저는 당신에게 새끼 양들을 안전하게 지키고 당신의 이웃 또한 좋은 친구로 바꿀 수 있는 해결책을 제안하겠습니다." 재판관의 해결책을 듣고, 농부는 동의했다. 농부가 집에 도착하자마자, (d)그(the farmer)는 즉시 농장에서 가장 귀여운 새끼 양들 중 세 마리를 골랐다. 그러고 나서 그는 자기 이웃의 세 어린 아들들에게 그것들을 선물했다. 아이들은 기쁘게 새끼 양들과 함께 놀기 시작했다.

(B) 자기 아들들의 새로 얻은 놀이 친구들을 보호하기 위해서, 사냥꾼은 (b)자신의(the hunter) 개들을 위해 튼튼한 개집을 지었다. 그 개들은 다시는 농부의 새끼 양들을 괴롭히지 않았다. 사냥꾼은 농부의 관대함에 감사했고, 그래서 그는 농부를 진수성찬에 자주 초대했다. 그 답례로 농부는 양고기와 치즈를 제공했다. 농부는 금세 (c)그(the hunter)와 진한 우정을 키우게 되었다.

어휘

fierce 사나운 frequently 자주 chase 쫓다 lamb 새끼 양 keep in check ~을 감독하다, 억제하다 fall on deaf ears (다른 사람의) 귀에 들어가지 않다 attack 공격

하다 severely 심각하게 injure 상처를 입히다 protect 보호하다 acquire 획득하다 bother 귀찮게 하다, 괴롭히다 gratitude 감사 generosity 관대함 feast 연회, 잔치 present 선물하다, 증정하다 have enough 충분히 참다 consult 상담하다 punish 벌을 주다 instruct 지시하다 lock up 문단속을 하다 prefer 선호하다

Grammar로 끊어 읽기

C 1행
좋다 / 나는 당신에게 제공하겠다 / 해결책을
All right, / I will offer you / a solution

당신의 양을 안전하게 지킬 / 그리고
/ that keeps your lambs safe / and
선행사가 a solution인 주격 관계대명사

또한 당신의 이웃을 좋은 친구로 변화시킬
will also turn your neighbor into a good friend.
keeps ~ and will (also) turn …의 병렬 구조

D 2행
그의 이야기를 주의 깊게 들은 후에
After listening carefully to his story,
접속사를 생략하지 않은 분사구문

재판관은 말했다 / 나는 사냥꾼을 벌할 수 있을 것이다
/ the judge said, / "I could punish the hunter

그리고 그에게 지시할 수 있을 것이다 / 그의 개들을 묶어두라고
/ and instruct him / to keep his dogs chained
could   keep+목적어+과거분사: ~을 …된 상태로 유지하다

또는 그들을 가두라고
/ or lock them up.
to keep ~ or (to) lock …의 병렬 구조, them = his dogs

26

해설 _ 이야기 형식의 글로 시간의 흐름에 따라 배열한다. (A)에서 이야기의 발단으로 서로 이웃인 농부와 사냥꾼의 갈등이 소개된다. (D) 농부가 갈등을 해결하기 위해 재판관을 찾는다. (C) 농부는 재판관이 권한 대로 행동한다. (B) 갈등이 해결되고 농부와 사냥꾼은 친구가 된다.

27

해설 _ (d)의 he는 the farmer(농부)를 가리키고, 나머지는 모두 the hunter(사냥꾼)를 가리킨다.

28

해설 _ ② 농부는 자주 식사 초대를 받은 답례로 사냥꾼에게 양고기와 치즈를 주었다.

memo